윤 우석

악똔 사랑해주셔서
고맙습니다.

최 정 화

문어생 작가님!
감사합니다.

진영 (김가은)

- 박규영 -

악마판사

오리지널 대본집 2

악마판사

오리지널 대본집 2

문유석 지음

문학동네

일러두기

1. 작가의 오리지널 대본이므로, 드라마와 일치하지 않는 부분이 있습니다.

2. 드라마 대본의 생동감을 그대로 전하기 위해, 대사의 경우 한글맞춤법과 외래어표기법에 어긋나더라도 고스란히 살려두었습니다.

3. 단행본은 『 』, 시와 기사는 「 」, 노래와 프로그램명 등은 〈 〉로 표기했습니다.

4. 본문의 각주는 모두 작가주입니다.

차례

손쉬운 정의란 존재하는가에 관한 질문

사람들의 갑갑증이 심각해지고 있다. 불신과 혐오가 판을 친다.

트럼프 현상, 브렉시트, 거리에서 마약상을 즉결 처형하는 필리핀 두테르테 체제에 대한 열광…… 우리 사회의 모습도 정도만 다를 뿐 끓어오르는 에너지의 방향은 비슷하지 않을까.

이유는 기존의 법치주의 시스템이 더이상 사람들을 만족시키지 못하기 때문이다. 사람들은 더이상 인권, 소수자 보호, 다양성 존중, 민주주의, 법치주의를 믿지 않는다. 냉소한다. 강력한 힘으로 이 답답한 세상을 누군가 쓸어버리길 바라는 목소리가 커져간다.

그럴 만도 하다.

기존의 시스템은 아름다운 이름과 달리 실제로는 부패, 무능, 엘리트주의, 관료주의로 오작동을 일삼아왔기 때문이다. 사법 시스템에 대한 국민의 불만과 분노는 이미 위험 수위를 넘어섰다. 제대로 정의가 실현되기를 바라는 분노의 목소리가 드높다. 사람들은 '사이다'에 대한 갈증으로 목이 타들어간다.

여기서 일종의 사고실험을 해보자.

정체불명의 역병이 휩쓸고 가버린 가상의 디스토피아 대한민국에 사람들이 원하는 정의를 효율적으로 제공하는 히어로가 나타난다면 어떨까. 그의 무기는 대중의 지지다. 미디어를 효과적으로 활용하여 법정을 리얼리티 쇼로 만들어낸다. 국민의 관심과 열광을 동력으로 낡은 사법 시스템을 국민이 바라는 모습으로 신속하게 바꾸는 혁명적 실험을 시도한다.

완전히 새로운 재판이 벌어지는 법정을 무대로,
사람들이 욕망하는 '정의'가 '사이다'처럼 쏟아진다면?
'다수의 뜻' 그대로 재판이 이루어진다면?
그렇다면 진짜로 정의가 실현되는 것일까?

이런 질문을 던져보고자 한다.
이는 재판뿐 아니라 정치, 사회가 앞으로 어떤 방향으로 흘러갈지에 관한 상상이기도 하다.

낡은 시스템은 분명히 고장나 있다.
사람들의 분노에 공감하지 못하는 차가운 시스템은 기계에 불과하다.
바뀌어야 한다. 하지만 분노 또한 선을 넘으면 또다른 괴물이 된다. 정의를 실현하기 위한 과정에서 가장 중요한 것은 정의감이 아니다.
오류 가능성에 대한 두려움이다.
자신이 믿는 정의 때문에 분노하여 목소리를 높이고 있는 이들은 스스로에게 질문해보아야 한다.

나는 나 스스로가 틀렸을 가능성을 생각해본 적이 있는가.

생각해본 적이 없다면, 또는 틀렸어도 대의를 위해 어쩔 수 없다고 생각한다면, 당신은 당신이 분노하고 있는 대상보다 더 위험한 존재다.

희망은 어디에 있을까.

저마다 아름다운 말로 사람들을 현혹하는 거짓 선지자들이 성마른 분노를 전파하는 세상에서.

…답답하고 힘들어도, 지름길은 없지 않을까.

망설이고, 돌아보고, 휩쓸리기보다 의심하고,

지나치다 싶을 때는 멈출 줄 알고, 후회하고, 반성하고,

그러면서도 이웃들에 대한 최소한의 선의를 포기하지 않는, 그런 평범한 사람들이 세상의 중심을 든든히 지키는 것 아닐까.

그래서 요한이 아니라 가온이 이 디스토피아 세상의 희망이다. 가온은 이 〈악마판사〉라는 이야기를 끝까지 지켜봐주신 수많은 시청자들을 대변하는 인물이기 때문이다.

의심하고, 분노하고, 연민하고, 오해하고, 후회하는,

하지만 끝끝내 선의를 포기하지 않는, 그런 사람들을.

2021년 8월

문유석

주요 등장인물

강요한 | 시범재판부 재판장(40세*)

수수께끼 같은 스타 판사. 귀족적인 외모와 사람을 사로잡는 미소를 가졌다. 언제나 몸 선을 따라 흐르는 최고급 슈트를 입으며, 취미든 물건이든 모든 것에 가장 우아한 취향과 안목을 가졌다. 그가 대부호의 비극적인 상속자라는 사실도 그에 대한 신비감을 대중 속에 심어준다. 하지만 숨겨진 진짜 그의 모습은 아무도 알지 못한다.

강요한은 인간을 평등하게 혐오한다. 부자든 가난한 자든, 강자든 약자든, 인간들은 놀라울 만큼 이기적이고 뻔뻔하고 자기와 다른 존재에게 가혹하다. 남들만 문제고 나는 피해자일 뿐이라며 위선과 자기합리화를 일삼는 인간들, 신물이 난다. 그것이 강요한이 겪어온 세상이다. 강요한에게 세상은 언제나 지옥이었다. 쓰레기처럼 버림받은 채 태어난 그 순간부터.

하지만 비참한 어린 시절, 강요한은 깨달았다. 자신에게는 되갚아줄 수 있는 힘이 있다는 것을. 인간들의 어리석음을 이용해서 그들을 마음대로 움직일 수 있다는 것을. 그에겐 타고난 포식자의 피가 끓는다. 어리석고 탐욕스러운 인간들을 사냥하고 싶다. 십 년간 본능을 억누르며 성실하고 우수한 판사의 가면을 쓰고 살아온 끝에 드디어 전 국민에게 생중계되는 국민참여재판 쇼라는 무대가 완성되고 강요한은 마음껏 한바탕 판을 벌이기 시작한다.

『이솝 우화』에 나오는 개구리들은 자신들의 왕이 나약하다며 신에게 강력한, 더 강력한 왕을 보내달라고 울어대던 끝에, 원하던 대로 강력한 황새를 왕으로 맞는다. 그러고는 남김없이 잡아먹힌다. 강요한은 '강력한 왕'이 기꺼이 되어주기로 한다.

그런데, 이 모든 것이 시작되는 순간에 김가온을 만나고 만다. 강요한에게는 무거운

---

* 극중 배경인 2025년을 기준으로 한 나이이다. 애초에는 2027년으로 설정했다가, 제작상 핸드폰 등 생활소품의 변화가 최대한 없도록 더 가까운 시점으로 변경해달라는 요구가 있어 2025년으로 설정을 변경했다. 이 과정에서 일부 오류(2027년 기준 사건번호 노출 등)가 발생했다.

십자가와도 같은 얼굴이 있다. 지옥 같던 어린 시절 유일하게 강요한을 붙잡아주었던 얼굴. 하지만 지금은 고통과 죄책감으로 밤마다 악몽에 시달리게 만드는 얼굴. 형 강이삭의 얼굴이다. 외면은 물론 내면까지도 형과 너무나 닮은 김가온은, 강요한과 정면으로 부딪히며 그가 벌이는 일들을 막으려 한다.

…이 아이를 어떻게 하지?

가까운 이들에게는 의외의 모습을 보이기도 한다. 조카 엘리야와 김가온만 아는 모습들이다.

—자신의 아름다움에 대한 자부심 때문인지 나이 먹었다는 얘기에 민감하다.

—자신도 의식 못하고 있는 것 같지만, 버려진 것들을 주워 오는 취미가 있다. 강요한의 저택에서 키우는 고양이도 유기묘다.

—결국 강요한은, 애써 부인하지만 이 별에서 늘 외로웠는지도 모르겠다.

정선아 | 사회적책임재단 상임이사 (40세)

강요한의 유일한 최대 숙적. '사회적책임재단' 상임이사이자, 악마판사 강요한을 곤경에 몰아넣고 사냥감 취급하는 유일한 존재. 치밀하고, 유능하고, 가차없다. 우아하고 화려한 외모, 현란한 언변, 사람 다루는 능수능란한 기술을 지녔다. 무엇보다 위선 뒤에 가려진 인간들의 진짜 욕망을 정확히 꿰뚫어보고 그것을 이용할 줄 아는 능력은 그녀의 최대 무기다.

보통 선아라는 이름은 선녀같이 아름답다는 의미의 한자로 짓는데, 정선아의 이름은 특이하다. 그저, 착한 아이다. 착할 선, 아이 아. 善. 兒. 아이 이름을 이렇게 짓는 사람은 흔치 않을 거다. 엄마가 지어주셨다. 무책임한 남자에게 버림받고 험한 세상을 악다구니 쓰며 힘들게 살던 엄마는 딸이 그저 평범하게, 착한 아이로 살 수 있길 바랐다. 하지만 험악한 빈민촌에서 자란 어린 정선아에게, 세상은 욕설, 구타, 증오, 성폭력이 자연법칙같이 당연한 곳이었다. 정선아는 자연스럽게 새끼 야생동물처럼 으르렁거리고 되받아치며 사납게 자랐다. 그게 당연했다.

그녀는 아이처럼 천진난만하다. 그녀는 오직 '오늘'만을 살아간다. 하루하루가 신나서 미치겠다. 인간의 속내를 꿰뚫어보고 이들을 조종한다는 점에서는 마치 강요한과 영혼의 쌍둥이 같지만, 그녀에게는 인간의 위선, 탐욕, 어리석음에 대한 분노 따위는 없다는 점에서 강요한과 다르다. 오히려 눈을 휘둥그레 뜨며 의아해한다. 그게 먹잇 감인데 왜? 아유, 안 그러면 어쩔 뻔했어. 감사하며 살아야지. Why so serious? 진정한 쾌락주의자인 그녀는 이 세상의 조커이자, 할리퀸이다.

반짝반짝 빛나는 아름답고 비싼 물건들을 보면 언제나 가슴이 뛴다. 인간들 따위는 어리석고 추할 뿐이지만 세상에는 빛나고 아름다운 물건들이 너무나 많다. 그것들을 자기만의 비밀스러운 공간에 모아 예쁘게 진열하는 것이 그녀의 취미다.

문제는 그녀가 꼭 수집하고 싶은 아름다운 것들 중에는, 강요한도 있다는 것. 강요한은 그녀의 욕망의 근원이자, 파멸의 근원이 되고야 만다.

…불행하게도 세상에 태어나 한번도 누군가가 착하게 대해준 적이 없었던 정선아는, 엄마가 이름을 지어주며 바랐던 것이 무엇인지도, 자기가 얼마나 망가지고 상처받으며 살아온지도 모른 채 살아갈 것이다. 그저 본능에 따라 먹이를 쫓으며, 야생동물처럼. 채워지지 않는 공허함과 허기에 시달리며.

김가온 | 시범재판부 좌배석판사 (29세)

단 1회 방송 만에 시범재판부 '입덕 멤버'로 스타덤에 등극하는 젊은 판사로, 팬클럽까지 결성된다. 강요한을 노려보는 김가온의 얼굴로 만든 브로마이드에 팬들이 써넣은 문구는 '나는 반대한다온!'이다. 선이 가는 미소년이지만 질풍노도의 비행청소년 출신다운 숨겨진 거친 면들이 있어서 실전 주먹이 강하고 유사시엔 오토바이 폭주 본능도 있다.

이유가 있다. 그가 열여섯 살 때, 사회사업가 행세하는 다단계 사기꾼 때문에 부모가 전 재산을 잃고 자살했다. 그래서인지 정의, 국민 등 거창하고 아름다운 이야기를 하며 세상을 속이는 힘있는 자들에 대한 본능적인 거부감과 불신이 있다. 강요한에 대해서도.

김가온은 아버지의 친구이자 스승인 민정호 대법관의 부름으로 시범재판부에 들어간다. 강요한을 감시하고 추적하기 위한 첩자나 다름없는 역할이지만 김가온은 군말 없이 민정호의 말에 따른다. 아버지 같은 은인이기 때문이기도 하지만, 진심으로 존경하는 '어른'이기 때문이다. 부모를 잃고 복수심과 절망으로 폭주하던 김가온을 붙잡아준 것은 세상에 단 두 사람, 소꿉친구 윤수현과 스승 민정호뿐이었다.

그런 민정호의 기대에 부응하기 위해 김가온은 판사답지 않게 강요한을 도청하고, 미행하고, 과거를 조사한다. 그러다가 불의의 사고로 강요한의 저택에 머물게 되며 숨겨진 그의 진짜 모습을 더 깊게 파헤칠 수 있게 된다.

그런데, 강요한에게 접근하면 할수록 김가온은 혼란스럽다. 처음에는 강요한을 재판을 발판으로 정치적 야심을 꿈꾸는 포퓰리스트로, 다음에는 재판을 도구로 사람을 사냥하며 쾌락을 추구하는 소시오패스로 보았는데, 이상하게도 자꾸만 강요한의 처절한 외로움이 느껴진다.

그래서 김가온은 아프다. 강요한이 자기도 모르게 김가온에게 의지하는 걸, 속내를 드러내 보이는 걸 알기에, 그런 강요한을 속이고 배신하는 자신의 입장이 고통스럽다. 이건 너무 잔인한 짓인 것 같다.

게다가 강요한이 행하는 일들이 정말 잘못된 것인지도 갈수록 모르겠다. 방법이 어떻든 강요한은 벌받아 마땅한 악인들, 그것도 법을 가지고 놀던 강자들을 단호하게 처단하고 있지 않은가. 뭐가 옳은 것이고 뭐가 틀린 것일까. 이런 썩어빠진 세상에는 강요한 같은 극약처방이라도 필요한 것이 아닐까.

윤수현 | 광역수사대 형사 (29세)

김가온의 불알친구(?)이자 소꿉친구. 워낙 어렸을 때부터 김가온과 친남매처럼, 동성 친구처럼 토닥대며 지내온 사이다. 속으론 김가온을 좋아하지만 겉으론 일부러 더 장난처럼 대하거나 누나 행세를 하며 보호하려들기도 한다. 비참하게 부모를 잃고 울부짖던 김가온의 순간순간을 모두 기억한다. 그 어떤 때에도 무조건 김가온의 편에 서고 그를 지키려 했다. 윤수현은 지금도 김가온이 물가에 내놓은 애 같고, 이 험한 세상에서 지켜주고 싶은 존재다.

경찰대를 나와 광수대 에이스로 잘나가는 형사님이지만, 시원시원한 미모로 어딜 가도 인기 폭발이다. 이 답답한 김가온 녀석만 그걸 몰라본다. 너무 보호자로 굴었던 게 문제일까. 김가온을 볼 때마다 장난처럼 "이 자식, 사랑한다!"를 외쳐대지만, 그 말이 장난만은 아니라는 걸 이 자식은 아는 걸까.

김가온을 도와 강요한의 뒤를 좇고, 강요한의 숨겨진 이면에 접근할수록 경악하게 된다. 윤수현은 원칙에 충실한 경찰이기 때문이다. 아무리 결과적으로는 악인들을 심판하고 있다고 해도, 그 과정이 반칙인 것은 용납할 수 없다. 그건 또다른 범죄다.

문제는 김가온이 점점 강요한의 세계로 휘말려들어가고 있다는 것. 김가온이 수렁으로 빠져드는 것 같아 그를 빼내려 발버둥치지만 김가온은 점점 멀어져만 가고, 주변엔 알 수 없는 죽음과 미친 일들만이 이어진다.

윤수현은 강요한을 멈추기 위해 모든 것을 걸 각오를 하는데……

오진주 | 시범재판부 우배석판사

화려한 외모, 친근한 미소가 미디어 재판에 딱 맞는, '카메라가 사랑하는 판사'. 본인 스스로 실력이 아니라 외모 때문에 발탁되었다고 말할 정도다. 그런데 알고 보면 대책 없는 푼수에 호들갑 대마왕이기도 하다. 항상 필기시험 성적은 그저 그런데 탁월한 면접시험 능력으로 로스쿨도 붙고, 판사도 되었다. 성적은 거의 꼴찌여서 지방근무를 전전하다가 일약 온 국민의 주목을 받는 시범재판부의 일원으로 당당히 대법원에 입성한다. 이 일생일대의 기회를 살리고 말겠다는 의욕이 하늘을 찌른다.

정도 많고 눈물도 많고 애교도 많지만 욕심도 많은, 미워할 수 없는 속물. 사람들은 겉모습만 보며 편견을 갖지만, 실은 시골에서 농사일을 도우며 자랐고, 서울 변두리 원룸에서 낯선 이의 발걸음 소리를 두려워하며 살던 흙수저다. 그래서 같은 흙수저 김가온을 한눈에 알아본다. 레이더처럼.

문제는 너무 큰 무대에서 온 국민의 사랑을 받는 스타로 갑자기 뜨면서 사람들의 시선에 중독되어버렸다는 점이다. 처음에는 '매력도 실력이다'라는 생각으로 일도 열심히 하며 자신의 매력을 살려 출세하겠다는 정도였는데, 대중의 열광이 지속될수록 점점 욕심이 생긴다. 흔들린다.

그 흔들림을 놓치지 않고 막후의 권력자 정선아가 접근해온다.

"욕심내봐요. 제가 본 시범재판에서는, 오판사님이 제일 빛났어요. 반짝반짝."

그 치명적인 유혹의 목소리에, '나라고 '정의의 신전' 대법원에 흉상을 남기는 역사적인 인물이 되지 말란 법이 있을까?' 야망이 커져만 간다.

엘리야 | 강요한의 조카

긴 머리에 사람인지 구체관절인형인지 알 수 없는 미모, 그리고 아무 감정이 없는 듯한 차가운 눈을 가졌다. 불행한 사고로 전동 휠체어에 앉아 있는 소녀. 강요한의 형, 강이삭 부부의 사랑을 듬뿍 받던 딸이었지만, 모든 비극의 시작인 성당 화재 사건 이후 부모를 잃고 걷지 못하게 된다. 불붙은 십자가로부터 자신의 생명을 지켜준 것이 삼촌 강요한인 것도 모른 채 아버지를 죽인 원흉으로 강요한을 의심한다. 아버지가 전 재산을 기부하기로 한 직후 사고가 발생했고, 사고 후 강요한이 기부약정을 취소시켰다는 사실을 알아냈기 때문이다. 강요한을 노려보며 내 다리로 걸을 수 있게 되면 내 손으로 널 죽여버릴 거라고 내뱉는 엘리야. 하지만 겉으로 보이는 격렬한 증오심 뒤에는 유일한 혈육인 강요한에게 의지하고 응석부리고 싶은 어린아이가 웅크리고 앉아 있다. 일부러 못되게 구는 삼촌 강요한이 실은 자신을 지키기 위해 뭐든 한다는 사실 또한 알고 있기 때문이다. 강요한이 아버지를 죽였다고 의심하면서도 마음 한쪽에서는 절대 그랬을 리 없다고 이를 부정하기도 한다. 그런 그녀의 세계에 젊은 날의 아버지를 꼭 닮은 김가온이 나타나고, 처음에는 그게 싫어서 더 김가온에게 못되게 굴지만, 점점 김가온의 온기와 미소에 끌리고 만다. 김가온이 저택에 있으면 사람 사는 곳 같은 온기가 느껴진다.

강씨 집안의 냉정함과 천재적인 두뇌는 강지상으로부터 강이삭을 건너뛰고 바로 엘리야에게로 유전된 듯하다. 강요한과 엘리야는 그런 점에서 비슷하다. 사고 이후 집에만 있지만 독학으로 스탠퍼드대 컴퓨터공학과에 재학중인 천재 소녀.
원격수업을 조건으로 입학 허가를 받아내기 위해 강요한은 스탠퍼드대학에 엘리야의 이름을 붙인 홀을 지어 기부했다.

차경희 | 법무부장관

여당 차기 대권 후보 선두주자. 정통 엘리트 검사로서 권력자들의 지시를 한 치 오차 없이 유능하게 수행해온 능력을 인정받아 출세가도를 달려온 개천용. 문제는 그의 능력이란 주로 정치적 반대파 제거를 위한 함정수사, 강압수사, 여론 조작이라는 점이다.

초임 검사 때부터 청와대 입성을 최종 목표로 평생 플랜을 세워둔 야심만만한 인물. 역병이라는 대재난과 혼란 와중에 엉뚱하게도 딴따라 출신의 허중세란 놈이 '갑툭튀' 하여 자기에게 예약되어 있다고 생각한 권력의 정점을 차지하자 분통이 터져 죽을 지경이지만 겉으로는 예우해주는 척하면서 무시한다. 어차피 광대는 잠깐이고 미래 권력은 자신이라고 확신하기 때문이다.

강력한 법질서를 슬로건으로 사법개혁을 추진하면서 각종 엄벌주의 입법안을 법무부안으로 국회에 제출하여 통과시키고, 강요한의 아이디어인 시범재판을 실현시키는데 적극 후원한 것도 모두 이 업적을 토대로 국민의 지지를 얻어 차기 대권을 차지하기 위함이다.

평생 목표인 권력을 위해서는 무엇이든 희생할 수 있는 강한 인물이지만 자기 새끼 피 흘리게 했다고 원한에 불타면서도 평생 자기 야망 때문에 남의 새끼들 피눈물 나게 한 것은 기억하지 못한다. 그중에는 강요한을 돕는 조력자 K가 있다는 것은 더더욱 모른다.

허중세 | 대통령

주연을 못해본 것이 한으로 남아 있는 감초 조연배우 출신. 정치 유튜버로 활동하며 선 넘는 사이다 막말과 모두까기, 음모이론 설파로 욕먹던 중, 일생일대의 기회를 만났다.

나라를 휩쓴 역병과 이에 따른 경제 붕괴, 사회 불만이 극에 달한 시기, 광화문에서 약탈과 폭동이 벌어질 정도로 상황이 극심해지자, '강력한 법질서, 강력한 대한민국'을 외쳐대며 마구 던지는 그의 막말은 폭발적인 인기를 끌며 구독자 600만 명을 돌파했다.

기존 주요 정당의 인기가 바닥을 치는 사이, 위기의 대한민국을 뒤에서 실제로 움직이는 힘인 사회적책임재단이 허중세를 지금 시대에 맞는 대권 후보로 보고 픽업해준 것이다. 재단의 막대한 돈을 선거자금으로 미디어를 무기로, 대중을 공략, 집권에 성공한다. 집권 후에도 유튜버 본능을 잃지 않고 청와대 라이프를 직접 유튜브 생중계하는 등 국민과의 직접 소통에 전력한다. 공약대로 초강력 사법개혁 법안들을 통과시킨 후 로마시대 콜로세움에서 벌어진 검투사 경기처럼 국민들의 불만을 해소할 무대로 화려한 쇼, 전 국민 참여 시범재판을 시작한다.

집권은 했지만 정통 엘리트 출신이 아닌 취약함을 늘 의식해서 불안에 시달린다. 특히 남의 약점을 잡아 파멸시키는 것이 전문인 엘리트 검사 출신 법무부장관 차경희가 자신을 운좋은 광대로 낮춰본다는 걸 너무나 잘 알고 있기에 늘 긴장하고 있다. 자기는 사회적책임재단이 내세운 허수아비에 불과하고, 실세는 미래 권력인 차경희라는 것이 그를 초조하게 만든다.

그의 불안과 열등감은 반대로 과도한 자기과시와 요란함, 예측하지 못한 순간에 터져 나오는 광기의 공격성으로 표출되곤 한다. 결국 미래에 대한 불안을 핑계 삼아 뒷구멍으로는 거대한 돈벌이에만 집착하는 그. 돈만이 영원한 권력이고, 퇴임 후에도 그를 지켜줄 성벽이기 때문이다. 국가를 자신의 '수익 모델'로 운영하는 것이다.

민정호 | 대법관

김가온의 스승이자, 방황하던 김가온을 올곧은 길로 이끌어준 어른. 중년의 나이임에도 운동으로 단련된 탄탄한 몸의 소유자다. 젊은 시절부터 소외된 이들을 위한 '거리의 변호사'로 살았고, 나중에는 로스쿨 교수도 겸하면서 제자들을 키워냈다. 거리의 변호사 시절에는 탈선한 아이들이 민정호가 떴다 하면 줄행랑을 칠 정도로 산전수전 공중전을 다 겪은, 말보다는 주먹이 먼저 나가는 다혈질이기도 했다. 그랬던 그가 국민들에게 보여주기 위한 장식물처럼 대법관에 임명됐다. 꽉 조이는 법복보다 반팔 티셔츠가 편했지만, 참았다. 무너져내린 이 사회의 정의를 위해서라면 언제라도 그 자신이 밀알이 될 수 있다고 생각해왔던 참이다. 그런 그에게 강요한의 등장은 본능적으로 경계의 종을 울리는 사건이었다. 강요한은 결코 선이 아니다. 강요한이 하려는 일은 세상의 정의를 위한 게 아니다. 이 모든 건 강요한의 의도에 맞춰 제작된 완벽한 쇼에 불과하다. 민정호는 강요한의 실체를 밝히기 위해 그를 추적하기 시작한다.

광대 같은 대통령, 꼭두각시 같은 대법원장, 미쳐 돌아가는 세상 속에서 강요한을 저지할 수 있는 사람은 자신밖에 없다는 초조함이 민정호를 갉아먹는다. 아들처럼 아끼는 김가온을 강요한 곁으로 보내며 그의 뒤를 파헤쳐달라 부탁하지만, 김가온의 한마디, "저보고 가롯 유다가 되라는 말씀입니까?"가 못내 아프고 미안하다.

K | 강요한의 조력자

그림자처럼 강요한을 돕는 강요한의 숨은 조력자. 19년 전, 유망한 젊은 정치인이었
던 그의 아버지는 권력자들의 하청을 받은 정치검사 차경희의 강압수사로 인해 뇌물
수수 누명을 뒤집어쓰고 모든 것을 잃은 후 자살했다. 고등학생이었던 그는 무슨 짓을
해도 처벌받지 않는, 법을 기득권 보호의 도구로 가지고 노는 자들에 대한 복수에 인
생을 걸었다. K는 강요한이 이를 이루어줄 유일한 희망이라 믿기에 그에게 어떠한 의
문도 제기하지 아니한 채 묵묵히 그의 지시를 이행하고, 사회 곳곳에 있는 억울한 범
죄 피해자의 가족, 유족들을 연결하여 강요한을 위한 조력자 네트워크를 만들어낸다.
그런 그에게 김가온은, 자칫 강요한의 약점이 될 수도 있기에 위험 요소다. 하지만 동
시에 김가온이 지닌 가족사의 아픔은 자신의 것과도 같기에 연민과 동지애를 느끼기
도 한다. 김가온과 만난 후 강요한이 미묘하게 조금씩 변해가고, 정선아의 파상 공격
에 의해 혼란과 갈등이 최고조에 달할 때, 그에게 비극적인 운명이 닥친다.

재희 | 정선아의 심복

정선아의 심복으로 암살이든, 도청이든, 폭파든 정선아의 지시를 유능하게 수행한다.
겉으로는 재단 상임이사 정선아의 비서 정도로 알려져 있고, 남들 앞에서는 정선아를
깍듯이 모신다. 하지만, 둘만 있는 자리에서는 철없는 친언니 대하듯 핀잔을 주고, 제
발 일 좀 요란하게 벌이지 말자고 불평하지만, 뭐든 화려한 게 재밌다며 눈을 반짝이
는 정선아의 고집에 한숨만 쉴 뿐이다. 정선아와 미운 정이 들 것 같을 때마다 "언니,
우린 비즈니스 관계야. 난 돈 충분히 벌면 이거 때려치울 거야" 대놓고 얘기하곤 한
다. 하지만 그놈의 미운 정에 발목 잡히는 게 또 사람이다.

지영옥 | 강요한 집안의 유모

강지상 시절부터 강이삭을 거쳐 강요한에 이르기까지 강요한가家의 살림을 도맡고 있
는 유모. 그녀가 오랜 시간 강요한 집안에서 살아남을 수 있었던 건 눈과 귀와 입을 모
두 닫은 채 제 할 일만 충실했기 때문이다. 차가워 보이고, 경우에 따라서 냉혹해 보이
기도 하다. 하지만 젖먹이 때부터 키우다시피 한 강요한을 바라보는 시선에는 이따금

연민과 안타까움이 스며 있다.

도연정 | 영부인

미스코리아 출신으로 허중세가 신인배우이던 시절 그의 현란한 말솜씨에 넘어가 사고 치고는 울며 겨자 먹기로 허중세와 결혼했다. 모델 활동 등으로 남편보다 잘나가던 셀럽에 외모 격차도 심하여 평생 손해 막심하다가 못난이 남편의 인생역전 한 방에 로또 맞은 느낌이다. 술만 마시면 울분에 남편을 쥐 잡듯 잡던 버릇이 아직도 남아 있다.

강이삭
강요한의 형. 김가온과 빼닮은 외모에 바보 같을 정도로 착한 성품을 지녔다. 이복형제인 강요한을 진심으로 걱정하고 사랑한다.

서정학
사회적책임재단 이사장. 고매한 인품의 빈민운동가로 추앙받지만 실상은 추악한 욕망으로 가득찬 위선자다.

박두만
사람미디어그룹 회장. 시범재판을 전국에 송출하는 방송국의 오너다. 라이벌 민용식과 마찬가지로 돈 앞에서는 사족을 못 쓴다.

민용식
민보그룹 회장. 박두만과 티격태격하는 라이벌 사이다. 자신의 이익을 위해서라면 그 어떤 일도 거리낌없이 저지르는 추악한 장사꾼이다.

고인국
변호사. 악마판사 강요한이 설계한 재판에서 핵심적인 역할인 '악마의 변호인'을 맡고 있다.

한소윤

배우 지망생. 뛰어난 연기력으로 강요한 재판에 도움을 준다. 김가온 팬클럽 회원이다.

도영춘

8천억대 다단계 사기범. 자신이 저지른 범죄에 대해 반성하는 기색을 전혀 보이지 않으며, 돈 앞에서는 이성을 잃는다. 김가온의 원수이자 차경희와 연결되는 카드.

죽창

정치 유튜버. 청년들을 선동해 애국이라는 명분으로 혐오 범죄를 일삼는다. 배후에 허중세를 두고 있다.

이영민

차경희의 아들. 자신의 권력을 이용해 서민들을 괴롭히는 '갑질'이 취미인 부잣집 도련님이다.

용어 설명

Cut to	한 신 안에서 다른 장소나 주제로 전환이 될 때의 용어.
E	effect. 효과음. 주로 화면 밖에서의 소리를 장면에 넣을 때 사용한다.
F	filter. 전화 수화기를 통해서 들려오는 소리.
N	내레이션. 등장인물이 화면 밖에서 상황을 해설하거나 극의 전개를 설명할 때 사용한다.
O.L.	overlap. 장면이 흐릿하게 사라지면서 다음 장면이 서서히 등장해 겹치게 하는 기법. 소리나 장면이 맞물린다. 앞사람 대사가 끝나기 전에 뒷사람 대사가 치고 들어갈 때 주로 사용한다.
V.O.	voice-over. 영상에서 등장인물이나 해설자 등이 화면 속에 나타나지 않고 대사, 해설, 생각 등 목소리만 나올 때 쓴다.
신	scene. 장면이라는 의미로, 동일 시간 동일 장소에서 이뤄지는 행동, 대사가 하나의 신으로 구성된다.
인서트	insert. 화면 삽입. 무언가에 집중시키거나 자세히 설명하기 위한 장면을 삽입하는 것으로, 특정 부분을 확대하는 클로즈업을 통해 이뤄지는 경우가 많다.
F.O.	fade-out. 화면이 서서히 어두워지거나 효과음 등이 서서히 줄어들 때 쓴다.
플래시백	flash back. 과거에 나왔던 신을 불러오는 용어. 주로 회상 장면이나 인과를 설명하기 위해 넣는다.

9부

배트맨과 로빈

S#1. 강요한의 차 안 (밤)

운전하고 있는 강요한, 옆자리의 김가온을 힐끗 본다. 무거운 표정이다.

강요한 …후회하나?

김가온 (강요한을 힐끗 보고는 시선을 다시 창밖으로 돌린다)

강요한 한 가지는 약속하지. 네 부모의 원수, 그리고 그놈을 빼돌린 놈
들.

김가온 (강요한을 본다)

강요한 (차갑게 웃으며) 대가를 치르게 될 거야. 가혹하게.

김가온 …복수 때문만은 아닙니다.

강요한 …그럼?

김가온 싸우고 싶을 뿐입니다. 잘못된 세상과.

강요한 (순간 벨소리가 울려서 핸드폰을 본다) 엘리야? (급히 전화를 받는데
표정이 심각해진다) 응. 뭐야?!

김가온   (놀라) 무슨 일입니까?!

강요한   (엘리야에게) 꼼짝 말고 그대로 있어! (다짜고짜 차를 유턴하더니 부
아앙! 액셀을 끝까지 밟는다)

달려가는 강요한의 차 위로 겹쳐지는 탕! 총소리.

S#2. 길거리 (밤)

탕! 하늘을 향해 경고사격을 한 윤수현. 쇠파이프를 치켜든 채 놀라 멈
칫하는 죽창과 뒤에 서 있는 일당. 윤수현, 천천히 총구를 죽창의 가슴
에 겨눈다.

윤수현   그거 버려. 빨리.

죽창   (이죽거리며) 어우, 포순이 언니. 왜 그래? 어차피 쏘지도 못할 거
면서. (카메라 들고 있는 일당을 돌아보며) 야, 이거 잘 찍어라. (갑
자기 쇠파이프를 옆으로 던지면서 두 팔을 활짝 옆으로 벌리며 연극하듯
과장된 어조로) 쏘시려면 쏘십시오! 경찰이 비무장한 시민 가슴에
총을 겨눠도 되는 겁니까?

윤수현, 총을 겨눈 채 두들겨 맞고 있던 외국인 노동자들 앞으로 가서
죽창 일당으로부터 보호하듯 선다.

윤수현   (머리에서 피 흘리는 노동자를 향해 손수건을 건네며) 괜찮으세요?
우선 이걸로.

노동자	고맙습니다! (손수건으로 상처 부위를 막아 지혈한다)

죽창, 부하 한 명에게 슬쩍 눈짓한다. 구석에 서 있다가 슬금슬금 옆으로 빠지는 부하.

죽창	대통령님! 보고 계십니까?! (윤수현 쪽으로 성큼 위협적으로 다가선다)
윤수현	물러서.
죽창	(씨익 웃으며) 애국 시민이 대통령님의 부르심을 받아 떨쳐 일어났는데, 일개 경찰이 저를 핍박합니다! (윤수현 바로 앞까지 다가서서 총구에 가슴을 갖다대고는, 어차피 못 쏠 것을 안다는 듯 비웃으며 나지막이) 이런 기집애가. (총을 빼앗으려는 듯 윤수현에게로 손을 뻗는다)

윤수현, 순간 총을 집어넣으며 전광석화같이 죽창의 팔을 잡아 업어치기로 던진 후 팔을 꺾어 제압한다. 고통스러워하며 무릎 꿇는 죽창. 그런데, 그때 들려오는 앙칼진 비명소리!

엘리야(E)	비켜!

놀라 돌아보는 윤수현. 죽창의 부하 한 명이 윤수현의 차 조수석에서 엘리야를 억지로 끌어내려 하고 있고, 엘리야는 억세게 버티며 그를 야무지게 퍽퍽 구타하고 있다!

윤수현	엘리야! (놀라 엘리야 쪽으로 달려간다)

이때, 부아아앙! 엄청난 굉음을 내며 달려오는 강요한의 차. 죽창의 부하, 놀라 돌아본다. 끼이익! 강요한의 차가 멈추더니 차문이 천천히 열리고, 차 양쪽에서 강요한과 김가온이 분노한 표정으로 내려선다. 강요한을 알아보고 놀라는 죽창.

– 어? 강요한이다! 강요한이야!

놀라 술렁대는 죽창 일당.

윤수현　　　가온아!

김가온, 엘리야를 끌어내리던 죽창의 부하에게 가더니, 망설임 없이 픽! 돌려차기로 날려버린다. 비명을 지르며 나가떨어지는 부하. 그러고는 엘리야를 챙기는 김가온.

김가온　　　괜찮니?

엘리야　　　(좋아하며 생긋 웃더니 고개를 끄덕인다)

강요한, 씩 웃으며 김가온과 눈빛을 교환하더니 뚜벅뚜벅 죽창을 향해 걸어간다. 반대편 차선에 주차된 승합차 앞에 서 있는 죽창. 죽창 일당, 혼란스러워하며 우물쭈물한다. 왜 갑자기 강요한이 나타났는지 모르겠는데 김가온은 자기 일당을 공격하고, 그 와중에도 좋아하는 연예인을 만난 팬처럼 흥분한 놈들도 있다.

– 존경합니다 판사님!

– 팬입니다!

– 우리가 권력이다!

강요한, 죽창 일당을 무시한 채 죽창에게로 뚜벅뚜벅 걸어가더니, 갑자기 팔로 죽창의 목을 강하게 누른다. 죽창, 뒤에 있는 차에 쿵 부딪히며 공포에 질린다.

죽창   컥, 컥, …판사님.
강요한   (무시무시한 눈빛으로) 감히 내 조카를 건드려?

죽창 일당, 놀라 엘리야 쪽을 보며 술렁인다.

죽창   (숨이 막혀 버둥거리며) 죄, 죄송합니다! 몰라서, 몰라서 그만. 컥,
         커억……

죽창, 고통스러워 버둥거리는데, 강요한의 눈에 잔혹함이 스치고 죽창의 목을 누르는 팔의 힘줄이 불끈한다.

윤수현   (강요한의 팔을 잡으며) 그만하시죠. 죽일 생각입니까?

강요한, 옆눈으로 차갑게 윤수현을 보지만 무시한 채 계속 팔에 힘을 준다. 죽창 근처로 몰려들지만 강요한의 기세에 압도되어 어쩌지 못하는 일당.

윤수현   그만하세요!
강요한   (들은 척도 안 한다)
윤수현   그만하라니까! (총을 꺼내 강요한에게 겨눈다)
김가온   (놀라) 수현아! (강요한과 윤수현 쪽으로 온다)
강요한   (그제야 한발 뒤로 물러서며 윤수현을 차갑게 본다)

죽창	(바닥에 주저앉으며 콜록댄다)
강요한	…지금 나한테 총을 겨눈 건가?
윤수현	(총구를 천천히 내리더니) 공무집행중입니다. 강요한 판사님. (수갑을 꺼내 죽창의 손목에 채우며) 특수폭행 혐의로 체포합니다. (일당을 죽 보며) 니네도 전부 다. (핸드폰을 꺼내 누르더니) 윤수현입니다. 지원 나와주셔야겠는데요.

지원을 요청하는 윤수현과 차갑게 윤수현을 바라보는 강요한. 윤수현을 걱정스레 쳐다보는 김가온과 차 안에서 그런 셋을 보고 있는 엘리야.

S#3. 강요한의 차 안 (밤)

강요한	(분노하며) 윤수현, 미친 거야?! 감히 엘리야를 위험하게 만들어?!
엘리야	언니는 잘못 없어!
강요한	(놀라며) 언니?
엘리야	내가 떡볶이집 가고 싶다고 해서 데려가준 거야! 오다가 그런 놈들을 만난 건데 어쩌라고!
강요한	……
엘리야	(강요한을 노려보며) 난 떡볶이집 같이 갈 사람 하나 없어. 알아?

S#4. 강요한의 저택, 서재 (밤)

의자에 앉아 있는 강요한과 그 앞에 서 있는 김가온.

김가온 수현인 좋은 아입니다. 경찰로서가 아니라, 사람 대 사람으로 엘리야를 걱정해주고, 좋아해줄.

강요한 (차갑게) 쓸데없는 참견이야.

김가온 부장님 혼자서, 사춘기 여자애를 언제까지 돌볼 수 있을 거라 생각하시죠?

강요한 (눈빛이 흔들린다)

김가온 화재 사건 때 받은 충격은 이해합니다만, 엘리야는 이제 여섯 살짜리 애가 아닙니다. 평생 집에만 가둬놓고 있을 수는……

강요한 (O.L.) 두 번이나 유괴당했었어.

김가온 네?

강요한 이 집안 재산을 노리는 놈들도 많고, 이 집안에 원한을 품은 놈들도 많아. 저 녀석은 누가 조금만 잘해주면 믿어버리고…… (괴로운 표정을 짓는다)

김가온 정에 굶주렸으니까.

강요한 (고개를 들어 김가온을 본다)

김가온 아무리 세상이 싫고 인간들이 싫어도.

강요한 ……

김가온 혼자서는 살 수 없습니다. 의지할 누군가가 필요해요. 그게, 사람이니까.

김가온을 올려다보는 강요한과, 강요한을 응시하는 김가온.

S#5. 정선아의 집 (밤)

식탁에 앉아 혼자 와인을 마시는 정선아. 앞에는 고급스러운 음식이 놓여 있지만 큰 식탁에 혼자 앉은 모습이 쓸쓸해 보인다. 와인잔을 내려놓고 창밖을 물끄러미 보다가, 핸드폰을 꺼내 버튼을 누른다.

재희(F)   언니?

정선아   뭐해?

재희(F)   뭐하긴. 퇴근 후에 화려한 사생활을 즐기고 있지.

정선아   (음악 소리와 웃고 떠드는 사람들 목소리가 핸드폰을 통해 들려온다. 피식 웃으며) 그래, 바쁘시겠네.

재희(F)   뭔 일 있어? 급한 일이면……

정선아   아니 그냥. 와인이나 한잔할까, 했었지.

재희(F)   에이~ 언니. 막강한 사회적책임재단 이사장님께서, 와인 한잔 같이할 사람이 없어? 이제 막강한 위치신데, 눈치보지 말고 좀 놀아. 모델들 좀 불러줘?

정선아   아니 됐어. (미소 지으며) 재밌게 놀아.

핸드폰을 내려놓고 식탁을 보며 쓸쓸하게 웃는 정선아. 바라던 위치에 올랐지만 편하게 한잔 같이할 사람이 없다. 와인잔을 들어 마시던 정선아, 생긋, 장난스러운 미소를 짓는다.

정선아   모델들이라…… 나도 좀 놀아볼까?

S#6. 강요한 부장판사실 (낮)

김가온, 화난 표정으로 문을 열고 들어온다.

강요한   무슨 일이지?

김가온   방금 수현이한테 전화가 왔는데요. 죽창 일당, 전원 석방됐답니다.

강요한   전원 석방?

김가온   네. 경찰청장이 직접 지시했다는데, 도대체 그놈들이 뭐길래 청장이 직접 움직였을까요?

강요한   단순한 또라이들이 아니라는 건가.

이때, 갑자기 사무실 전화기가 울린다. 전화를 받는 강요한.

강요한   네. …알겠습니다. (자리에서 일어서며 김가온에게) 대법원장이 찾는데? 우리 셋 다.

김가온   네?

S#7. 대법원장실 (낮)

강요한, 오진주, 김가온이 들어가는데, 허허허 웃고 있는 지윤식과 오른쪽에 앉아 미소짓고 있는 정선아가 보인다. 강요한의 표정이 살짝 굳는다.

지윤식   어, 왔네. 거기들 앉지.

강요한이 미소 짓는 정선아를 힐끗 보고는 자리에 가서 앉는다. 김가온과 오진주도 지윤식에게 목례하고 뒤따라 앉는다.

지윤식   우리 시범재판부 운영지원단장님께서 아주 의욕이 넘치시네. 우선 자네들을 모델로 해서 시범재판 홍보 영상에 포스터까지 직접 찍으시겠대.

정선아   미디어 노출을 늘리셔야 됩니다. 더 열광하게 만들어야죠. (강요한을 빤히 보며) 강판사님을 동경하고, 사랑하고, 갖고 싶어 미쳐 하도록. (장난스럽게 웃으며) 제가 그렇거든요. (생긋 웃는다)

강요한   (힐끗 정선아를 본다)

지윤식   (파안대소하며) 허허허허, 농담도 잘하시네. 우리 지원단장님.

정선아   농담 아닌데. (미소 짓는다)

김가온   (어이없다는 표정으로 정선아를 본다)

강요한   (피식 웃으며) 대중들 앞에 서서 광대 짓을 해라, 그 말씀입니까?

지윤식   거 강부장! 왜 그리 삐딱해. 재단에서 시범재판부를 밀어주시겠다잖아. 이럴 때 법원 위상을 팍팍 올려야 되는 거야. 군말 말고 협조해!

정선아   역시, 대법원장님. 뭘 아셔. (생긋 웃는다)

김가온   죄송합니다만 판사가 할일이 아닌 것 같습니……

오진주   (O.L.) 국민들한테 친근하게 다가가는 거.

김가온   (오진주를 본다)

오진주   나쁘지 않을 것 같네요.

김가온   (정선아에게 동조하는 오진주가 왠지 낯설게 느껴진다. 오진주를 힐끗 하고는 정선아를 도전적으로 바라보며) 홍보하고 싶으신 게 시범재판 맞으십니까?

정선아	당연하죠. 김판사님. 그건 왜 물으세요?
김가온	(재단 비리 폭로 이후에 이러는 데는 다른 저의가 있을 게 뻔하다는 생각에 살짝 비꼬듯 속내를 묻는다) 이런저런 불편한 일도 있었는데, 갑자기 재단에서 저희를 홍보해주신다는 게, (정선아를 빤히 보며) 믿겨지지 않을 만큼 감사해서요. 혹시 생각해두신 홍보 문구라도 있으신가요.
정선아	(싱긋 웃으며) 강력한 법질서, 안전한 대한민국. 저희 시범재판부도 함께하겠습니다.
김가온	(표정이 굳으며) 요즘 한창 대통령께서 외치고 계신 구호네요.
정선아	(묘하게 웃으며) 어머? 혹시 불편하세요? 설마, 정부 방침에 반대하시는 건 아니죠?
강요한	(차갑게 피식 웃더니) 재밌겠네요. 한번 해봅시다.
김가온	(놀라며) 부장님.

강요한과 정선아가 묘한 미소를 띤 채 시선을 교환한다.

S#8. 대법원 주차장 (낮)

즐거운지 콧노래를 흥얼거리며 차 쪽으로 걸어온 정선아, 차문을 열려고 하는데 누군가 정선아의 팔을 움켜잡는다. 움켜잡은 손 손목에 걸린 십자가 목걸이가 정선아의 눈에 들어온다.

정선아	어머, 도련님? (생긋 웃으며) 배웅까지 해주시는 거야? 감동이다.
강요한	경고가 부족했던 건가? 난 별로 참을성이 없다고 했을 텐데.

정선아	아, (미소 지으며 자기 목을 어루만진다) 그때 그거? 괜찮아. 상처는 안 남았어. 짜릿하고 좋던데?
강요한	내 일을 방해하면 대가가 따를 거야. 꽤나 열심히 살아온 모양이던데.
정선아	에이, 방해라니. 난 지금 도련님을 돕고 있는 거야. 알아? 비극적 사고의 생존자, 가차없이 악을 처단하는 판사, 다 좋아. 인간들이란 원래 그런 이야기를 좋아하니까. (생긋 웃는다)
강요한	(묘한 미소를 지은 채 정선아를 본다)
정선아	근데, 판을 키우면 더 재밌잖아? 이제 겨우 2년 남았어. 대선. 허중세, 차경희…… 이런 인간들 대신 도련님이 잡아. 이 나라. 도련님은 그게 어울려. 제일 꼭대기가.
강요한	그래서?
정선아	이용해. 재단을 이용하라구. 돈 있는 놈들은 그게 누구든 제일 센 놈을 곁에 두고 싶어해. 알잖아.
강요한	(피식 웃으며) 재밌네. 늑대 대신 양치기 개가 되어라, 너랑 같이?
정선아	대중들이 열광할 사건 많잖아? 아동학대범, 강간범, 조폭, 그런 쓰레기들 요란하게 처단하고 있으면 내가 더 영웅으로 만들어줄게. 재단은 누구든 일인자로 만들 수 있어. 허중세 같은 쓰레기로도 만들었잖아. 안 그래? 2년만 기다리면 나랑 같이…… (눈이 빛난다)
강요한	(O.L.) 다 좋은데, (정선아를 보고 싱긋 웃으며) 그 부분이 별로네. 너랑 같이. 내 취향도 존중해줘야지.
정선아	(순간 표정이 돌변하며 강요한을 노려본다)
강요한	그럼. (씩 웃고 돌아선다)
정선아	도련님?

강요한   (힐끗 돌아본다)

정선아   (혼잣말하듯, 묘하게 슬픈 어조로) 나한테 조금만 친절하면 안 돼?

강요한   (의외의 반응에) 뭐?

정선아   (생긋 웃으며) 또 봐! (얼른 차에 올라타서 시동을 건다)

부우웅, 사라지는 정선아의 차와 어이없다는 듯 피식 웃는 강요한.

S#9. 강요한의 저택, 서재 (밤)

김가온   (굳은 표정으로) 점령군이 따로 없네요. 지들이 벌이는 짓거리에
         우릴 이용하겠다?

강요한   (싱긋 웃으며) 맞춰주는 척하는 것도 나쁠 건 없어. 그러면서 빈틈
         을 만들어내야지.

김가온   그렇긴 한데, (찡그리며) 갑자기 모델이라니, 장난도 아니고.

강요한   (픽 웃으며) 장난 맞을 거야. 원래 그런 여자거든.

김가온   (의아한 눈빛으로 강요한을 쳐다본다)

강요한   왜?

김가온   정선아 이사장에 대해 잘 아십니까? 혹시 예전부터 무슨 인연이
         라도…… (강요한의 속내를 살피듯 본다)

플래시백 > 4부 35신.

재단 연회장 화장실 앞에서 김가온에게 말을 거는 정선아.

정선아   십 년 전 성당 화재 사고는 알고 계시죠?

정선아   그게 일반적인 사람이 할 수 있는 일일까요? 형과 형수가 비참하게 돌아가신 직후에?

강요한   있지. 그것도 바로 이 집에서.

김가온   예?

강요한   유모가 그 하녀 얘기 안 해줬나? (손가락으로 위에서 아래로 떨어지는 시늉을 하며) 점프?

김가온   (얼굴 굳으며) 그게 사실이었습니까? 사람 마음을 갖고 놀았다던……

강요한   (씁쓸한 미소를 지으며) 역시 닮았네.

김가온   뭐가 말입니까!

강요한   겉만 보고 판단하는 거.

김가온   무슨 얘기죠?

강요한   (김가온을 물끄러미 본다)

S#10. 강요한의 회상, 저택 정원 (낮)

정원 구석 나무 밑에 선 16세 강이삭과 12세 강요한.

강이삭   (화난 얼굴로) 이게 무슨 짓이니!

강요한   (고집스러운 표정으로 발밑만 쳐다본다)

강이삭   그 여자애, 하마터면 큰일날 뻔했대. 어쩌면 다시 못 걸을지도 몰라.

강요한	……
강이삭	(걱정이 가득한 표정으로) 요한아, 나 정말 니가 걱정돼. 지난번 학교에서도 그렇고. 너, 그러다가 정말 큰일나. 자꾸 이런 일이 생기면 아버지가 널 어쩌실지……
강요한	……
강이삭	(곰곰 생각하다가) 요한아, 나랑 약속 한 가지만 해줄래?
강요한	(고개를 들어 강이삭을 본다)
강이삭	(간절한 표정으로) 죄 없는 사람을 해치지 않겠다고. 응? 약속해주라.
강요한	(할말이 많은 눈으로 강이삭을 가만히 보다가 체념한 듯 고개를 끄덕인다)
강이삭	(눈물까지 글썽이며) 약속하는 거지? 고마워. (잠시 생각하더니) 잠깐만.

강이삭, 셔츠 소매를 걷더니 팔목에서 작은 십자가가 달린 목걸이를 풀어 강요한의 팔목에 채워준다.

강이삭	이거, 우리 엄마 유품이야. 이걸 볼 때마다 나하고 한 약속을 생각해. 알았지?
강요한	(강이삭을 가만히 보다가 고개를 끄덕인다)
강이삭	고마워, 요한아. (강요한을 끌어안는다)
강요한	(안긴 채 손목을 들어 십자가 목걸이를 가만히 본다)

S#10-1. 강요한의 저택, 서재 (밤)

김가온   (놀란 표정으로) 그랬군요.

강요한   (소매를 걷어 목걸이를 보면서) …형은 그런 사람이었어. 죽을 때까
          지 이해하지 못했지. 세상에 죄 없는 인간 따위 없다는 걸.

김가온   (강요한을 바라보다가) 미련하다고 해서, 미워할 필요까진 없었잖
          아요.

강요한   (고개를 번쩍 들며) 미워했다고? 내가? (김가온을 쏘아보며) 형을?

김가온   ……

강요한   그 인간이 얼마나 미련한 사람이었는지 알아?

S#10-2. 강요한의 회상, 저택 서재 (밤)

의자에 앉아 있는 강지상, 그 앞에 서 있는 강이삭.

강이삭   (간절한 표정으로) 아버지, 제발 요한이한테 그러지 마세요. 왜 그
          렇게 요한이를 미워하시는 거죠?

강지상   (굳은 표정으로 강이삭을 외면한다)

강이삭   불쌍한 아이잖아요! 제 하나뿐인 동생이고요!

강지상   …모르겠니?

강이삭   네?

강지상   …너를 위한 거다.

강이삭   그게 무슨 말씀이세요?

강지상   넌 그 녀석을 당할 수가 없어. 언젠가 넌 그놈한테 모든 걸 뺏기고

말 거다. 나만 죽고 나면.

강이삭   왜, 왜 그렇게 생각하시는 거죠?

강지상   이리가 토끼 잡아먹는 데 이유가 필요하니.

강이삭   네?

강지상   그놈은 그냥 그렇게 태어난 거다. 어쩔 수가 없는 거야. 난 안다.
(한숨을 쉬더니 안타까운 눈으로 강이삭을 바라본다) 하지만 넌 달라.

강이삭   아버지……

S#10-3. 강요한의 회상, 강이삭의 방 (밤)

번민하며 잠을 이루지 못하는 강이삭, 괴로워한다.

S#10-4. 강요한의 회상, 욕실 (낮)

강이삭, 세면대에 손을 짚은 채 거울 앞에서 고민한다.

Cut to

옷을 입은 채로 욕조에 들어가 누운 강이삭, 창백하다. 한 팔을 욕조 밖
으로 내놓고 있는데, 엄마의 목걸이를 차고 있던 손목에 면도칼로 낸 상
처가 있다. 한 줄기 피가 욕조 벽을 타고 흘러내린다. 힘이 없는지 눈을
감는 강이삭.

Cut to

강요한(E) (처음으로 울부짖듯 소리친다) 형! 형!

강이삭 (힘없이 눈을 뜨더니 자신을 흔드는 강요한을 보고는 미소를 짓는다)
요한아.

강요한 (손이 피범벅이 된 채 강이삭의 손목에 열심히 붕대를 감고 두 손으로 꼭
누른다) 죽으면 안 돼! 형! (눈물을 펑펑 흘린다) 왜! 왜 그런 거야!
응?

강이삭 (강요한의 머리를 찬찬히 쓰다듬어주며) 미안해, 요한아. 다 나 때문
이야. 아버지가 너한테 그러시는 거.

강요한 형!

강이삭 …나만 없으면, 나만 없으면 괜찮을 거야. 나만 없으면. (힘이 없
는지 또 눈을 감는다)

강요한 (강이삭을 흔든다) 형!

지영옥 (놀라 뛰어들어오며) 도련님! (뒤를 돌아보며) 여기요! 어서!

119 구급대원들이 뛰어들어와 강이삭을 안고 나간다. 강요한, 울며 따
라간다.

S#11. 강요한의 저택, 서재 (밤)

강요한 (쓸쓸한 미소를 지으며) 그 정도로 바보였어. 형은. 어떻게 미워하
겠어. 그런 바보를.

김가온 (처음 보는 강요한의 모습을 멍하니 쳐다본다)

S#12. 청와대 브리핑 룸 (밤)

기자들 앞에 선 허중세.

기자1   대통령님, 성금 횡령 사건의 배후에 있다는 과격파 조직에 대한
수사에 진척이 없는데요.

허중세   (싱글거리며 친근하게) 에이, 김기자~ 뭐 그리 성미가 급해. 조직
이란 게 괜히 조직인가? 조직~적으로 숨기고 있으니까 시간이
필요한 거 아닙니까? 좀 기다려봐요. 우리나라 수사기관, 유능합
니다.

기자2   요즘 '죽창'이라는 유튜버를 추종하는 무리가 늘어나면서 전국
곳곳에서 자경단 행세를 하며 집단 폭행을 일삼고 있는데요.
경찰들이 보고도 못 본 척 방관한다는 제보가……

허중세   (바로 돌변해 벌컥 화를 내며) 누가 그럽니까! 그거 가짜뉴습니다!
(기자2를 보며) 어느 신문사죠? 진짜 신문사 맞아요? (비서관에
게) 아무나 출입시킬래? 무자격 기자들 출입시키면 당신부터 아
웃이야. 알았어?! (째려보더니 퇴장해버린다)

당황한 표정으로 웅성거리는 기자들.

S#13. 법무부장관실 (밤)

TV 화면을 꺼버리는 차경희.

차경희	저걸 대통령이라고, 쯧!
비서	청와대가 조급한 것 같습니다.
차경희	무리수로 돌파하려니 조급할 수밖에. 애초에 저자를 앉힌 게 실수였어. (찡그리며) 서정학, 그 영감 때문에…… (생각에 잠긴다)

S#14. 차경희의 회상, 재단 회의실 (낮)

허중세 대통령 당선 1년 전. 연단이 마련되어 있다. 연단에서 연설중인 허중세. 도연정, 서정학, 차경희, 박두만, 민용식이 테이블에 앉아 지켜보고 있고, 정선아는 서정학 뒤쪽에 비서처럼 서 있다.

허중세	애국 시민 여러분! 이게 나랍니까?! 역병으로 사람들이 죽어갑니다! 공부 잘해서 출세한 놈들! 특권 계급 놈들! 이런 놈들은 우리 서민들한테 관심 1도 없습니다! 못살고 못 배운 촌놈 출신, 더러운 정치판에 발 한번 담가본 적 없는 참신한 신인! 여러분이 선택할 바로 이 남자, 허, 중, 세, 가! (두 주먹을 불끈 쥐어 올리며) 이 나라 대한민국, 다시 일으켜세웁니다! 목숨걸고!

묘한 웃음을 던지며 박수를 보내는 재단 인사들.

박두만	허후보님, 잘하네. 아주 화끈해. 하하하하.
민용식	(차갑게 웃으며) 서민적이긴 합니다. 허허허.
허중세	(연단에서 내려와 재단 인사들에게 굽신거리며) 고맙습니다! 고맙습니다! (도연정을 보며) 허니. (살짝 불안한 표정으로 나지막이) 아까

어땠어. 나, 좀 안 튀었나? (엄마 눈치보는 아이 같다)

도연정   (우아한 표정으로 고개를 숙여 귓속말로) 죽여줬어.

허중세   (활짝 웃으며) 그치? 내가 생방에 강하잖아. 연습 때보다 낫지?

서정학   뭐, 이 정도면 경선 무대에 세워도 되겠구먼. 수고했네.

허중세   고맙습니다, 선생님! (재단 인사들을 보며) 여러 어르신들 실망하
시지 않게, 이 한목숨 걸고 뛰겠습니다. 충성!

허중세, 90도로 허리를 굽혀 인사하고는 도연정의 손을 잡고 신나는 표
정으로 걸어나간다.

차경희   (차갑게) 진짜 저자로 괜찮겠습니까? (서정학을 본다)

민용식   맞습니다. 재단 행사 때 사회나 보며 광대 노릇 하던 친굽니다.
대선 후보라니요.

박두만   (히죽 웃으며) 그래도 나름 인기 배우 출신이잖어. 개사이단가 뭔
가, 그거 요즘 완전 잘나가. 구독자가 600만 넘었어.

서정학   (차경희를 보며) 난세에는 광대가 어울리네. 지금 대통령 되어봤
자, 역병 못 잡으면 내내 시달리기만 할 거야. 왜 나서서 총알받
이를 하려고 하시나. 뒤에서 다 움직일 수 있는데. 안 그런가, 차
의원? 허허허허허……

차경희, 불만스러운 표정으로 서정학을 본다. 서정학 뒤에 말없이 무표
정하게 서 있는 정선아.

S#15. 다시 현재, 법무부장관실 (밤)

차경희 실세 대통령을 앉히기 싫었던 거야. 그것도 알고 보니 서정학이
아니라 뒤에 서 있던 비서 나부랭이가…… (분한 표정을 짓는다)

S#16. 도심, 국가 홍보 영상 촬영 현장 (낮)

박두만과 민용식의 회사 빌딩이 있는 도심. 고층 건물이 즐비한 화려한
모습이다. 사람미디어그룹 본사 빌딩 앞에 멋진 정장 차림으로 서 있는
강요한, 김가온, 오진주. 그리고 그 앞에서는 촬영팀과 PD가 분주하게
사진 화보 및 동영상 촬영 준비중이다. 빌딩 정문 전광판에 '안전한 대
한민국' 문구와 활짝 웃는 허중세의 얼굴이 떠 있다. 스태프가 열심히
김가온의 헤어를 만져주고 메이크업을 다듬고 있는데, 김가온, 촬영팀
카메라 반대쪽의 풍경을 씁쓸한 시선으로 본다. 노숙자와 1인시위자가
경찰에 의해 강제로 질질 끌려나가고 있고 각종 시위 구호가 덕지덕지
붙은 텐트가 강제 철거되고 있다. 이때, 화려한 차림으로 요란하게 등
장하는 정선아. 마치 영화 제작자 같다.

정선아 미안해요~ 내가 그만 늦어버렸네?
PD 아닙니다. 아직 세팅중입니다. 이사장님.
정선아 (세 판사를 보고 싱긋 웃으며) 어우, 밝은 햇살 아래서 보니까 더 반
짝반짝하네? 우리 판사님들.

정선아, 오진주에게 미소를 보내더니 김가온 앞에서 멈춘다.

정선아 잠시만요? (바짝 다가서더니 김가온의 볼에 뭔가 묻은 듯 엄지로 스윽 닦아낸다. 움찔하는 김가온. 미소 짓는 정선아) 완벽해. (생긋 웃는다)

정선아, 이번에는 스태프가 옷매무새를 만지는 중인 강요한 앞에 서서 팔짱을 끼고 유심히 보더니, 스태프를 밀쳐내고는 강요한에게 다가서서, 마치 출근하는 새신랑 옷매무새를 만져주듯 넥타이를 말끔하게 매어주며 강요한을 올려다본다. 씩 웃는 정선아. 피식하는 강요한.

강요한 (나지막이) 좋아?
정선아 응! (생긋 웃는다)
강요한 적당히 하지?
정선아 (씩 웃으며 강요한의 어깨부터 팔까지 스윽 손으로 훑어내리더니 휙 돌아서며 PD에게) 좋아요. 이제 갑시다!
PD 네! 자, 카메라 돌고!

강요한을 중심으로 김가온과 오진주가 포즈를 취하고 있다. 김가온은 어색한 듯 약간 굳은 표정인 반면, 오진주는 대담하고 능숙하다.

정선아 (김가온을 향해) 김판사님~ 표정이 너무 굳었다. 잘생긴 얼굴, 좀 이쁘게 써봐요~
김가온 (어색하게 웃으려 애쓰며) 이, 이렇게요?
오진주 (답답하다는 듯 보더니) 으이그, 이렇게 좀 해봐. (포즈를 취하며 활짝 웃는다)
정선아 (엄지를 올리며) 역시, 우리 디바.
오진주 (자신만만하게) 이번엔 제가 가운데 서볼까요? (강요한을 보며) 괜찮으세요?

강요한   (미소 지으며) 얼마든지. (옆으로 물러선다)

오진주가 강요한과 김가온 사이에 서서 당당한 포즈를 취한다.

PD   (감격하며) 최곱니다! 오판사님.

컷컷 촬영하던 중, 강요한이 잠시 멈춘다.

강요한   미안합니다. 전화가 와서.
PD   네, 판사님.

강요한이 한쪽으로 걸어가더니 핸드폰을 들고 K와 통화한다.

강요한   그래, 말했던 건 다 구했나?

정선아가 강요한을 보며 생긋 웃자 강요한도 마주 웃어준다.

K(F)   네, 정선아 과거 행적에 관한 자료들 모두 수집했습니다. 말씀하
         신 대로 차경희 쪽에 흘리면 되겠습니까?
강요한   (정선아를 향해 미소 지은 채) 응. 출처는 숨기고. 아, 그것도 포함
         시켜. 우리집 하녀 출신이라는 거. (싱긋 웃으며 정선아를 향해 슬쩍
         손을 흔든다)

S#17. 법무부장관실 (낮)

문을 열고 들어오는 차경희 비서.

비서   장관님.

차경희   (올려다본다)

비서   정선아한테 붙여놓은 팀에서 정보가 들어왔습니다. (서류 파일을
             내민다)

차경희   (파일을 넘겨보더니) 재밌네, 이 여자. 아주. (차가운 미소를 짓는다)

S#18. 강요한의 저택, 주방 (낮)

노트북을 들고 와 식탁에 놓고 앉던 김가온, 뭔가 떠오른 듯 일어선다.

김가온   (혼잣말로) 아, 커피.

지영옥   (청소를 하고 있다가 얼른) 제가 준비하겠습니다. 원두는 어떤 걸로
             할까요?

김가온   (싱긋 웃으며) 아니에요, 제가 할게요. (찬장을 열더니 카누 패키지
             를 꺼내 머그컵에 타서 저으며) 전 편한 게 좋더라고요. (노트북이 놓
             인 식탁에 앉아 한 모금 마시고는) 그럼, 어디……

식탁 위 노트북을 켜고 6부 37신 죽창 유튜브를 트는 김가온.

죽창(E)   몰카범, 소매치기, 깡패 새끼들! 싹 쓸어버립시다! 우리가 권력

이다! 대~ 한민국! (박수 친다. 짝짝짝 짝짝!)

온통 몸에 문신을 한 덩치 큰 사내를 가운데 몰아넣고 짐승 사냥하듯 에워싸서 몽둥이로 위협하는 죽창부대 예닐곱 명의 모습도 보인다.

엘리야(E)	뭐야, 저 인간 그때 그 미친놈 아냐?
김가온	(얼른 화면을 끄고 돌아보며) 어, 엘리야.
엘리야	저런 놈 영상을 뭐하러 보고 있어! (질색하며) 딱 봐도 찐따 주제에, 권력은 무슨, 우웩~
김가온	그 찐따를 따라 하는 폭력 사건이 어제 하루만도 일곱 건이었어. 오늘은 이런 영상을 올렸고. (마우스 클릭한다)

윤수현이 죽창 가슴에 총을 겨누고 있는 짧은 클립 영상. '충격! 무고한 애국 시민 가슴에 총을 겨눈 경찰!'이라는 자막이 큼지막하게 쓰여 있고, 죽창, 비장한 표정으로 두 팔을 벌리고 있다.

죽창(E)	쏘시려면 쏘십시오! 경찰이 비무장한 시민 가슴에 총을 겨눠도 되는 겁니까?
엘리야	와! 피해자 코스프레? 진짜 어이가 없네?! 이 인간 빨리 잡아넣자! 내가 좀 도와줘?
김가온	(쓴웃음을 지으며) 일단은 내 선에서 어떻게 해볼게.
엘리야	(어깨를 으쓱하며) 그래. 힘에 부치면 얘기해. 알았지?

이때 뒤에서 탁탁탁탁 도마에 칼질하는 소리가 들린다. 돌아보는 엘리야. 지영옥이 야채를 썰고 있다.

엘리야	아줌마, 혹시 밥하는 거야? 요한이 하지 말라 그랬잖아.
지영옥	(무표정한 얼굴로) 가온 도련님 드릴 겁니다. 가온 도련님은 하지 말라는 말씀 한 적 없으시니까요.
김가온	네? 뭐…… (씨익 웃으며) 저야 감사하죠. 엘리야, 너도 같이 먹자.
엘리야	(표정 싹 변하며) 아니, 난 됐어.
김가온	에이, 그래도 모처럼 아주머니가 정성껏 준비하시는데.
엘리야	한식 싫어한다니까! 붕어니? 뭘 기억을 못 해. (휠체어를 휙 돌려 급히 나가버린다)
김가온	엘리야! 엘리야! (지영옥을 향해) 죄송해요, 아주머니. 제가 괜한 말을 꺼내서. 서운하시죠.
지영옥	(태연하게) 아닙니다. 저는 익숙합니다. 사실 엘리야 아가씨, 많이 밝아지신 겁니다.
김가온	그런가요?
지영옥	이렇게 적극적으로 누군가에게 말을 걸고, 뭘 해보겠다 하고, 그러신 적이 없었습니다. 그 사고가 있은 뒤로는…… (평소대로 건조하고 사무적인 말투로 말하다가 순간 목이 메어 말을 멈춘다. 칼질도 멈춘다)
김가온	(가만히 지영옥을 본다)
지영옥	(애써 목을 가다듬고는) 가온 도련님 덕분입니다. 제가 천성이 무뚝뚝한 편이라, 이렇게밖에는 감사 표시를 못하겠네요. (썬 야채를 찌개 냄비에 집어넣고 양념을 하며 열심히 조리한다)
김가온	아주머니…… (뭉클하다)

S#19. 강요한의 저택, 2층 복도 (낮)

엘리야, 자기 방 쪽으로 가다가 멈추더니 불안 초조한 표정으로 아래층 주방 쪽을 내려다본다.

엘리야 　괜찮을까? (잠시 걱정스레 생각하다가 짜증나는 듯) 에이 몰라! (자기 방 쪽으로 휙 가버린다)

S#20. 강요한의 저택, 주방 (낮)

김가온 앞에 차려진 밥상. 보글보글 끓는 된장찌개에 불고기, 색색깔 예쁘게 무친 나물무침 등 맛깔스러워 보인다.

김가온 　우와, 솜씨가 대단하세요!

지영옥 　(자랑스럽지만 애써 시크한 척하며) 뭐, 간단히 한번 준비해봤습니다. 드시죠.

김가온 　잘 먹겠습니다. (찌개를 한 숟가락 듬뿍 떠서 입에 넣는데, 순간 동공이 흔들린다!)

지영옥 　간이 맞는지 모르겠습니다.

김가온 　(억지로 꿀떡 넘기고는) 아 네, 간…… 좋네요. 그런데, 맛이 아주…… (조심스레) 새로운데요?

지영옥 　(당연하다는 듯) 서민 가정에서 접하기는 힘들겠죠. 몸에 좋으라고 귀한 석청꿀을 넣었습니다.

김가온 　아, 하하하, 석청꿀. 된장찌개에…… 정말, 새롭네요. (입가심할

만한 게 없나 얼른 식탁을 살피다가 열무김치를 집어들어 한입 베어 먹

는데, 또 동공이 흔들린다)

지영옥   (뿌듯한 표정으로) 인삼 김칩니다. 트러플 오일을 듬뿍 넣었으니

풍미가 괜찮을 겁니다.

김가온   (울고 싶다) 네…… (억지로 씹어 목으로 넘기며) 저, 그런데 아주머

니.

지영옥   말씀하시죠.

김가온   부장님이 언제부터 식사 준비를 못하게 했다고 하셨었죠?

지영옥   점점 식사량이 주시더니, 언젠가부터는 못하게 하시더군요. 예전

에는 불평 한마디 없이 밥그릇을 비우던 사람이…… (분한 듯) 절

의심하는 게지요.

김가온   네…… 불평 한마디 없이. (새삼 강요한이 대단하다는 생각이 든다)

그렇군요…… (울 것 같은 표정으로 숟가락을 입으로 가져간다)

S#21. 강요한의 저택, 엘리야의 방 (밤)

뿔난 표정으로 들어서는 김가온.

김가온   (모른 척하는 엘리야를 노려보며) 한식을 싫어하신다?

엘리야   (씨익 웃으며) 다 먹었나보네? 안색이 창백해.

김가온   왜 안 말렸어!

엘리야   어떻게 그래! (외면하며) 그렇게 열심히 준비하는데.

김가온   (의외의 모습에 놀란다)

엘리야   …몸에 좋은 거라면 뭐든 구하러 다니고, 바보 같은 아줌마.

김가온   그래서 불평 한마디 없이 먹었던 거구나. 다들. (외면하고 있는 엘
        리야를 가만히 본다)

S#22. 강요한의 차 안 (밤)

K는 운전중, 뒷좌석에는 강요한이 타고 있다.

강요한   …정선아 정보, 차경희 쪽에 흘려뒀지?
K   네, 지시하신 대로 했습니다.
강요한   재단에 관한 정보라면 뭐든지 수집하고 있을 거야. 그걸 빼내야
        되는데…… (생각에 잠긴다)

이때, 정적을 깨는 전화 벨소리. 강요한, 핸드폰을 내려다본다.

강요한   (놀란 표정으로) 엘리야? (급히 받으며) 무슨 일이야!
엘리야(F) 언제 와?
강요한   (당황하며) 어?
엘리야(F) 언제 오냐고! 나 배고파.
강요한   너 지금 무슨 소리를……
엘리야(F) (짜증내며) 가온이 저녁 했단 말야! 근데 다 올 때까지 아무도 밥
        안 준대! 빨리 와!

뚝 끊어지는 전화. 당황한 듯 핸드폰만 바라보던 강요한, 곧 풋 하고 작
게 실소를 터뜨린다.

강요한	집에 가자.
K	(당황하며) 예? 오늘 약속은……
강요한	하루쯤 미뤄도 돼.
K	(의외라는 듯 강요한을 보다가) 알겠습니다. (차를 돌린다)

K, 백미러로 다시 강요한을 바라보곤 놀란다. 턱을 쓸며 창밖을 보고 있는 강요한. 입가에는 평소 본 적 없었던 기분 좋은 미소가 걸려 있다.

| 강요한 | …이런 기분도 나쁘진 않네. |

빠른 속도로 저택으로 돌아가는 차.

S#23. 강요한의 저택, 주방 (밤)

강요한, 김가온, 엘리야, 지영옥이 식탁에 모여 앉아 김가온이 준비한 저녁을 먹고 있다. 불편해서 강요한 눈치를 살피던 지영옥, 어느새 맛 있게 식사중이다. 모처럼 엘리야도 강요한도 편안한 표정이다. 뿌듯하 게 쳐다보는 김가온.

S#24. 강요한 부장판사실 (낮)

창가로 뒤돌아서서 빌딩숲을 바라보는 강요한. 김가온, 문을 열고 들어 온다.

김가온	부르셨습니까.
강요한	(돌아보지도 않은 채) 이제 잡아야지.
김가온	누구 말입니까.
강요한	니 원수. 그리고 그놈을 빼돌린 자.
김가온	……!
강요한	(턱짓으로 창밖을 가리킨다)

강요한의 시선을 따라가면, 창밖 빌딩 전광판이 보인다.

'안전한 대한민국, 제가 만들겠습니다.'

영상 속에서 활짝 미소 짓고 있는 차경희!

S#25. 강요한의 저택, 서재 (밤)

김가온, 강요한, K, 그리고 고인국이 함께 심각한 표정으로 대화중이다.

김가온	도영춘 그자를 찾은 겁니까? 차경희가 바꿔치기했다는 증거를 잡았어요?
강요한	아직. 하지만 그걸 누구에게 물어야 될지를 알아냈지. 여기, 고변호사님이.
김가온	고변호사님이요?
강요한	(미소를 띠며) 역할을 많이 해주고 계서. 검찰 쪽에 정보를 흘릴 때도, 그쪽 정보를 캐낼 때도.
고인국	저희 로펌에 오고 싶어하는 검사님들이 워낙 많아서 말이죠. (씨익 웃으며) 의심 많은 차경희가 그런 심부름을 시킬 정도로 신

뢰하는 자. …그건 차경희 수행비서밖에 없습니다. 매달 한 번씩 관용차로 지방 출장을 다녀오고 있답니다.

김가온   그렇군요. (고인국을 향해) 충성심이 엄청 강한 타입인가요? 그 비서?

고인국   의원 시절부터 십 년을 보필한 최측근입니다.

김가온   …입을 열게 하는 게 쉽지 않겠네요. (강요한을 향해) 그래도 일단 부딪쳐봐야죠. 어떻게든 우선 그 비서를 확보해서.

K   (O.L.) 그건 제 일입니다. 이미 착수했고요.

김가온   (K를 힐끗 보고는) 알았습니다. 그럼 입은 제가 열어볼게요.

강요한   어떻게 열 생각이지?

김가온   부장님 돈 많으시죠?

강요한   (픽 웃는다)

김가온   돈이란, 굉장히 강력한 동기라면서요. (씨익 웃는다)

S#26. 주택가 골목길 (밤)

술을 한잔한 차경희 비서, 취한 모습으로 집으로 가는 골목길을 걷고 있다. 비서가 지나가자, 어두운 모퉁이에서 키 큰 남자가 나타나 조용히 비서를 뒤따른다. K다. 어두운 골목길에서 앞서가는 비서의 기분 좋은 표정과 뒤따르는 K의 무표정한 얼굴이 대조를 이룬다.

S#27. 폐건물 안 (밤)

차경희 비서, 기절해 있다가 정신을 차린다. 의자에 앉은 채 낡은 탁자에 엎드려 있었다. 놀라 주위를 살피는데, 시멘트 벽이 그대로 드러난 폐건물 안, 빈 공간이다. 탁자와 의자, 불 피워놓은 드럼통 외에는 아무것도 없다. 탁자에 걸터앉아 두리번거리는 비서를 쳐다보는 김가온.

김가온 정신이 듭니까?

비서 (김가온을 알아보고 놀란다) 김가온 판사? 당신 지금 뭐하는 짓이야! (벌떡 일어서려는데, 누군가 뒤에서 강하게 어깨를 내리눌러 도로 앉힌다. 돌아보니 K가 무표정하게 서 있다)

김가온 대화를 좀 하고 싶은데요. 비서님이 정기적으로 소재를 확인해서 장관한테 보고하고 있는 오십대 남자에 대해서.

비서 (흠칫 놀라지만 얼른 표정을 가다듬으며) 그게 무슨 소립니까? 난 모르는 일입니다.

김가온 이미 알고 계실 텐데요. 그 사람 이름은 도영춘이고, 다단계 사기범입니다. …내 부모님이 그자한테 당해서 돌아가셨고요.

비서 그게 나랑 무슨 상관이길래 이러는 겁니까?!

김가온 (씁쓸한 표정을 지으며) 물론, 당신한테 양심 같은 걸 기대한 건 아닙니다. (탁자 위에 놓여 있던 검은색 더플백 지퍼를 열더니, 묵직한 금괴 다섯 개를 차례로 꺼내 탁자 위에 쌓기 시작한다.)

비서 (놀라 눈이 커진다)

김가온 스위스에서 제조한 3킬로짜리 순금, 한 개 2억 원짜립니다. 총 십억. 이 정도면 당신의 차경희에 대한 충성심, 살 수 있겠습니까?

비서 (눈빛이 흔들린다)

김가온	(피식 웃으며) 부족합니까? (가방에서 한 개를 더 꺼내 위에 올린다)
비서	(흔들리지만 애서 마음을 다잡으며) 개수작하지 마! 니들이 이런다고 내가 장관님을 배신할 것 같애?!
김가온	(한 개를 더 올린다)
비서	내가 돈 때문에 그분을 모시는 줄 알아?! 그분은 이 나라를 이끌 분이야!
김가온	(비서를 빤히 보며 금괴 세 개를 차례로 더 올린다. 이제 열 개의 금괴가 쌓여 있다)
비서	(마음이 흔들리면서도 이를 악물고 버틴다) 멋대로 해봐! 난 신념이 있는 사람이야!
김가온	(태연한 척하지만 당황한다. 어찌할 바를 모른다)
강요한(E)	아직도 그러고 있나?

김가온, 놀라 뒤돌아본다. 강요한이 문을 열고 성큼성큼 탁자 쪽으로 다가온다.

비서	(놀라 바라본다) 강요한!
강요한	(거들떠보지도 않은 채 김가온을 향해) 도구를 줘도, 쓸 줄을 모르는군. (탁자 위에 대충 걸터앉더니 비서에게 쌓인 금괴를 가리키며) 여기 20억이 있다. 얘기하겠나?
비서	날 뭘로 보고!
강요한	(귀찮다는 투로) 알았어, 알았어, (아무렇지도 않게 맨 위 금괴 한 덩이를 집어 가방에 던져 넣고는) 이제 18억이다. 얘기할 건가?
비서	(액수를 올리기는커녕 내리는 강요한을 보며 순간 혼란스럽다)
강요한	(비서가 입 열기를 기다리지도 않으며 바로 또 한 덩이를 내리며) 16억.

난 바쁜 사람이야.

비서 (눈앞에서 순식간에 사라지는 거금을 보자 눈이 뒤집히기 시작한다. 목
　　　소리가 떨리며) 자, 잠시만……

강요한 쓰읍. 바쁘다니까. (거침없이 금괴를 휙휙 가방에 던져 넣는다) 14,
　　　12, 10……

비서 안 돼! (이성을 잃고 강요한의 팔에 매달린다)

강요한 (비서를 내려다보며 차갑게 웃는다)

비서 말할게요! 뭐든 다 말씀드리겠습니다! 크흐흐흑…… (눈물 콧물
　　　까지 흘리며 남은 네 개의 금괴를 끌어안는다)

김가온 (눈앞에서 펼쳐진 풍경에 경악하며 입을 떡 벌리고 비서와 강요한을 본
　　　다)

강요한 (아무렇지도 않게 김가온을 향해) 이제 됐나? 정리는 알아서들 해.

　　　강요한, 휙 돌아나간다. 멍하니 보고 있는 김가온과 묵묵히 서 있는 K.
　　　그리고 제정신이 아닌 채 금괴를 끌어안고 울고 있는 비서.

S#28. 강요한의 차 안 (낮)

　　　운전하는 강요한. 김가온은 조수석에 앉아 있다. 두 사람 모두 눈에 안
　　　띄는 평범한 차림새다.

김가온 …그렇게 간단할 줄은 몰랐네요.

강요한 (무심하게 운전하며) 인간이란 가진 걸 뺏길 때 더 큰 고통을 느끼
　　　기 마련이지.

김가온	……

차는 어느새 소박한 농촌으로 접어든다.

김가온	(창밖을 보며 표정이 분노로 일그러진다) 이렇게 가까운 데 숨어 있었던 것도 모르고!
강요한	(김가온을 힐끗 보며) 너무 흥분하지 마. 오늘은 그냥 살펴보러 온 거니까. 어떻게 처리할지 준비를 다 갖춘 후에, 그때 다시 와야 돼.
김가온	(강요한의 말이 귀에 들어오지 않는다. 표정이 굳는다)

S#29. 농촌, 밭 근처 (낮)

저녁이 가까운 시간. 모자를 눌러 쓴 강요한과 김가온, 멀찌감치 서서 트랙터로 밭을 가는 농부를 보고 있다. 목에 건 수건으로 땀을 훔치는 밝은 표정의 농부, 도영춘이다! 굳은 표정으로 도영춘을 노려보는 김가온.

S#30. 농가, 안방 (밤)

허름하고 작은 농가. 안방에 낡은 평상을 놓고 소박한 차림의 저녁을 먹고 있는 도영춘(오십대 초반)과 그의 아내, 그리고 십대 후반의 딸.

도영춘	(닭고기 반찬을 아내 쪽으로 밀어놓으며. 걱정스레) 여보, 골고루 좀

	먹어요. 나이 먹을수록 단백질을 잘 챙겨 먹어야지.
아내	(미소를 띠며) 전 알아서 잘 먹어요. 당신이나 좀 잘 드세요. 농사 일하느라 힘든데.
딸	(흘겨보며) 어우~ 신혼이야? 닭살, 닭살!
도영춘	(쑥스럽게 웃으며) 내가 지은 죄가 많잖냐. 니네 엄마한테.
딸	나한테는?
도영춘	니한테도 많지. (닭고기 반찬을 딸 쪽으로 밀며) 이걸로 좀 봐다오.
딸	애개개~ 겨우 이걸로? 우리 아빠 진짜 뻔뻔하다. 와~

멋쩍은 웃음을 터뜨리는 도영춘.

S#31. 농가, 집밖 (밤)

안방 바로 바깥. 벽에 등을 붙이고 앉아 있는 김가온. 방에서 새어나오는 단란한 웃음소리를 듣고 있다. 울분이 치밀어올라 견디기 힘든 김가온. 고통스럽게 얼굴을 찡그린다. 남의 가정을 산산이 파괴해놓고는 이렇게…… 그 옆에 묵묵히 서 있는 강요한.

S#32. 농가, 헛간 안 (밤)

목공 작업장으로 꾸며진 헛간 안. 도영춘, 백열등을 켜놓고 앉아 작은 목공칼로 땀흘리며 뭔가를 조각하고 있다. 아기 부처상이다. 정성을 다해 조각하고 있는 도영춘.

S#33. 농가, 헛간 밖 (밤)

살기 어린 표정으로 헛간 문 쪽으로 다가가는 김가온. 하지만 강요한이 김가온의 어깨를 붙잡는다. 단호하게 고개를 젓는 강요한. 김가온, 매섭게 강요한을 노려보지만 강요한의 눈빛, 흔들림이 없다. 서로를 응시하는 두 남자.

S#34. 강요한의 차 안 (밤)

돌아가는 차 안 분위기가 무겁다. 굳은 표정으로 창밖만 보는 김가온.

강요한   성급하게 굴지 마. 그자는 차경희를 잡을 가장 좋은 미끼야.

김가온   (울화가 치민다) 남의 일이라 이겁니까! 본인이 계획한 사냥만 중요하죠?! 지금 제 속이 어떤지 압니까?!

강요한   (단호하게) 너 혼자만의 복수가 아냐!

김가온   (멈칫한다)

강요한   차경희는 그 자리까지 가기 위해 수많은 무고한 사람들에게 누명을 씌워 파멸시켰어. 날 돕는 그 친구 부친도 차경희 검사에 의해 뇌물수수에 성폭력 가해자로 조작되어 스스로 목숨을 끊었고.

김가온   ……!

강요한   (김가온을 힐끗 보더니) 그리고 손에 피를 묻힌 후에, 니 그 소꿉친구 얼굴은 어떻게 볼 생각인 거지?

김가온   (아득해지는 느낌이다. 얼굴이 창백해진 채 묵묵부답이다)

어두운 길을 달리는 강요한의 차.

S#35. 강요한의 저택, 김가온의 방 (밤)

김가온, 신음소리를 내며 악몽에 시달리고 있다. 부모님 장례식장의 영정 사진, 호송차에서 내리며 뻔뻔하게 주위를 둘러보던 도영춘의 얼굴, 그를 칼로 찌르려는 자신을 필사적으로 말리던 윤수현 등이 번쩍번쩍 스쳐가며 빙글빙글 돈다. 고통으로 찡그린 채 뒤척이는 김가온.

S#36. 경찰청 앞 (낮)

캐주얼한 차림의 김가온, 정문 앞에 혼자 서 있다. 뒤에는 자전거를 세워두었다. 밖으로 나오는 윤수현.

김가온   수현아.

윤수현   (놀라 돌아보며) 김가온? 웬일이야? 평일 점심에? 옷은 그게 뭐고?

김가온   하루 휴가 냈어.

윤수현   왜?

김가온   그냥. 보고 싶어서.

윤수현   (어이없다는 표정으로) 뭐? 제정신이냐 너? (활짝 웃으며) 아니 웬일로 그런 기특한 생각을 하고 그래!

김가온   (미소 짓는다)

S#37. 한강변 (낮)

싱그러운 나뭇잎 사이로 햇살이 강물에 부서진다. 자전거 페달을 밟는 김가온과 김가온의 허리를 꼭 안은 채 활짝 웃고 있는 윤수현의 모습이 눈부시다.

S#38. 한강변, 벤치 (낮)

자전거를 한쪽에 세워놓고 벤치에 앉아 한강을 바라보는 두 사람.

윤수현　(기지개를 켜며) 아~ 좋다! 매일 오늘만 같았으면 좋겠다.

김가온　(그런 윤수현을 눈이 부신 듯 바라보다가 문득) 수현아.

윤수현　응?

김가온　근데 너, 만약…… 내가 나쁜 짓 하면 어떻게 할 거니.

윤수현　나쁜…… 짓? (괜히 빨개지며 주위를 살핀다) 여기서? 갑자기?

김가온　(당황하며) 아니아니, 그런 나쁜 짓 말고. 진짜 나쁜 짓. 범죄.

윤수현　(순간 심장이 뛰었다가 실망한다) 아 뭐야…… (김가온을 째려보고 는) 그걸 말이라고 물어? 내 손으로 당장 수갑 채우지! 판사가 어 디서 범법 행위를 해! 내가 그 꼴을 볼 거 같애!

김가온　(쓸쓸하게 웃으며) 그렇지? 당연히 그래야지. 그게 너니까.

윤수현　(걱정스레 김가온을 바라보며) 왜 이상한 소릴 하고 그래? 무슨 일 있어?

김가온　아니. (미소를 띠고) 그냥 이상한 소리가 하고 싶었어. 널 보니까.

윤수현　얘 대체 왜 이래? (갸우뚱거린다)

김가온   (윤수현의 시선을 피한다. 점점 어두워지는 표정. 괴로워한다)

S#39. 강요한의 저택 (밤)

굳은 표정의 김가온이 혼자서 강요한의 차를 몰고 나간다.

S#40. 농가, 헛간 (밤)

열심히 아기 부처상을 조각하고 있는 도영춘. 눈이 침침한지 목공용 칼을 내려놓고 눈을 부빈다.

김가온(E)   ···속죄라도 하고 있는 거야?

도영춘   (소스라치며 놀라 뒤돌아본다) 뭐야! 당신 누구야?

김가온   (무섭게 노려보며) 누구 맘대로 혼자 속죄하는 척하고 있는 거지? 당신 때문에 죽은 사람이 몇 명인 줄 알아!

도영춘   (넙죽 엎드리며) 피해자분이시군요! (고개를 조아리며) 죽을죄를 지었습니다. 죄송합니다······

김가온   웃기지 마! 내가 속을 줄 알아? 당신이 어떤 인간인데! 그 큰돈은 어디 숨겨놓고 이런 쇼를 하고 있는 거야!

도영춘   아닙니다! 대부분 압류되고, 그나마 남은 돈은 차경희 장관한테 전부 뺏겨서······ 이제 아무것도 남은 게 없습니다. (눈물을 흘리며) 속죄하려고 해도, 피해를 갚을 길이 없어 지옥 갈 날만 기다리고 있었습니다. 잘 오셨습니다. 절 죽여주십쇼. 흐흐흑.

김가온   그래. 당신은 지옥에 가야 돼. 소원대로 해줄게! (도영춘에게 달려 들어 목을 조른다!)

아내(E)   안 돼!

그 순간 도영춘의 아내와 딸이 들이닥쳐 김가온에게 매달린다. 그래도 도영춘의 목을 놓지 않는 김가온.

딸   아빠! 아빨 살려주세요! 차라리 절 죽여요! 제발!

김가온, 애절하게 울부짖는 딸을 보자 눈빛이 흔들린다. 과거의 자신을 보는 듯한 기시감.

딸   아빠!

김가온, 그만 도영춘의 목을 놓고 뒤로 주저앉는다. 콜록대는 도영춘. 그를 얼싸안고 우는 모녀.

김가온   (눈물을 주체할 수 없다. 한을 토해내듯) 누구 맘대로, 누구 맘대로 지 혼자 속죄하래…… 왜 복수조차 못하게 만들어! 당신은 사람 이 될 자격이 없어! 악마였어야지! 여전히 그대로 악마였어야지!

도영춘   (흐느낀다) 죄송합니다, 죄송합니다……

이때 누군가 쾅! 헛간 문을 발로 걷어차 활짝 연다. 문밖에 서 있는 검은 실루엣. 강요한이다! 김가온, 놀라 쳐다보는데 강요한, 성큼성큼 들어 오더니 다짜고짜 도영춘의 멱살을 잡고 일으켜 밖으로 끌고 나간다. 김가온, 영문을 모른 채 얼른 강요한을 따라 나가고 도영춘의 아내와 딸, 울면서 도영춘을 붙잡으려 한다. 강요한, 무시무시한 표정으로 뒤돌아본다. 압도되어 얼어붙는 모녀. 강요한, 도영춘을 밖으로 던져버린 채 모녀 앞에서 헛간 문을 쾅 닫아버리고는 걸쇠를 내려 밖에서 잠가버린다.

S#41. 헛간 바깥 공터 (밤)

김가온 　뭐하는 겁니까!

강요한 　(아랑곳하지 않은 채 도영춘을 보며) 어설픈 연극은 그 정도 하지?

도영춘, 멍하니 강요한을 보다가 뭔가 불길한 낌새를 채고는 다급히 밭 쪽을 본다. 소스라치게 놀라며 밭으로 뛰어가는데, 한 지점이 온통 파헤쳐져 있다!

도영춘 　안 돼! (당황하며 두리번거린다)

강요한 　(차갑게 웃으며) 이걸 찾나?

강요한, 플래시로 헛간 옆, 농가 바깥벽을 비추자 비닐에 쌓인 돈다발이 차곡차곡 무더기로 쌓여 있다. 김가온도 보고 놀란다. 도영춘, 밭에서 뛰쳐나와 괴성을 지르며 강요한을 지나 돈더미 쪽으로 뛰어가려는데, 강요한, 도영춘의 복부에 펀치를 날려 쓰러뜨린다.

강요한 　(김가온에게) 이놈 좀 붙잡고 있어봐.

김가온 　(얼떨결에 도영춘의 두 팔을 뒤에서 깍지 낀 채 붙잡는다)

강요한, 구석에서 휘발유 통을 들고 나오더니 유유히 돈다발 더미 쪽으로 가서 휘발유를 뿌린다.

도영춘 안 돼! (발버둥친다)

강요한, 이번에는 도영춘의 아내와 딸이 갇힌 헛간에도 휘발유를 뿌린다.

김가온 (도영춘을 꼭 붙든 채 강요한에게) 그건 안 됩니다!
강요한 난 단지 이자에게 선택할 기회를 주는 것뿐이야.

김가온, 강요한의 시선을 따라가보니, 바닥에 도화선이 깔려 있다. 한쪽에서 시작해 갈라져 하나는 헛간에, 다른 하나는 돈다발에 연결된 도화선. 강요한, 그 순간 라이터를 꺼내 불을 켜더니 도화선에 던진다. 순식간에 양쪽으로 타들어가는 도화선! 김가온, 놀라 도영춘을 놓아주고 헛간 쪽으로 연결된 도화선의 불을 끄려 하는데, 강요한이 뒤에서 강하게 붙잡는다.

김가온 놔요! 이건 안 됩니다!
강요한 (위협적으로) 가만있어!

그런데, 놀랍게도 도영춘은 처자식이 있는 헛간이 아니라 돈다발 쪽으로 미친듯이 달려간다! 돈다발 초입에 불이 붙기 시작하는 순간, 온몸을 던져 데굴데굴 그 위를 굴러 불을 끄는 도영춘! 그 순간, 헛간은 불이 붙어 활활 타오르기 시작한다!

김가온   (헛간을 보며) 안 돼!

강요한   (냉정하고 침착한 말투로) 정신 차리고 봐.

김가온, 그제야 강요한 쪽을 돌아본다. 놀랍게도 도영춘의 아내와 딸이 서 있다! 그 옆에 서 있는 K. 강요한의 지시로 K가 준비하고 있다가 헛간에 불이 붙기 전에 잠겼던 뒷문을 열고 모녀를 데리고 나왔던 것. 모녀, 자신들이 타 죽도록 내버려두고 돈다발 쪽으로 달려간 도영춘의 꼬락서니를 차갑게 쳐다본다. 도영춘, 황급히 돈다발을 싼 비닐을 찢어보는데, 돈이 아니라 종이 더미에 불과했다는 걸 뒤늦게 안다. 속았구나! 하는 표정으로 돌아보는데, 자신을 차갑게 노려보고 있는 아내와 딸과 눈이 마주친다! 소스라치게 놀라는 도영춘.

강요한   (김가온에게) 가족들한테도 속인 거야. 남은 돈이 하나도 없다고.

도영춘   여보! 여보! (모녀 쪽으로 달려온다)

차갑게 도영춘을 보고 있는 모녀.

도영춘   (모녀 앞까지 와서는, 헐떡이며) 아냐! 오해야, 설명할게!

아내   (순간 매섭게 도영춘의 뺨을 후려친다!)

도영춘, 충격에 주저앉는데 아내, 딸의 손을 붙잡고 돌아서 어둠 속으로 사라진다. 주저앉아 흐느끼는 도영춘. 김가온, 불타는 헛간을 배경으로 부모의 원수를 차갑게 내려다본다.

강요한   (김가온의 손에 도영춘이 아기 부처를 조각하던 목공칼을 쥐여주며) 복수를 원한다면 해. 망설이지 말고.

김가온, 목공칼을 힘을 주어 쥐고는, 매서운 눈초리로 도영춘을 내려다보며 성큼 다가선다. 히익! 움츠리는 도영춘. 김가온, 목공칼을 쥔 채 도영춘을 노려보다가, 타오르는 헛간 쪽으로 칼을 던져버린다.

강요한   (김가온을 쳐다본다)
김가온   (차갑게 내뱉는다) 차경희를 잡을 무기잖아요. 낭비하지 맙시다.

K, 망연자실한 도영춘의 덜미를 잡고 일으켜, 세워둔 차 쪽으로 끌고 간다.

김가온   (그제야 생각난 듯 강요한을 보며) 진짜 돈은 그럼 어디에?
강요한   (픽 웃더니 밭을 파헤쳐놓은 지점을 가리켰다가, 손가락을 조금 옮겨 그 바로 옆을 가리키며) 저기. 원래 저놈이 묻어놨던 곳에 그대로.
김가온   (허탈하게 웃으며) 눈속임이었던 겁니까?
강요한   말했잖아. 인간이란 가졌던 걸 잃었다고 생각하면 정신이 나가버린다고. (씨익 웃는다)

불타는 헛간 앞에 서 있는 두 남자.

S#42. 달동네 (낮)

달동네 쪽방. 수심이 가득한 오십대 후반 여성. 병석에 누운 노모의 입에 미음을 넣어드리고는 깊은 한숨을 쉬며 방밖으로 나온다. 그런데, 마당에 예쁜 케이크 상자 한 개가 놓여 있다. 의아해하며 케이크 상자를 살펴보는 여성. 상자에 카드가 끼워 있는 걸 보고는 꺼내 펼쳐보는데, '도영춘 다단계 사기 피해자 여러분들께'라고 쓰여 있다. 의아한 표정으로 상자를 열던 여성, 안을 보더니 놀라 뒤로 주저앉는다! 상자 안에는, 5만 원권 지폐가 가득차 있다! 놀란 나머지 그만 눈물을 터뜨리고야 마는 여성, 상자를 들고 방안을 돌아보며 애타게 외친다.

여성   엄마! 엄마!

화면 분할되면서 도영춘 피해자들이 사는 가난한 집집마다 놓인 케이크 상자들 위로 타이틀. **악. 마. 판. 사.**

10부

프랑켄슈타인

S#1. 강요한의 저택, 서재 (밤)

책상 앞에 앉아 공들여 트럼프 카드로 탑을 쌓고 있는 강요한. 1, 2, 3, 4층까지 정교하게 쌓여 있고 마지막 5층을 조심스레 쌓고 있다. 김가온, 서재로 들어오다가 이 모습을 보고는 가만히 지켜본다. 5층을 완성하고 씩 웃는 강요한.

김가온   (혼자 노는 강요한이 왠지 짠하다) 재밌어요?

강요한   글쎄. 다른 건 할 줄 몰라서.

김가온   모른다고요?

강요한   응.

김가온   카드 게임 안 해봤어요?

강요한   누구랑?

김가온   그야 뭐 가족…… (무심코 말하다가 강요한을 보며 흠칫하며) 아니, 친구들…… (이것도 아니구나, 입을 닫는다) 미안합니다. 쓸데없는 소릴 했네요.

강요한　(피식 웃으며) 또 오지랖 발동인가? 넘겨짚지 마. 원래 남들과 어울리는 게 질색인 체질이니까.

김가온　…그보다, (강요한을 진지하게 보며) 고맙습니다. 도영춘을 잡을 수 있게 해줘서.

강요한　(피식 웃으며) 고맙긴. 2층을 지었을 뿐인데.

김가온　2층이요?

강요한　(카드 탑을 아래에서 위로 천천히 보며) 차경희 비서를 지나, 도영춘을 잡았으니, 이제 다음 단계로 가야지.

김가온　(5층 카드 탑을 물끄러미 보며) 차경희를 지나면, 허중셉니까? 어디가 끝인 거죠?

강요한　(묘한 미소를 띠며) 글쎄, 몇 층인지는 집 짓기 나름인 거고. 난 그보다, (맨 아래층 카드를 천천히 빼내며) 통째로 무너뜨리는 게 더 재미있어서. (풀썩 주저앉는 카드 탑)

김가온　(강요한을 본다)

강요한　(싱긋 웃으며) 죽창 배후는 찾아냈나? 열심히 파고 있는 것 같던데.

김가온　죽창 일당이 길거리 폭행을 시작한 건 허중세가 자기 추종자들한테 거리로 나서라고 선동한 시점과 일치합니다.

플래시백 > 8부 49신, 〈허중세의 개사이다〉 유튜브 화면.

허중세(E)　자, 우리 애국자 여러분! 안전한 대한민국 만드는 게 남의 일이야? 경찰만 나선다고 되겠어? 놀면 뭐해! 주인이 되라고! 이 나라의 주인!

강요한	그거 말고는?
김가온	집사?

서재에 있는 인공지능 스피커가 대답한다.

스피커	네.
김가온	허중세 유튜브 86회 좀 틀어봐줄래? 4년 전, 9월 둘째 주.
스피커	알겠습니다.

벽면 스크린에 〈허중세의 개사이다〉 유튜브 화면이 뜬다.

S#2. 〈허중세의 개사이다〉 영상

현재보다 요란한 모습의 허중세와 화려한 차림새의 도연정.

허중세	오늘은 내가 진짜! 중요한 얘기 해줄게. 니네 잘 들어! 니네가 왜 백수 찌질이에, 연애 한번 못하고 사는지 그 진짜 이유를 까발려줄게 내가! 윗대가리들이 니넬 버린 거야! 단군의 자손, 위대한 단일민족 다 버리고! 값싸고 말 잘 듣는 외국 애들로 니네를 싹 갈아치우고 있는 거라고! 알아? 서정학 선생님 책 읽어봤어? 이대로 가면 한민족 순수 혈통은 이 땅에서 사라지고, 온갖 잡종들만 득시글거리는 나라가 되는 거야! 이게 다 외세와 결탁한 기득권자들의 음모야. 니네 정신 똑바로 차려야 돼! 죽창 들고 일어나야 된다구! 애국소년단 같은 걸 조직해서 우리도 전국적으로 아미

를······

도연정   (허중세 옆구리를 쿡 찌르더니, 도도하게 얼굴을 찌푸리며) 그만~ 거
         기까지.

허중세   어, 허니. 아미는 건들지 마? 알았어. (씨익 웃으며) 이쁜 여자 말
         은 잘 들어야 돼. (옆을 보며) 어? 웃어? 아, 이 짜식, 보는 눈은 있
         어갖고. 야, 쟤 좀 잡아봐라.

         카메라가 허중세 옆을 비추니, 어리숙한 표정의 청년이 쑥스럽게 웃는
         데, 죽창이다! 허중세, 그런 죽창이 귀여운 듯 씨익 웃는데, 도연정은
         불편한 표정으로 허중세를 힐끔 본다.

S#3. 강요한의 저택, 서재 (밤)

         스크린에는 죽창 얼굴에서 정지된 유튜브 화면이 떠 있다.

김가온   영상 편집하던 스태프였더라구요. 허중세 팬클럽 회장 하다가 스
         태프로 발탁된 건데, 대선 때는 선거운동원으로도 뛰었습니다.

강요한   (집사에게) 다시 뒤로 좀 돌려봐.

집사   네.

강요한   (죽창이 쑥스럽게 웃는 장면으로 돌아가자) 응. 거기. (죽창, 허중세,
         도연정의 모습을 찬찬히 보며 묘한 미소를 짓는다) 재밌네. 아주.

김가온   ······?

강요한   (뭔가 생각하더니) 법정에 올려볼까? 이 친구.

김가온   네! 전 찬성입니다. 이대로 놔두면 무슨 짓을 저지를지 모릅니

다. 무슨 친위부대도 아니고……

강요한   (끄덕이며 카드 탑을 물끄러미 본다. 분명 허중세와 연결되는 카드다. 직감한다)

S#4. 재단 회의실 (낮)

허중세   (정선아에게) 강요한 모델 시킨 거, 재밌던데? 걔 또 엉뚱한 짓 못 하게 정이사장이 마크 잘해야 돼.

정선아   걱정 마세요. 제가 꽉 잡고 있을게. (생긋 웃는다)

민용식   그 자식이 꿈터전 사업 들쑤시는 바람에 시간 낭비가 얼맙니까. 쯧. 그게 다 돈인데.

박두만   이제 눈치보지 말고 다시 밀어붙이시죠! 서울에서 빈민들, 사회 불만 세력들, 싹 끄집어내서 수용소에 처넣는 겁니다! 깨끗한 대한민국!

민용식   불법체류자들도 싹 청소해야 됩니다. 지지율 올리는 데는 그게 최고예요.

허중세   조금만 기다려봐. 검찰 경찰 믿고 일을 벌일 수 있겠어? 호시탐탐 내 뒤통수를 칠 놈들이야. 좀더 충성스러운 놈들을 키워서 맡겨야 돼. 이제 거의 다 됐어. (씨익 웃는다)

S#4-1. 차경희 비선 조직 사무실 (낮)

'법무부 제2분실. 청소년 법교육 TF'라는 현판이 걸린 구석진 사무실.

네댓 명의 양복 입은 직원들이 앉아 열심히 일하고 있고, 벽에는 '법은 어렵지 않아요' '법은 우리를 지켜줘요' '안전한 대한민국' 등의 표어가 붙어 있다. 직원들은 모두 헤드폰을 끼고 뭔가를 열심히 듣는 중인데 각자의 노트북 화면에는 '민국일보 유정규 기자 통화 내역. 상대방: 청와대 부속실 정인규 행정관. 일시: 07. 03. 21:05' '서울중부고등법원 김형겸 판사 통화 내역. 상대방: 외교통상부 추민호 국장. 일시: 07. 04. 14:35' '사람미디어 박두만 회장 통화 내역. 상대방: 신인 배우 릴리아. 일시: 07. 04. 02:47' '민보그룹 민용식 회장 통화 내역. 상대방: 디아이 상호저축은행장. 일시: 07. 05. 22:32' 등이 떠 있다. 도청 파일을 분석하는 중이다. 직원 한 명은 죽창부대의 길거리 폭행 영상(9부 초반 및 10부 7신 영상들)을 보고 있다. 차경희, 사무실로 들어오자 직원들 일제히 긴장한 모습으로 기립한다. 이들을 무시하고 안쪽의 부서장실로 들어가는 차경희. 비서가 뒤따른다.

차경희   (비서에게) 정선아 파일. 검증 작업은 어느 정도나 됐지?

비서   워낙 예전 일들이라 쉽지가 않습니다, 장관님.

차경희   (초조하게) 딴 일 다 스탑하고 팀원들 다 투입해! 뭐하는 거야! 빨리들 하지 않고!

비서   (머리를 조아리며) 알겠습니다. 장관님. 그런데, 팀장이 걱정하는 건이 하나 있습니다.

차경희   뭔데.

비서   갑자기 전국적으로 묻지마 폭행 범죄가 늘어나고 있습니다. 주로 외국인 노동자나 여성들 대상인데……

차경희   (짜증스럽게) 그래서 뭐!

비서   (위축된다) 아니 저, 법무부는 뭐하는 거냐는 비난 여론이……

차경희	(비서를 노려본다) 몇 명 죽기라도 했나?
비서	(땀을 삐질삐질 흘리며) 그건 아닙니다만, 백주대낮 길거리 한가운데서 벌어지는 일들이라 안전한 대한민국 슬로건하고 좀 충돌이……
차경희	(책상을 빵! 내리치며) 그건 허중세 슬로건이잖아! 허중세 대선 공약! 내가 왜 그걸 신경써!
비서	(굽신거린다) 네! 장관님!
차경희	허중세 그 인간, 철없는 애들 선동해서 공포 분위기 조성하면 자기한테 힘이 실릴 거라고 생각하는 모양인데, 착각이야. 내버려두면 분명 오버하는 애들이 나올 거야. 사람이라도 죽어나가고 국민들 짜증이 극에 달했을 때, 그때 치고 나가야지. 이거 다 대통령 책임 아니냐. 왜 젊은이들을 선동해서 사회 불안을 조성하느냐. 나, 법무부장관 차경희는 차기 대권주자로서 통합된 대한민국, 포용하는 대한민국을 지향하겠다. (씩 웃는다)
비서	알겠습니다. 장관님. (꾸벅 고개를 숙인다)
차경희	정선아나 신경써. 너무 커지기 전에 밟아야 돼. 서정학 갑자기 죽은 것도 그렇고, 허중세가 갑자기 설치는 것도 그렇고, 뭔가 큰 그림이 있어. 정선아, 그 기집애가 그리는 그림. (생각에 잠긴다)
비서	네, 장관님. (인사하고 나가려 한다)
차경희	(문득 뭔가 생각난 듯) 아, 그리고.
비서	(돌아보며) 네.
차경희	그자도 수시로 체크해보고 있지?
비서	네? 누구 말씀이신지.
차경희	(짜증스럽게) 도영춘!
비서	(순간 등골이 오싹한다. 긴장하며) 아, 네네. 주기적으로 들러서 체

크하고 있습니다.

차경희   분명 숨겨놓은 돈이 더 있을 거야. 능구렁이 같은 새끼…… 돈이
          라면 무슨 짓이라도 할 놈이거든.

비서   (진땀이 난다)

차경희   (힐끗 비서를 쳐다본다) 뭐해? 나가봐.

비서   네? 네! 장관님! (얼른 인사하고 부서장실에서 나간다)

차경희   (의자에 깊숙이 기대며 생각에 잠긴다. 정선아에 대해)

S#5. 배석판사실 (낮)

          판사실에서 혼자 여성 TV 리포터와 인터뷰중인 오진주. 카메라맨과
          PD, 촬영중이다.

리포터   오판사님~ 이번에 촬영하신 화보, 너무 멋지시던데요? 난리예
          요. 판사 그만두고 영화배우 하셔야 되는 것 아니냐며~

오진주   (손사래를 치며) 에유, 배우는 아무나 하나요. (꾸벅 고개를 숙인다)
          전 공무원이 체질입니다~ 정년이 길어서요~

리포터   (웃으며) 판사님도 참~ (책상 위에 쌓인 시범재판 후보 사건기록들을
          보며 안쓰러운 듯) 어떻게, 힘에 좀 부치지는 않으신가요? 전 국민
          의 관심을 받으며 일하시는데. 많이 피곤하시죠?

오진주   (눈을 동그랗게 뜨며) 네? 제가 어떻게 피곤하겠어요. 얼마나 많은
          분들이 응원해주시는데요.

리포터   그래요?

오진주   (활짝 웃으며) 네! 판사실로 편지를 보내시는 분들이 많으세요.

PD   (눈이 번쩍 빛나며 얼른 카메라맨에게 손짓한다)

카메라맨, 오진주 책상 뒤쪽 벽을 클로즈업한다. '오판사님 파이팅!' '법정에서 가장 빛나는 진주' 등의 짧은 멘트가 적힌 포스트잇들과, 예쁜 편지지에 길게 적은 편지들까지…… 오진주의 팬들이 전한 애정 어린 편지들을 하나하나 꼼꼼히 벽에 붙여둔 오진주.

오진주   저를 믿어주는 사람들이 있다는 게, 얼마나 행복한 일인데요.

카메라, 벅찬 표정의 오진주를 클로즈업한다. PD, 감격한 표정으로 주먹을 불끈한다. 김가온, 팔짱을 낀 채 문가에 기대 이 광경을 보고 있다.

S#6. 배석판사실 (낮)

김가온   축하해요. 오판사님. 멋있으시던데요.

오진주   (씩 웃으며) 내가 원래 좀 멋있긴 하지. …근데 김판사도 인터뷰하지 그랬어. 나 혼자 하려니까 좀 뻘쭘하던데.

김가온   (미소를 띠며) 전 카메라 울렁증이 있어서.

오진주   쯧쯧, 그래서 되겠어? 미디어 시대잖아. 국민들과 소통을 해야지! 그나저나 분위기 좋을 때 빨리 다음 재판을 해야 될 텐데, 부장님은 뭘 하고 계신가 몰라.

김가온   (오진주를 가만히 보다가) 보여드릴 게 하나 있는데요.

오진주   뭔데?

김가온   (핸드폰을 만지작거리더니 오진주 앞에 내민다. 재생되는 동영상)

S#7. 동영상 1. 부산 길거리 (밤)

젊은 한국 여성이 외국인 남자친구와 팔짱을 끼고 웃으며 거리를 걷고 있다. 갑자기 죽창부대를 흉내낸 조악한 가면을 쓴 고등학생 또래 남자애들이 달려들더니 괴성을 지르며 커플에게 스프레이 페인트를 뿌려대기 시작한다. 비명을 지르는 여성. 남자친구가 거칠게 일당에게 달려들자, 집단으로 구타한다. 온몸이 페인트 범벅인 채 울부짖는 여성. 더 신나서 떠들어대는 일당.

– 더러운 매국노 꺼져!

– 애국애족!

– 깨끗한 대한민국!

– 우리가 권력이다!

아이러니하게도 이 풍경 뒤로는 강요한, 김가온, 오진주가 촬영한 '안전한 대한민국' 포스터가 붙어 있다. 여기서 영상이 스튜디오에 있는 죽창에게로 넘어간다.

S#8. 동영상 2. 유튜브 방송 1인 스튜디오 (밤)

작업실풍의 작은 방에 고정 카메라를 설치하고 유튜브 생방송중인 죽창.

죽창   (잔뜩 신나서 엄지를 치켜올리며) 우와! 부산, 살아 있네! 자, 광주, 부산, 대구 찍고, 이제 대전 가자! 대전 애국자들, 보여줄 거지? 우리가, 권력이다!

S#9. 배석판사실 (낮)

오진주 (잔뜩 흥분해서) 이런 미친놈들! 경찰은 대체 뭐하는 거야? 이런
       것들 싹 다 잡아들이지 않고?

김가온 …우리 법정에 한번 올려볼까요?

오진주 시범재판에? 좋지! 내가 가만두나봐라, 이 썩을 놈의 새퀴들!

S#10. 강요한의 저택, 서재 (밤)

김가온 오판사도 동의했습니다. 문제는.

강요한 경찰이 비호하는 그놈을 어떻게 잡아서 법정에 올리느냐, 그거겠
       지? (미소를 짓는다)

김가온 네. 일단 기소가 되어야 재판이 성립되는 거니까요. 대통령이 사
       실상 뒤를 봐주고 있는 상태에서 그게 가능할지……

강요한 왜? 있잖아. 이번 일을 제일 잘 도와줄 수 있는 사람.

김가온 네? 누구 말씀이죠?

강요한 (싱긋 웃으며) 허중세가 바라는 대로 판세가 돌아가는 걸 누구보
       다 싫어할 사람.

김가온 …설마, 차경희?

강요한 (씨익 웃는다)

김가온 그래도 설마 차경희가 부장님 일을 도울까요?

강요한 물론 내 말은 안 듣겠지. 그래서 오늘 누굴 좀 만나고 왔어. 그쪽
       을 통해서 차경희한테 흘릴 거야. 죽창 일당, 허중세의 사조직이
       라고.

김가온	…잡아만 오면 검찰이 기소는 하겠네요. 그래도 직접 체포하는 건 부담스러워할 텐데요.
강요한	한 명 있긴 한데…… 그놈을 잡아 올 만한 경찰. (김가온을 빤히 본다)
김가온	경찰이라면…… (알아채고는 강요한을 노려본다) 수현이 말입니까!
강요한	(싱긋 웃으며 떠보듯 김가온을 본다)
김가온	(굳은 표정으로) 수현이 혼자는 절대 못 보냅니다.

S#11. 강요한의 저택, 김가온의 방 (밤)

죽창(E)	자, 오늘은 밤새 달려보자구! 사냥감 많은 동네, 댓글로 바로바로 올려줘!

노트북으로 죽창의 생방송을 보며 생각에 빠져 있는 김가온.

엘리야(E)	뭔 생각을 그렇게 해? (어느새 뒤에 와서 노트북을 빤히 보고 있다)
김가온	어우 깜짝이야, 넌 언제 소리도 없이…… (영상의 소리를 끈다)
엘리야	(O.L.) 애 잡을려구?
김가온	어…… 그게, (초롱초롱한 엘리야 눈빛을 보더니 체념한 듯 얘기해준다) 그래. 근데 지난번에 잡혔던 후로는 이렇게 숨어서 1인 방송만 하고 있어.
엘리야	위치 추적을 해야겠네. 이리 줘봐. (대뜸 노트북을 차지하더니 타다다닥, 자판을 빠르게 누른다)

노트북 화면에 https://iplogger.org/ 페이지가 뜬다.

엘리야   이렇게 간단할 리는 없겠지만 우선, (죽창 동영상 사이트 주소를 IP
            추적 입력창에 넣어보지만 결과가 나오지 않는다) 역시. 보안을 제대
            로 해놨네.

김가온   오오. 뭔가 대단한데? 역시 컴퓨터 전공. (이때 핸드폰 벨이 울리는
            데 윤수현이다) 잠깐만. (복도로 나간다)

S#12. 강요한의 저택, 복도/윤수현 차 안 교차 (밤)

윤수현   가온아! 요즘은 집에는 안 와?

김가온   어…… 수현아, 일이 좀 있어서. (화제를 얼른 돌린다) 그보다, 넌
            괜찮냐? 죽창 그놈이 니가 총 겨누는 영상을 이상하게 편집해서
            올렸잖아.

윤수현   (분한 표정으로) 말도 마. 그거 때문에 총기 반납했어. 그 나쁜 놈
            빨리 잡아야 할 텐데 죽겠어. 위에서 움직이질 않으니 사이버 수
            사대 도움도 받을 수가 없고. 어딨는지를 알아야 잡지. 아 진짜,
            답답하네……

S#13. 강요한의 저택, 김가온의 방 (밤)

걱정스러운 표정의 김가온, 방으로 들어오는데, 엘리야, 노트북을 무
릎에 놓은 채 다다다닥! 엄청난 속도로 키보드를 치고 있다. 휠체어가

김가온 쪽을 향하고 있어서 노트북 화면은 안 보인다.

김가온   지금 해킹하는 거야? 어디 봐봐!

엘리야   (어이없다는 표정으로 올려다보더니) 나 지금 게임하는데?

김가온   게임? (황당해한다)

엘리야   해킹이란 게 키보드 막 두드리면서 컴온! 컴온! 이러면 다 되는
         건 줄 알지? 하여튼 일반인들이란……

김가온   (머쓱해하며) 나 문과잖냐. 그럼 언제쯤……

엘리야   백그라운드에서 프로그램 열~심히 돌리고 있으니 기다리기나
         해. 한~참 걸릴 거야. 하루가 걸릴지, 일주일이 걸릴지…… 어?
         (노트북을 본다)

김가온   왜 그래?

엘리야   이 인간, 내가 댓글란에 달아놓은 링크를 클릭했어. 와, 설마 이
         렇게 단순한 거에 걸려들다니……

김가온   뭐였는데?

엘리야   …걸그룹 사진.

S#14. 윤수현의 차 안 (밤)

운전하던 윤수현, 걸려온 전화를 받는다.

윤수현   응, 가온아. 뭐? 죽창 위치를 알았어?! 어디야! 내가 이 자식 당
         장 잡아올게!

김가온(F) (단호하게) 안 돼. 나랑 같이 가.

윤수현	아, 찌질이 하나 잡는데 뭘……
김가온(F)	(O.L.) 총도 없다며! 절대 혼자 못 보내!
윤수현	(움찔했다가 괜히 흐뭇한 미소를 지으며) 얘는 못 보내긴 뭘 못 보낸다고 난리야 진짜…… (씨익 웃는다)

S#15. 도시 변두리, 건물 앞 (밤)

인적 드문 변두리 동네, 허름한 건물 앞. 정문은 셔터로 닫혀 있다. 건물 앞에서 갸우뚱하는 윤수현.

윤수현	흐음. 진짜 여기 맞어? 대체 어떻게 알았다는 거야…… (뒤에서 자동차 소리가 나자 돌아본다) 어?

강요한의 자동차가 멈추더니 김가온이 내린다.

윤수현	(픽 웃으며) 에유, 그렇게 걱정되셨어요? 나 혼자 보내기가? (놀리는 듯 김가온을 바라본다)
김가온	(진지하게 윤수현을 쳐다보며) 응, 걱정돼.
윤수현	(김가온이 진지하게 나오니까 살짝 당황하며) 뭐야, 설레게.
김가온	…너 말고. 죽창이.
윤수현	뭐?
김가온	니가 죽창 패 죽일까봐 걱정된다고. 뭐해, 안 들어가고. (건물 정문으로 다가가며 셔터를 살핀다)
윤수현	에라이 ~ 니가 먼저 죽는다, 김가온! (니킥을 날리는데 김가온, 돌

아보지도 않고 깡충 피한다)

김가온, 정문을 이리저리 살핀다. 셔터가 굳게 내려와 있고, 안쪽 정문에는 지저분한 포스터, 각종 광고 전화번호 등이 덕지덕지 붙어 있다.

윤수현   전동식 셔터네. 문은 여기밖에 없는 거 같은데……
김가온   (전화기가 울려서 꺼내 받는다) 어, 엘리야.
윤수현   엘리야?
김가온   근데 입구가 셔터로 막혀 있는데? …응. 알았어. (끊더니 건물 앞면을 이리저리 영상으로 찍어서 보낸다)
윤수현   엘리야가 왜?
김가온   IP 추적해서 이 건물 위치 알아낸 게 엘리야야.
윤수현   진짜?
김가온   스탠퍼드 컴퓨터공학과 조기 입학. 천재 소녀니까.
윤수현   대단하네…… 그래도 셔터 문까지 어떻게 열겠어. 들어갈 방법을 찾아보자.

S#16. 도시 변두리, 건물 옆면 (밤)

윤수현, 건물을 이리저리 살피더니, 옆 벽면을 기어올라가기 시작한다.

김가온   야, 위험해!
윤수현   발이나 좀 받쳐봐봐!

김가온이 받쳐주자 끙끙대며 튀어나온 것들을 붙잡고 올라가보려는 윤수현, 애는 쓰지만 쉽지 않다.

김가온   어? (정문 쪽을 본다)
윤수현   (비틀거리며) 야야, 잘 받쳐야지 뭐해?
김가온   …내려와. 셔터 문 올라가고 있다.
윤수현   뭐? 어어……

S#17. 도시 변두리, 건물 앞 (밤)

위이잉~ 올라가는 셔터 문.

김가온   (엘리야와 통화중이다) 엘리야, 너 진짜 대단하다! 이런 문까지 해
         킹하는 게 가능해?
엘리야(F) (시큰둥하게) 됐고, 몸조심이나 해. 둘 다.
김가온   (전화를 끊고 윤수현에게) 들어가자. 죽창 잡아야지.

S#18. 강요한의 저택, 엘리야의 방 (밤)

엘리야   (전화를 끊고는 절레절레 고개를 젓는다) 해킹? 일반인들이란……

S#19. 조금 전 상황, 엘리야의 방 (밤)

엘리야, 김가온이 보낸 건물 영상을 확대해서 본다. 2층 창문에 '으뜸 수학학원'이라고 쓰여 있고, 건물 셔터 위쪽에 '24시간 건물 보안. KU 시큐리티'라고 쓰인 스티커가 보인다.

엘리야 오케이. (얼른 'KU시큐리티'를 검색하면서 주변을 살핀다)

방 불을 끄고 어둑어둑하게 해놓고는 장식이 없는 벽 쪽으로 가더니, 화상통화로 KU시큐리티에 전화를 거는 엘리야.

엘리야 (한없이 불쌍해 보이는 표정으로) 여보세요? 저, 지금 진흥빌딩 안에 있는데요……

직원(F) 어 그래? 아니 어떻게 이 시간에……

엘리야 (평소와 달리 어린애 같은 말투로) 저 으뜸 학원 다니는데요. 혼자 남아서 시험공부하다가 그만…… (눈물을 글썽이며) 흑, 아저씨 저 너무 무서워요. 잉……

직원(F) 어, 그래그래 열어줄게. 얼른 집에 가요~

엘리야 고맙습니다! (방긋 웃으며 전화를 끊더니, 바로 무표정해지며 눈물을 쓱쓱 닦는다)

S#20. 도시 변두리, 건물 안 (밤)

어두컴컴한 복도를 조심조심 걷는 윤수현과 김가온.

김가온	괜찮을까? 혹시 지키는 놈들이 있으면……
윤수현	인터넷 방송 하는 찌질이한테 경호원이라도 있을까봐? 코딱지만한 데서 1인 방송 하더구만. …저기 있네.

윤수현, 목소리를 낮추며 손짓한다. 복도 끝에 문틈으로 불빛이 새어나오는 문이 하나 있다. 조심조심 다가가서는, 하나, 둘, 셋, 입 모양으로 신호를 하고 문을 박차며 들이닥치는 윤수현!

S#21. 죽창의 스튜디오 (밤)

짜장면 그릇, 컵라면 용기 등 쓰레기가 가득한 스튜디오.

죽창	쓰레기들 다 쓸어버려! 대한민국! (크게 음악을 틀어놓고 신나게 소리치다가 문이 쾅! 열리는 소리에 놀라 뒤돌아본다)
윤수현	(윙크하며) 이러다 정 들겠다. 또 만났네?
죽창	에이씨. (문으로 확 뛰어나가는데. 김가온이 내민 발에 걸려 쿵 넘어진다)
김가온	웁스. (씨익 웃는다)

S#22. 건물 안 (밤)

수갑을 채운 죽창을 앞세우고 복도를 걸어가는 김가온과 윤수현. 엘리베이터 앞에 선다. 1층에서 올라오던 엘리베이터가 김가온이 있는 층에 서더니 문이 열리는데, 각목, 쇠파이프를 든 험상궂은 사내들 예닐곱 명이 타고 있다! 어설픈 죽창 일당과는 다른 인상의 상당히 단련된 듯한 사내들. 무표정하다. 씨익 웃는 죽창.

윤수현   뭐야?! (죽창 목덜미를 잡고 복도 쪽으로 뛰려는데, 사내들이 덮친다!)

김가온, 얼른 윤수현 앞을 막아서며 격투를 벌인다! 윤수현, 죽창을 놓치지 않으려고 안간힘을 쓰지만 한 사내가 강하게 복부를 강타하자, 헉, 소리를 내며 바닥에 쓰러진다. 의기양양한 표정으로 사내들 사이에 서는 죽창.

김가온   수현아!

김가온, 온몸으로 쓰러진 윤수현을 감싸며 뒤돌아본다. 맨 앞에 있는 사내, 무표정하게 쇠파이프를 김가온의 머리로 내리치려드는데! 사내 뒤쪽에서 아악! 비명이 들린다. 놀라 돌아보는 사내. 맨 뒤의 사내 한 명이 쓰러지는데, 그뒤로 쇠파이프를 든 키 큰 남자가 서 있다. K다. 김가온, 놀라 쳐다보는데, 이번에는 김가온과 윤수현이 있는 쪽 뒤에서 휘파람 소리와 함께 지이익, 벽을 긁는 소리가 점점 가깝게 들린다. 목검으로 벽을 긁으며 코너를 돌아 나타나는 강요한!

강요한   자, 이제 숫자가 좀 맞는 건가?

놀라 일그러지는 죽창의 표정. 앞뒤에 선 강요한과 K를 보며 긴장하는 사내들. 강요한을 쳐다보는 김가온.

S#23. 건물 안 (밤)

강요한   (김가온을 향해 나지막이) 뒤로 물러서. (목검을 휘둘러 김가온을 공
          격하려던 사내 손의 쇠파이프를 쳐내고 몸을 돌리며 그 옆 사내를 목 찌
          르기로 날려버린다. 당황하는 사내들)

윤수현   (배를 감싼 채 찡그리며 김가온에게) 니가 부른 거야? 저 사람.

김가온   넌 죽창만 잡아. 여긴 우리가 어떻게 해볼게. (일어서서 강요한 옆
          에 서더니 사내들을 보며 씨익 웃는다) 일단 얼굴로는 벌써 이겼어.

          강요한, 어이없다는 표정으로 김가온을 힐끗 보더니 목검을 휘두르며
          사내들에게 달려들고, 김가온도 픽 웃으며 발차기를 날린다. 뒤에서 쇠
          파이프를 휘두르는 K. 앞에서 달려드는 강요한과 김가온 사이에서 당
          황하는 사내들. 죽창, 얼굴을 찡그리더니 틈을 보아 달아난다! 윤수현,
          얼른 몸을 일으켜 사내들 사이를 비집고 죽창을 쫓는다.

S#24. 건물 안 (밤)

          폐가구, 물품 박스 등이 곳곳에 적치되어 있는 어두운 복도를 미친듯 내
          달리는 죽창과 뒤를 쫓는 윤수현.

윤수현   *거기 서!*

죽창, 손에 잡히는 대로 물건들을 넘어뜨리며 달리고, 윤수현, 밀쳐내고 뛰어넘으며 쫓는데, 그만 넘어지는 폐가구에 다리를 찍혀 절뚝거리기 시작한다. 씨익 웃으며 날 듯이 계단을 뛰어내려가는 죽창.

S#25. 건물 안 (밤)

구르듯 계단을 내려온 죽창, 주머니에서 리모컨을 꺼내 누르자 셔터가 올라가기 시작한다. 죽창의 눈이 희열로 빛나는 순간, 땡, 엘리베이터 소리가 나며 엘리베이터 문이 열리더니 윤수현이 뛰어나온다. 절뚝거리면서도 필사적으로 뛰어 반쯤 열린 셔터 문 사이로 나가려는 죽창에게 온몸을 던져 쓰러뜨리는 윤수현. 발버둥치는 죽창에게 펀치를 날리고는 깔고 앉아 제압한다. 가쁘게 숨을 내쉬는 윤수현.

윤수현   그동안 신났었냐? 인생은 실전이다, 찌질아.

S#25-1. 차경희 비선 조직 사무실 (밤)

초조한 표정으로 강요한이 흘린 정선아 파일을 읽고 있는 차경희. 9부 17신의 증권가 지라시 같은 그 파일이다.

차경희   (혼잣말로) 스토리는 있는데, 증거가 부족해. 한방에 거꾸러뜨리려면 정황 증거라도 몇 개 필요한데……
비서   (급히 사무실로 들어오며) 장관님!

차경희	뭐야.
비서	재단에서, 법무부에 대한 지원금을 삭감했습니다.
차경희	(놀라 벌떡 일어난다) 뭐라고!
비서	협의도 없이 일방적으로 통보해서…… 이렇게 되면 비선 조직을 돌릴 예산이 부족해집니다. 장관님.
차경희	(이를 악물며) 이 기집애가 진짜!

S#25-2. 재단 이사장실 (밤)

즐거운 표정으로 의자에 앉아 있는 정선아. 바깥에서 시끄러운 소리가 들리자 갸웃한다.

재희(E)	장관님! 약속도 없이 이러시면……
차경희(E)	비켜! 이게 어디서 감히!

차경희, 성난 표정으로 성큼성큼 이사장실로 들어온다.

재희	(당황한 표정으로 따라오며) 이사장님, 죄송합니다. 막무가내로 쳐들어오셔서.
정선아	(앉은 채로) 에이, 재희야, 왜 그래. 나랏일 하시는 분한테. (자경희를 보며 생긋 웃는다)
차경희	(정선아를 노려보다가) 계속 세워둘 건가?
정선아	어머, 내 정신 좀 봐. (천천히 일어서며) 앉으세요, 장관님. (소파쪽으로 가며 자리를 권하는데, 상석에는 자기가 먼저 앉는다)

차경희	(정선아를 힐끗 노려보고는 앉는다) 오랜만에 보네?
정선아	(천연덕스럽게) 그런가요? 제가 무심했다, 그쵸? 용서하세요. (싱긋 웃는다) 이사장 일이라는 게, 만만치가 않네요.
차경희	(차갑게 노려보다가) 법무부 지원금은 왜 삭감했지?
정선아	(해맑게) 아, 그거 때문에 오셨구나? 에유, 많이 서운하셨나보다. 이해 좀 해주세요. 지원할 곳은 많고, 인심은 팍팍해져서 기부금은 줄어들고.
차경희	청와대 지원금은 늘렸던데?
정선아	(능청스럽게) 그랬나요? 실무자들이 하는 일이라, 제가 일일이 기억은 못해서요. (생긋 웃는다)
차경희	(매섭게 정선아를 보다가 코웃음친다) 기억이 잘 나게 해줄까? 뭐 냄새 나는 거 없나?
정선아	네?
차경희	(방을 둘러보며) 이 방에 오니까 이상하게 피비린내가 나는 것 같아서 말야. 왜 그런지 모르겠네. (씨익 웃으며 정선아를 쳐다본다)
정선아	(차갑게 표정 가라앉으며) 글쎄요, 무슨 말씀이신지……
차경희	(천천히) 서정학 이사장이 자결하신 게 이 방이지, 아마?
정선아	(가만히 차경희를 쳐다본다)
차경희	(씨익 웃으며) 아픈 데를 건드렸나? 그렇다면 미안하고. 오래 모셨잖아. 많이 아프겠지. 비통하고.
정선아	…하시고 싶은 말씀이 뭔가요? 장관님.
차경희	내 자리가 자리다보니까 말야, 이것저것 들려오는 얘기들이 있단 말이지.
정선아	(차경희를 노려보며) 예를 들면?
차경희	국민적인 존경을 받는 큰어른이 자결하셨는데, 왜 그렇게 서둘러

화장을 해버렸을까…… 국민장을 거행해도 모자랄 판에.

정선아 그건 선생님의 유언이 그래서.

차경희 (O.L.) 유서는 왜 친필이 아니라, 컴퓨터에 남겨놓으셨을까……
평소에는 붓글씨만 쓰시던 양반이. (싱긋 웃는다)

정선아 (차경희를 노려보다 싱긋하며) 추리소설을 좋아하시나봐요? 장관
님. 요즘 업무가 좀 한가하신 건가…… 여기까지 찾아오셔서 탐
정놀이나 하시고.

차경희 뭐야!

정선아 뭔가 좀 구체적인 근거를 갖고 오셔서 말씀 나누시죠. 제가 좀 바
빠서. 나랏일로. (생긋한다)

차경희 (정선아를 노려본다)

정선아 재희야!

재희 네! 이사장님.

정선아 손님 가신다. (미소 짓는다)

재희 네. (차경희 곁으로 따라 붙어 차경희를 쳐다본다)

차경희 (정선아를 노려보다 일어서서 나가려 한다)

정선아 아, 그런데 장관님.

차경희 (뒤돌아본다)

정선아 죄송한데, 장관님 관용차, 연료비가 너무 많이 나오더라고요. 나
라 재정이 어려운데, 좀 작은 걸로 바꿔도 되겠죠? 국민들이 감
동할 거예요. 역시 나라의 큰어른은 다르시구나, 하고. (생긋 웃는
다)

차경희 (모욕감에 부들부들 떨며 잡아 죽일 듯 정선아를 노려보다가 나간다)

정선아 (오만한 표정으로 씨익 웃으며 차경희를 쳐다본다)

S#25-3. 차경희 비선 조직 사무실 (낮)

분노한 표정으로 앉아 있는 차경희. 비서, 조마조마한 표정으로 옆에 서 있다.

차경희   뭐하는 거야, 도대체! 정선아 잡을 증거, 왜 이렇게 늦어!

비서   죄송합니다! 조금만 더 시간을 주시면……

차경희   (경멸하듯 비서를 노려보며) 무능한 새끼들. (굳은 표정으로) …강요한을 만나야겠어.

비서   (강요한한테 금괴 받은 것 때문에 소스라치게 놀라며) 네?! 가, 강요한 말씀입니까?

차경희   (의아해서 비서를 쳐다보며) 뭐야? 뭘 그렇게 놀라?

비서   너무 갑작스러운 말씀이셔서……

차경희   정선아 파일에 나오잖아. 강요한 집 하녀 출신이라고. 강요한은 뭔가 아는 게 있을 거야. 그 여자 과거를 추적할 단서. (비서를 쳐다보며) 빨리 약속 잡아. 조용한 일식집 뭐 그런 데로.

비서   네, 장관님. (부서장실을 나간다)

S#26. 대법원장실 (낮)

지윤식과 독대하고 있는 강요한.

지윤식   (떨떠름한 표정으로) 유튜버라…… 시범재판에 올리기에 너무 시시한 거 아닌가?

강요한	폭력을 선동하고 사회를 어지럽히는 자입니다. 청와대에서도 좋아하지 않을까요? 대통령이 추진하는 법질서 강화 정책과도 결이 맞고요.
지윤식	(반색하며) 그건 그렇겠구만! 좋아, 한번 시원하게 해봐!

S#27. 대법원 복도 (낮)

대법원장실에서 나오는 강요한, 복도를 걷고 있는데 모퉁이에서 김가온이 나타나 슥 따라붙는다.

김가온	어떻게 됐습니까?
강요한	(씨익 웃으며) 통과.
김가온	(따라 웃으며) 굿 잡. 이번 재판은 제가 한번 판을 짜보겠습니다.
강요한	…니가?
김가온	죽창 같은 놈들은 제가 잘 압니다. (미소 짓는다)

S#27-1. 차경희 비선 조직 사무실 (낮/밤)

비서, 차경희가 있는 부서장실로 들어온다.

비서	지금 출발하시죠. 강요한하고 약속 잡아놨습니다.
차경희	그래. (일어서서 코트를 걸치고 방밖으로 나가려 한다)

그때 갑자기 비선 조직 직원들이 일하는 사무실 문이 쾅 열리더니 서류 가방을 든 강요한이 유유히 들어온다. 경악하는 차경희와 비서!

강요한   안녕들 하십니까! (사무실을 둘러보며) 와, 청소년 법 교육, 훌륭한 일들 하시네요.

직원들 황급히 도청하던 헤드폰을 벗고 컴퓨터를 끈 뒤 당황해서 우왕좌왕한다.

강요한   (씨익 웃으며) 괜찮아요, 괜찮아. 일들 보세요. 저 신경쓰지 마시고. 뭐 재미있는 거 있으면 저도 좀 보여주시고.

강요한, 책상 너머로 고개를 들이밀며 직원 노트북 화면을 보려 하자 직원, 화들짝 놀라 노트북을 탁 덮는다. 강요한, 재빨리 그 틈을 타 직원의 헤드폰을 벗겨 자신이 쓴다.

강요한   와, 음질이 뭐. (직원을 빤히 보며 씨익 웃으며) 숨소리까지 다 들리는데? 야해라.

직원, 순간 멍했다가 얼른 헤드폰 잭을 뽑아버린다. 강요한, 씩 웃으며 직원 볼을 톡톡 두들겨주고는 차경희 쪽으로 걸어간다. 놀라 쳐다보는 차경희와 비서.

강요한   (씩 웃으며) 여기가 국정원보다 대단하다는 인왕동 팀입니까? 일식집보다 여기가 좋을 거 같은데요? 조용히 얘기하기에.

차경희	…들어가지. (부서장실로 들어간다)
비서	(파랗게 질려 진땀을 뺀다)
강요한	(비서를 보며 싱긋한다) 장관님이 일을 너무 많이 시키시나보네. 비서님 이마에 땀이 그냥…… (닦아주려 하니 비서가 흠칫 뒤로 물러선다)
차경희	(뒤로 돌아 둘을 쳐다본다)
강요한	(질려 있는 비서를 힐끔 쳐다보고는 부서장실로 들어간다)
차경희	(자리에 앉고는, 강요한을 노려보며) 여기는 어떻게 알았지?
강요한	(싱긋 웃는다) 청소년 법 교육에 관심이 많아서요.
차경희	(불끈하지만 애써 참는다) …됐고. 용건이나 얘기하지. 정선아랑 언제부터 알고 지낸 거지?
강요한	글쎄요. 무슨 말씀이신지.
차경희	(불쑥) 정선아가 자네 집에서 하녀로 일한 적이 있다던데, 사실인가?
강요한	(시치미를 떼며) 글쎄요. 남의 프라이버시를 함부로 말씀드리기가.
차경희	(떠보듯) 그 여자, 자기 부모를 죽였다는 말도 있던데.
강요한	그렇습니까? 놀라운데요? (묘한 미소만 짓는다)
차경희	(강요한을 노려보다가) 공짜로는 안 되겠다, 이런 표정인 거 같은데.
강요한	(씨익 웃는다)
차경희	뭐야. 원하는 게.
강요한	죽창.
차경희	죽창?
강요한	그자 재판에 협조해주십쇼. 그냥 기소하고, 앉아서 구경만 하면 됩니다. 검찰은.

차경희	…허중세가 시끄럽게 굴 텐데.
강요한	왜 그렇게 소심해지셨습니까. (싱긋하며) 어차피 감당은 제가 합니다.
차경희	알았네.
강요한	고맙습니다. (씩 웃더니 바로 일어선다)
차경희	(당황해서 따라 일어서며) 잠깐만!
강요한	아. (그제야 생각났다는 듯 돌아서더니 서류가방에서 낡은 서류철 하나를 차경희 책상 위로 툭 던진다)
차경희	(놀라 서류철을 보니 '변사 사건 처리 결과 보고'라는 제목이 적혀 있다)
강요한	오다 주웠습니다. (윙크하고는 사라진다)

S#28. 청와대 브리핑 룸 (낮)

허중세	(분노로 이글이글한 눈빛으로) 이건 위대한 우리 국민들에 대한 도전입니다! 나라를 지키겠다고 일어선 애국 시민을 감히 법정에 올려?! 판사가 국민 위에 있습니까?! 이건 사법 쿠데탑니다, 여러분!

S#29. 대법원장실 (낮)

허중세 발표를 중계하는 뉴스 화면으로 전환된다. 놀란 표정으로 전전긍긍하며 지켜보는 지윤식.

지윤식　(당혹스러워하며) 아니, 이게 아닌데, 어허…… (울상이다)

아나운서(E)　허중세 대통령의 유감 성명이 발표된 가운데, 이번에 재판을 받게 된 죽창 유튜버에 대한 팬 및 지지자들의 후원금이 벌써 1억 원을 돌파한 것으로 알려졌습니다.

S#30. 면회실 (낮)

변호인과 면회중인 죽창. 변호인은 뒷모습만 보인다.

죽창　(거만한 자세로 뒤로 기댄 채) 변호사 아저씨, 저는 정치범입니다. 혁명 지도자예요. 일반 잡범하고는 다르다 이 말이에요. 아시겠죠?

변호인　그럼, 정상참작에 도움될 자료도 내지 말까요? 불우한 성장 과정이라든지……

죽창　(눈을 굴리며) 어, 그래도 그건 그거대로 내는 게 유리하지 않나? 일단 내봐요. 최대한 디테일하게.

변호인　알겠습니다.

죽창　(잠시 생각하다가) 말이 나와서 말인데, 강요한 그 젊은 판사가 직접 나한테 와서 목검을 막 휘두르고 그랬는데, 그걸 터뜨리면 어때요?

변호인　(비로소 카메라가 얼굴 전체를 잡는데, 고인국이다! 말 같지 않은 소리를 한다는 듯 시큰둥하게) 정신이상을 주장하실 거면 의사 진단서가 필요합니다.

죽창　아니 진짜라니까! 내가 뻥치는 줄 아네, 이 아저씨!

변호인 (사무적으로) 아 네, 그러시군요. (펜을 들며) 그럼 당시 현장을 목
격한 사람들 명단을 전부 알려주시겠습니까? 객관적인 증거가
필요한데요.

죽창 (비호 세력을 함부로 밝힐 수가 없다. 찡그리다가) 됐어요, 그건 말
고. 근데, 진짜 자신 있는 거 맞죠? 실형 나오면 나 가만 안 있을
거야!

변호인 (비로소 씨익 웃으며) 걱정 마세요. 집행유예로 빼드리겠습니다.
꼭.

S#31. 미술관 앞 (밤)

강요한의 차가 미술관 앞에 멈춘다. 엘리야가 차에서 내리도록 얼른 돕
는 김가온과 강요한.

엘리야 뭐야, 여긴 뭐하러 온 거야.

김가온 (미소 지으며) 너 덕분에 죽창 잡았잖아. 고마워서.

엘리야 여기가 어딘데? 카페?

김가온 미술관.

엘리야 (얼굴 표정 밝아지며) 미술관?

김가온 응. 너 그림 좋아하잖아.

엘리야 근데 왜 이 시간에……

김가온 (손을 미술관 쪽으로 멋지게 뻗으며) 공주님 혼자만을 위한, 미술관.
어때?

엘리야 진짜? 통째로 빌린 거야?

김가온	(어깨를 으쓱한다) 예스.
엘리야	(어린애처럼 좋아한다) 우와! 대박! (흐뭇하게 둘을 바라보는 강요한을 돌아보며) 근데 요한은 왜 왔어?
강요한	(얼른 엄한 표정 지으며) 보호자로 왔지! (김가온을 보며) 저 비실비실한 녀석을 어떻게 믿고.
김가온	저기요? (어이없다는 듯 강요한을 쳐다본다)
강요한	가자. (태연하게 엘리야의 휠체어를 밀고 가려 한다)
엘리야	(휠체어 바퀴를 턱, 잡는다) 가온이 밀어줘.
김가온	(싱긋하며) 그래~ (얼른 휠체어로 다가서며 강요한을 빤히 쳐다본다)
강요한	(김가온을 째려보다 할 수 없이 물러서자, 김가온이 휠체어를 획 밀고 나간다. 바닥의 돌에 걸려 휠체어가 조금 덜컹거리자 못마땅하게 보면서 쫓아간다) 어허, 천천히 좀! 길 중앙으로 가야지, 중앙으로! (투덜댄다)

휠체어를 밀고 가는 김가온과 투덜대며 따라가는 강요한. 정겨운 모습.

S#31-1. 미술관 안 (밤)

그림이 죽 걸려 있는 전시실. 휠체어를 밀고 가며 그림을 보는 엘리야와 김가온. 엘리야, 환한 표정이다. 강요한도 어느새 흐뭇한 표정으로 따라가고 있다.

Cut to

관람객이 직접 이것저것 그려보는 체험 전시실로 들어오는 엘리야 일행.

엘리야   (스케치할 수 있게 세워진 이젤을 보더니) 그려볼 수 있나보네?

김가온   내가 그려줄까?

엘리야   나를?

김가온   (강요한을 장난스레 보며) 당연하지. 저런 아저씨를 그리겠어? 굳이?

강요한   (김가온을 째려보며) 누가 아저씨야! 여기 아저씨가 어딨다고.

김가온   (무시하며 이젤 앞에 앉아 스케치 연필을 들어 구도를 잡는 척 그럴듯하게 엘리야를 보며) 이쪽 봐봐. 엘리야.

엘리야   (쑥스럽지만 좋다) 어…… 이렇게?

김가온   좀만 더 고개를 왼쪽으로. 그래. 너무 이쁘다.

엘리야   뭐래. (미소를 감추지 못한다)

마치 화가처럼 진지하게 엘리야를 스케치하는 김가온. 휠체어에 앉아 포즈를 취하는 엘리야. 강요한, 그런 둘을 애틋하게 바라본다. 형을 꼭 닮은 김가온이 엘리야를 그려준다. 마치 아버지와 딸처럼. 그런데 휠체어에 앉아 포즈를 취하고 있는 엘리야가 안쓰럽다. 어느새 강요한은 환상을 본다. 엘리야가 휠체어 없이 또래 여자아이들처럼 일어서서 멋지게 이리저리 포즈를 취하고 있고, 형 강이삭이 그런 엘리야를 보며 행복하게 웃고 있다.

엘리야   아빠! 이게 나아, 아님 (포즈를 바꾸며) 이게 나아? 뭐, 어차피 다

이쁘겠지만. (어깨를 으쓱한다)

강이삭   (함박웃음을 지으며) 그럼. 다 이쁘지. 우리 엘리야.

환상을 보던 강요한의 시야, 눈물로 흐려진다. 눈물을 닦으려 고개를 잠시 숙이는 강요한.

엘리야   뭐해?

강요한   (고개를 드니 환상은 사라지고 휠체어에 앉아 있는 엘리야가 시야에 들어온다)

엘리야   졸아? 그렇게 지루해?

강요한   (얼른 심통 난 표정을 지으며) 그래. 대체 언제까지 기다리라는 거야.

김가온   다 돼가요. 잠시만.

강요한   (일어서서 김가온 쪽으로 가더니 그림을 보고는 어이없다는 표정을 짓는다) 지금 장난치는 거지?

김가온   (진지하게) 아닌데요. (그림을 들어 엘리야에게 보여주는데, 능숙하게 화가처럼 그리던 모습과는 달리 초딩이 그린 그림 같다) 이쁘지 않니? 엘리야?

엘리야   (황당한데, 진지한 김가온의 모습에 그만 픽, 웃음이 난다) 응. 이뻐. 모델이 누군데.

김가온   그럼! 당연하지. 우리 엘리얀데.

강요한   (환상 속에서 들은 형의 말투와 비슷해서 순간 심장이 쿵 한다. 멍하니, 서로 쳐다보며 웃는 김가온과 엘리야를 바라본다)

S#32. 김가온의 집, 옥상 (밤)

김가온이 꾸며놓은 옥상 정원의 난간에 걸터앉아 맥주를 마시며 서울의 야경을 내려다보는 윤수현. 김가온은 화분을 돌보고 있다.

윤수현   정성이다, 정성이야. 틈틈이 들러 나무 돌보랴, 이상한 집에서 까칠한 소녀에 이상한 아저씨 돌보랴……

김가온   (씩 웃으며) 이상하기로는 나도 만만치 않을걸.

윤수현   (픽 웃었다가 뭔가 마음에 걸리는지 표정 어두워지며) 그래, 너 요즘 좀 이상한 것 같애.

김가온   (안색이 변하며) 왜? 민교수님이 뭐라고 하셔?

윤수현   교수님은 왜? 지난번에 여기서 뵌 후로는 뵌 적 없는데?

김가온   어…… 아냐. (얼버무리며) 또 무슨 잔소리를 하셨나, 하고.

윤수현   (가만히 김가온을 보다가) 뜬금없이 경찰청 앞으로 찾아와서는 내가 나쁜 짓 하면 어떡할 거냐 묻질 않나, 죽창 잡는데 강요한하고 웬 이상한 남자가 갑자기 나타나고…… (노려보며) 너 혹시, 그 사람들이랑 엉뚱한 짓 하고 다니는 거니?

김가온   (표정이 굳으며) 그렇게 보여?

윤수현   (김가온의 표정이 어두워지니까 얼른) 아니 뭐, (불안한 속내를 감추려 일부러 밝게 웃으며) 솔직히 질투 나서 그런다! 불알친구가 갑자기 어마무시한 부자랑 어울려 다니니까 이상해! 막 딴 세계로 가는 거 같고!

김가온   …그랬어? (표정이 부드러워진다)

윤수현   농담이야, 농담. (미소 짓는다)

김가온   …부자는 무슨. 강요한 그 사람, 알고 보면 엄청 가난한 사람이야.

윤수현	뭔 소리야?
김가온	(미소 지으며) 내가 훨씬 부자야. (제일 예쁜 꽃나무 앞에 정성스레 세워놓은 가족 사진을 본다. 활짝 웃고 있는 부모님과 교복 차림의 김가온) 나한텐 엄마 아빠와의 추억도 있고, (옥상 정원을 둘러보며) 내 손으로 가꾼 이 집도 있고, 그리고…… (갑자기 윤수현을 그윽하게 바라본다)
윤수현	(자기도 모르게 괜히 눈을 피하며 맥주를 마시는 척한다. 심장 소리(E) 두근두근)
김가온	…팬클럽도 있잖아. (한쪽에 세워놓은 '나는 반대한다온!' 브로마이드를 바라본다)
윤수현	(순간 맥주가 코로 넘어갔다) 콜록! 콜록!
김가온	괜찮아? (손수건을 내민다)
윤수현	됐어 됐어! (손수건을 탁 치우며 툭툭 엉덩이를 털고 일어선다) 나 가 볼게.
김가온	벌써?
윤수현	나 바빠! 민중의 지팡이가 한가한 줄 아냐? (투덜대면서 철제 비상 계단을 우당탕탕 내려간다)
김가온	조심해서 가~

S#33. 김가온의 집 앞 골목 (밤)

투덜대며 내리막길을 내려가는 윤수현.

S#34. 김가온의 집, 옥상 (밤)

난간에 기대 윤수현의 뒷모습을 하염없이 바라보는 김가온.

김가온   나한텐, …니가 있잖아. 윤수현.

장난으로 넘겼지만 윤수현의 불안이 가슴 아픈 김가온. 분노와 복수심 때문에 강요한의 세계로 깊이 들어가버리면 진짜로 윤수현과도 멀어지게 될까 두렵다.

S#35. 강요한 부장판사실 (낮)

방으로 들어오다가 흠칫 놀라는 강요한.

정선아   안녕, 도련님? (강요한의 의자에 앉아 장난스럽게 웃고 있다)
강요한   (표정 굳었다가 다시 씨익 웃으며) 이거, 지원단장님이라고 너무 막
         쳐들어오는 거 아닌가?
정선아   (생긋 웃으며) 쏘리. (자리에서 일어서며) 그러게 왜 자꾸 쳐들어오
         게 만들어. 혹시 내가 보고 싶어서 일부러 그러는 거야?
강요한   (피식 웃으며) 용건이 뭐지?
정선아   시범재판. 왜 굳이 또 시끄러운 사건을 골랐어?
강요한   (모르는 척하며) 정치인도 재벌도 아닌데, 시끄러울 게 뭐가 있
         지? 그냥 잡범 아닌가?
정선아   허중세 쪽 사람이야. 시범재판부 당장 해체시킨다고 길길이 뛰는

걸 겨우 달래놨어. 2년만 참으라니까 왜 자꾸 일을 벌이고 그래, 응?

강요한   (묘한 미소를 띠며) 그런 또라이가 대통령의 사람이라, 재밌네. 그 놈은 내 조카딸을 공격했어.

정선아   그랬어? …그건 몰랐네. 그래도 안 돼. 이번엔 양보해. 법정에서 적당히 타이르고는 풀어줘.

강요한   안 그러면?

정선아   …내가 많이 곤란해지겠지. 내가 곤란해지면, (생긋 웃으며) 도련 님도 많이 곤란해질 거고 말야.

강요한   (가만히 정선아를 보다가 싱긋 웃으며) 생각해보지.

정선아   어머~ 도련님 요즘 너무 이쁘다. 내 말 잘 들어주고.

강요한   (씩 웃으며) 그러니 이젠 이렇게 쳐들어오지 말지?

정선아   쳐들어오게 하지 말고, 도련님이 좀 불러주고 그래. (생각에 잠겨) 도련님 집은 여전히 이쁘겠지? 예전 그대로?

강요한   (빤히 정선아를 보다가) 하녀로 있던 집이 그리운가?

정선아   (순간 눈빛이 분노로 번쩍인다) 다시는!

강요한   ……

정선아   (강요한을 노려보며) 그런 소리 하지 마. 난 거기 잠시 머물던 손님 이었을 뿐이야. 날 모욕하지 마. 감히.

강요한   (예민하게 반응하는 정선아를 관찰하듯 보다가) 그래. 명심하지. (미 소 짓는다)

S#36. 대법정 (낮)

법정 안에도 죽창 지지자들이 모여 '우리가 죽창이다!'를 외치며 소란을 피우고 있다. 제지하느라 쩔쩔매는 법원 경위들. 죽창이 입장하자 환호하는 지지자들. 죽창, 자신만만한 웃음을 지으며 지지자들을 향해 오른팔을 쭉 뻗더니, 엄지를 세웠다가 아래로 내리는 특유의 몸짓을 한다. 열광하는 지지자들. 교도관들, 당황하며 죽창을 양쪽에서 제지하며 겨우 피고인석에 앉힌다.

아나운서　시청자 여러분! 이곳 대법원에는 오늘 재판을 앞두고 열기가 뜨겁습니다! 각종 소셜 미디어와 인터넷을 통해 피고인에 대한 구명운동이 조직적으로 확산되고 있는데요. 그 여파가 어느 정도일지 결과가 주목됩니다. 아, 말씀드리는 순간, 재판부, 입장하고 있습니다.

판사 출입문이 열리고 강요한, 오진주, 김가온이 들어온다. 오진주가 들어오자 방청석 한쪽에서 오진주의 팬들로 보이는 이들이 함성과 함께 요란하게 박수를 친다. 힐끗 보며 미소 짓는 오진주. 카메라, 집중되는 가운데 판사석에 착석하는 세 판사.

강요한　재판을 시작하겠습니다. 김춘식 피고인?
죽창　(벌떡 일어서더니) 김주원이라고 불러주십쇼!
강요한　재판은 주민등록상 이름으로 진행하는 겁니다. 김춘식 피고인, 전국적으로 발생하고 있는 외국인 노동자, 여성, 성소수자에 대한 무작위 집단폭행을 주도하고, 이를 교사한 죄로 이 법정에 섰는데요.

죽창   (O.L.) 재판장님!

강요한   (죽창을 쳐다보더니) 할말이 있습니까?

죽창, 자신만만한 표정으로 무대 한가운데로 걸어나오더니, 품안에서 접은 종이를 꺼내든다.

죽창   재판을 시작하기 전에, 역사와 민족 앞에 엄숙하게 선언하고자 합니다. 나의 의거는 한낱 세속의 법정에서 재판할 수 있는 것이 아니다. 이에 나는, (종이를 획 펼치며) 구국 선언문을 낭독하고자 한다.

강요한   (어이없다) 법정은 선동하는 곳이 아닙니다, 피고인.

죽창   (기다렸다는 듯) 독립투사를 재판하는! 일제의 재판관들도 그렇게 말했을 것입니다. 뭐가 두렵길래 진실을 가로막으려 합니까!

강요한   (피식 웃으며) 네네, 좋습니다. 읽어보세요.

죽창   (의기양양하게 선언문을 펼쳐 들고는 읽는다) 신념을 가진 한 사람은 이익만을 좇는 백만 명의 힘에 맞먹는다. 나는 이 나라를 위해 기꺼이 악마가 되겠다! 위선 떨지 말고 내 나라 사람들부터 챙겨라! 역병 3년에 일자리는 씨가 말랐는데, 외국 놈들이 득시글거리며 범죄를 일삼는다! 정신 나간 여자애들은 외국 놈 팔짱 끼고 히히덕거린다! 남의 나라 놈들이 우리 청년들의 일자리를 빼앗고! 우리 여자들을 빼앗고! 우리 정신까지 빼앗고 있다! 외국 놈들은 모두 이 땅에서 추방하라! 대한민국엔 불순물이 필요 없다! 깨끗한 대한민국! 우리가 권력이다!

죽창 지지자들의 환호와 함께, 법정 스크린에 파란색 그래프가 빨간색
그래프를 누르고 올라가기 시작한다! 57%, 58%, 59%······

PD   (놀라서 옆에 있는 스태프에게) 뭐야, 어떻게 된 거야?
스태프   지지자들이 조직적으로 움직이고 있는 것 같습니다!

S#37. 유튜브 방송 화면들 (낮)

유튜버1   할아버지 할머니에 집에 강아지까지 동원해서 다들 투표해!
유튜버2   우리가 죽창이다!

'투표하자! 다들 투표해!'를 외치는 유튜브 화면들이 휙휙 날아와 겹친다.

S#38. 대법정 (낮)

강요한   다 읽은 겁니까?
죽창   일단 여기까지 하겠습니다. (자리로 돌아가 앉는다)
오진주   피고인?
죽창   (일부러 딴청을 피우다 불손한 태도로) 예?
오진주   피고인 일행이 집단폭행한 외국인 노동자들, 어떤 일에 종사하고
            있었는지 압니까?
죽창   (코웃음치며) 혁명가가 그런 것까지 알아야 됩니까?
오진주   하수도 보수 공사 현장에서 유독가스 유출로 동료 두 명을 잃은

분들입니다. 들어가려는 사람이 없어서 지연되고 있던 현장이에요.

죽창   (움찔한다)

오진주   (죽창을 매섭게 노려보며) 피고인, 대답해보세요. 그분들이 도대체 누구의 일자리를 빼앗은 겁니까?

죽창   (마주 노려보며) 전쟁중에는 무고한 피해자도 나올 수밖에 없는 겁니다! 국민들의 정당한 분노를 깎아내리지 마십쇼!

오진주   …방금 정당한 분노라고 했습니까? (법대 노트북을 눌러 법정 스크린에 화면을 띄운다)

10부 7신의 동영상. 젊은 한국 여성이 외국인 남자친구와 팔짱을 끼고 웃으며 거리를 걷고 있다. 갑자기 죽창부대를 흉내낸 조악한 가면을 쓴 고등학생 또래 남자애들이 달려들더니 괴성을 지르며 커플에게 스프레이 페인트를 뿌려대기 시작한다. 비명을 지르는 여성. 남자친구가 거칠게 일당에게 달려들자, 집단으로 구타한다. 온몸이 페인트 범벅인 채 울부짖는 여성. 더 신나서 떠들어대는 일당.

– 더러운 매국노, 꺼져!

– 애국애족!

– 깨끗한 대한민국!

– 우리가 권력이다!

오진주   네, 엄청나게 정당해 보이네요. 과연. (고개를 끄덕거린다)

죽창   (약이 오른다) 남의 나라 놈들이! 우리 여자들을 빼앗으니까 이러는 거 아닙니까! 단일민족의 순수성, 몰라요?

오진주   (일부러 능청맞게 죽창을 자극한다) 우리 여자들? 이거 봐요, 피고인, 여자들도 이 나라 국민이에요. 댁들이 어디 맡겨놓은 물건이 아니라. (혼잣말처럼) 민족 같은 소리 하고 있네 진짜.

법정 곳곳(특히 오진주 팬들)에서 박수와 환호가 나온다. 속시원한 듯, 법정 스크린의 빨간 그래프가 파란 그래프를 역전해서 올라가기 시작한다. 47%, 50%, 54%…… 죽창 지지자들, 당황하면서 우우, 야유를 보낸다.

오진주　(방청석을 보며) 법정에서 말이 좀 과했습니다. 죄송합니다. (씨익 웃는다) '정당한 분노'가 치밀어서 자제를 못했네요.

죽창　(흥분해서 오진주를 노려보며) 에이씨, 지금 뭐라 그랬어! 뭣 같은 소리?! 일부러 그런 거지!

법원 경위들 당황해서 얼른 죽창을 붙잡아 제압한다.

S#39. 유튜브 방송 화면들 (낮)

유튜버1　야야, 이상한 여자가 설치는데, 여기서 밀리면 안 돼!

유튜버2　(디케 앱 버튼을 마구 눌러대며) 쫄지 말고 투표해! 우리가 죽창이다!

S#40. 대법정 (낮)

김가온   (부드럽게) 피고인?

죽창   (갑자기 김가온이 부르자 당황해하며) 예…… 에?

김가온   조금만 흥분을 가라앉히시죠. 오늘 처음 뵙습니다만, 왠지 피고인을 볼수록 마음이 안 좋습니다. 얼마나 힘들게 살아오신 분인가 싶어서요.

죽창   (저 자식이 왜 이러지? 당혹스러워하며) 무슨 소릴 하는 겁니까?

오진주   (의아한 표정으로 김가온을 본다)

김가온   (강요한에게) 재판장님.

강요한   네, 김판사님.

김가온   허락하신다면, 제가 잠시 피고인 곁에 내려가서 이야기를 이어가도 되겠습니까?

강요한   (미소 짓는다) 그러시죠.

김가온   고맙습니다.

일어서더니 법대 아래로 내려오는 김가온. 무대 중앙으로 걸어나와 죽창 곁에 선다. 이례적인 행동에 모든 관심이 김가온에게 집중되고, 죽창, 당황한다. 김가온, 마치 연극 무대 위에 선 것처럼 죽창 주위를 맴돌며 이야기한다. 웃으며 인간을 희롱하는 악마처럼.

김가온   여기, 한 청년이 있습니다. 강한 척하고 있지만, 그의 내면에는 상처받은 아이가 있습니다.

죽창   (흥분해서) 지금 뭐하자는 거야!

김가온   워, 워. 진정하세요. 피고인, 저는 지금 변호인이 정상참작해달라고 제출한 자료들에 대해 말씀드리고 있는 겁니다.

죽창   (고인국을 돌아본다)

고인국   (괜찮다는 듯 죽창에게 눈짓을 한다)

김가온   어렸을 때부터 남의 관심을 받는 일에 집착했다는데, 맞습니까?

죽창   뭐야! (김가온을 노려보며 위협적으로 다가선다)

경위   피고인!

김가온   (미소 지으며) 괜찮습니다. 놔두세요. (죽창을 보며 안타깝다는 듯)
         외할머님께서 피고인을 너무 걱정하시던데요.

         김가온, 손을 뻗자 법정 스크린에 주름이 자글자글한 죽창의 할머니가
         나타난다. 놀라 얼어붙는 죽창. 느긋한 인상의 할머니, 입을 열기 시작
         한다(녹화 영상이다).

할머니(E) 에구, 춘식이 고놈이 근본부터 나쁜 놈은 아니여유. 애가 애비 없
         이 커서 열등감이 많아서 그래. 좀 봐줘유.

죽창   (어쩔 줄 몰라 하며) 그만해!

할머니(E) 걔가 무신 데모를 선동했다, 그러든데, 절대 그럴 리가 없어유!
         그저 애가 철이 없어서, 관심 받고 싶어서 설치고 댕기는 거니께
         그저 너그러운 맘으로 용서 좀 해주세유. (고개를 연신 숙인다)

         그런데, 할머니 뒤에서 기웃기웃 구경하던 이웃 아저씨가 불쑥 끼어든
         다.

이웃(E)   근데 춘식아! 저번에 니가 가져간 돈 그거, 니네 외할머니가 자기
         장례 치를 돈 모아놓은 거다. 다른 건 됐고, 그 돈만큼은 꼭 돌려

드렸으면 좋겠다. 부탁헌다~

할머니(E) 아 미쳤어! 그런 소릴 뭐하러 하고 그랴!

방청석 웅성거린다. 어이없어서 웃는 사람들. 당황한 죽창. 오진주, 김가온의 (짐짓 죽창의 실체를 폭로하려는) 의도를 짐작한 듯 픽 웃는다.

김가온 (죽창의 주위를 돌며 이해한다는 듯 고개를 끄덕인다) 열등감, 가질 수 있죠. 관심 받고 싶은 마음, 이해합니다. 그런 자기 자신을 애써 부정하지 마세요. 자신을 있는 그대로 인정해야 달라질 수 있습니다. 변호인, 피고인의 학창 시절은 어땠습니까?

고인국 네, 담임선생님께서 어렵게 한말씀해주셨습니다.

고인국이 변호인석에 있는 노트북을 조작하자, 이번에는 죽창의 고교 시절 담임교사가 교무실에서 인터뷰한 영상이 뜬다. 성실하고 진중해 보이는 인상의 교사다.

선생님(E) 정치적 목적으로 폭력을 선동했다? 절대 그럴 리가 없습니다. 학교 다닐 때도 일진 행세를 하긴 했습니다만, 실제로는 일진을 동경해서 따라다녔을 뿐 한패로 취급받지도 못하던 학생이었습니다.

S#41. 유튜브 방송 화면들 (낮)

유튜버1 잠깐만. 뭐야, 찐따였어?

유튜버2   (핸드폰을 보며) 야야야, 제보가 새로 막 들어오고 있는데?

유튜버3   춘식이 쟤 나랑 동창인데, 화장실 몰카 찍다 걸려서 퇴학당했어.
          혁명가는 무슨.

S#42. 대법정 (낮)

선생님(E) 무슨 혁명 어쩌고, 절대 그럴 만한 친구는 못됩니다. 부디 선처해
          주십시오.

김가온   (죽창을 보며 놀랍다는 듯) 저런, 그랬군요……

죽창   (얼굴을 찡그린다. 나지막이) 에이씨……

S#43. 청와대 (낮)

          심각한 표정으로 재판을 지켜보고 있는 허중세.

허중세   악마 대신 찌질이로 만들어버린다. 군중 심리를 잘 아는 놈이네.
          이거 좀 꼬이겠어……

S#44. 재단 이사장실 (낮)

정선아   (굳은 표정으로) 도련님, 뭐하자는 거지, 지금?

S#45. 대법정 (낮)

한심하다는 듯 야유와 웅성거림이 심해지는 방청석. 죽창, 얼굴이 흙빛이 된 채 피고인석으로 가려 한다.

김가온   (앞을 가로막으며) 잠시만요. 아직 저는 질문도 못했습니다. 피고인의 주변분들은 저렇게 말씀하시지만, 저는 딱 한 가지, 계속 마음에 걸리는 일이 있습니다. 피고인은 개인 방송을 통해 끊임없이 후원금을 요청했습니다. 나라를 구하는 혁명 자금이 필요하다고 말이죠. 적지 않은 돈이 모였습니다. (죽창 바로 앞에 얼굴을 들이대며) 도대체 이 돈으로 뭘 한 겁니까?

죽창   (표정 얼어붙으며 김가온을 외면한다)

김가온   왜 시선을 피하죠, 피고인? 혹시 암시장에서 폭탄이나 총기를 구입한 거 아닙니까? 혁명 자금이라는 게 도대체 뭡니까!

죽창   무, 묵비권을 행사합니다!

김가온   그게 사실이면 이건 내란쵭니다. (죽창을 무섭게 노려보며) 내란죄의 주범은! 사형, 무기징역, 또는 무기금고에 처한다! 알고 있습니까, 피고인?!

죽창   ······!

고인국   (벌떡 일어서며) 아닙니다!

죽창   (놀라 고인국을 본다)

김가온   변호인, 하실 말씀이 있습니까?

고인국   네! 피고인은 절대 그 돈으로 내란을 준비하지 않았습니다. (망설이다가) 피고인의 프라이버시라 밝히지 못하고 있었습니다만, 어쩔 수 없네요.

고인국, 노트북을 클릭한다. 스크린에 눈을 가리고 목소리를 변조한 젊은 여성이 등장한다.

죽창   (소스라치게 놀라며) 안 돼!

죽창, 고인국에게 달려들어 노트북을 빼앗으려 하는데 법원 경위가 제지한다.

여성(E) 어, 저는 인터넷 개인 방송을 하는데요. 김춘식씨랑 다른 팬분이 경쟁이 붙는 바람에 별풍선을 너무 과하게 쏘시더라고요…… 몇백씩 매일같이, 형편도 넉넉지 않으신 것 같던데 그만 좀 하시라고 해도 계속 한번만 만나달라 조르고…… 어휴, 너무 부담스럽네요. 안 그러셨으면 좋겠어요.

이제 방청석의 죽창 지지자들까지 혐오의 눈초리를 보내며 야유한다. 빨간 그래프는 어느새 90%를 넘고 있다.

김가온   (죽창을 보며 놀랍다는 듯이) 피고인, 설마, 외할머님 장례비도 저분한테? 진짜로? 와, 그건 너무했네요……

머리를 싸맨 채 고인국 앞에 주저앉는 죽창.

고인국   (죽창에게 속삭이듯) 너무 걱정 마요. 집행유예, 꼭 받아준다고 했잖아. 내가. (미소 짓는다)

죽창   (넋이 나갔다)

고인국	(자리에서 일어서며) 존경하는 재판장님, 그리고 두 분 판사님. 피
	고인은 보시다시피 무슨 혁명가도, 내란을 선동하는 위험분자도
	아닙니다. 솔직히, 이 법정에 세울 만한 존재도 못됩니다. 비록
	피고인의 잘못이 결코 작지 않습니다만, 부디 한 번만 갱생의 기
	회를 주십시오. (고개를 숙인다)

무대에 선 김가온, 법대 위의 강요한을 본다. 강요한, '제법인데?'라는
표정이다.

S#46. 유튜브 방송 화면들 (낮)

유튜버1	(이미 태세 전환이 됐다) 와, 다들 봤지? 죽창 이 자식 이거 완전 쓰
	레기네! 내 돈 내놔, 이 자식아!
유튜버2	죽창 잡으러 갈 결사대 모집! 우리가 권력이다!

S#47. 대법정 (낮)

겁에 질린 표정으로 움츠린 채 서 있는 죽창, 법대 위에 엄숙한 표정으
로 앉아 있는 세 판사를 본다.

강요한	대체 무엇이 피고인에 대해 적당한 형벌인지. 태형일지.
죽창	(움찔한다)
강요한	아니면 징역형일지. 고심했습니다만, (김가온을 힐끗 보며) 아직

젊은 피고인에게 한 번만 기회를 주자는 의견도 있고 해서, 피고인을 징역 3년에 처하되, 5년간 형의 집행을 유예하기로 결정했습니다.

– 집행유예? – 겨우?
웅성거리는 방청석. 죽창, 순간 얼굴이 밝아진다.

강요한   다만.
죽창   (놀라 강요한을 쳐다본다)
강요한   피고인의 죄질이 나쁘고, 재범의 위험성이 매우 큰 점을 고려해서, 피고인에게 전자발찌를 채우고 보호관찰을 받을 것을 명합니다. 전자발찌 신호를 통해 실시간으로 디케 앱에 피고인의 위치가 표시될 것입니다.
죽창   (충격으로 얼어붙는다)
강요한   (카메라를 보며) 이 재판을 지켜보신 국민 여러분! 여러분께서 피고인에 대한 보호관찰관이 되어주십시오. 피고인이 뭘 하고 어딜 가는지 단 한 순간도 눈을 떼지 말아주십시오. 피고인에게는 여러분의 관심이 필요합니다. (죽창을 보며) 안 그렇습니까, 피고인? (차갑게 웃는다)
죽창   (공포에 질린 표정. 클로즈업된다)

S#47-1. 청와대 (낮)

허중세   (짜증스럽게) 에이씨! 기껏 다 키워놨는데. 이러면 계획이 꼬이는데……

S#48. 재단 이사장실 (낮)

정선아   (분노한 채 화면 속의 강요한을 노려본다)

플래시백 > 10부 35신.

정선아   이번엔 양보해. 법정에서 적당히 타이르고는 풀어줘.
강요한   (가만히 정선아를 보다가 싱긋 웃으며) 생각해보지.

정선아   …이거였어? 날 갖고 논 거야? (무시무시한 눈빛!)

S#49. 길거리 (낮)

공포에 질린 표정 그대로 거리에서 사람들에게 쫓기고 있는 죽창. 마치 동물을 사냥하듯 환호하며 죽창을 쫓고 있는 젊은 사내들. 대부분 유튜버다. 회초리, 몽둥이 등을 휘두르며 쫓고 있는 유튜버들 뒤에는 카메라를 든 친구들이 뒤따르며 찍고 있다. 이미 여기저기서 많이 맞았는지 꼴이 엉망인 죽창.

유튜버1   (카메라를 보며) 죽창에게 사랑의 매를! 라이브로 끝까지 보여드립니다! 알지? 구독! 댓글! 좋아요!

오버랩되는 유튜브 화면이 'ㅋㅋㅋㅋㅋ'의 물결로 뒤덮인다.

- ㅋㅋㅋㅋㅋㅋㅋㅋㅋ대애박!!!!

- 죽창 꼬라지 봐라ㅋㅋㅋㅋㅋㅋㅋㅋ

- 나만 아니면 돼ㅋㅋㅋㅋㅋㅋㅋㅋ

유튜버2   히~ 하!

죽창, 필사적으로 달려 코너를 도는데, 죽창부대를 흉내낸 고등학생 또래 남자애들이 기다리고 있다가 괴성을 지르며 죽창에게 스프레이 페인트를 뿌려대기 시작한다. 그 가운데에서 웅크리고 뒹구는 죽창. 그 위에 솟아 있는 전광판에는 죽창을 내려다보듯 허중세의 얼굴이 나타난다.

S#50. 청와대 브리핑 룸 (낮)

허중세   이번 김춘식 사건, 이런 나라 망신시키는 짓거리는 다시는 있어서는 안 됩니다! 그 사람 진짜 한국 사람 맞어? 한번 조사해봐야 돼요!

S#51. 청와대 복도 (낮)

브리핑 룸을 나오는 허중세, 밖에서 기다리고 있는 도연정.

도연정   (묘하게 차가운 표정으로) 저대로 내버려둘 거야? 춘식이.

허중세   …일단 조용해질 때까지 기다려야지. 강요한 이 자식 진짜! (분노
         한다)

S#52. 강요한의 저택, 서재 (밤)

벽면 스크린으로, 10부 49신 길거리에서 유튜버들에게 쫓겨 다니는 죽
창을 보고 있는 강요한과 김가온.

김가온   (착잡한 표정으로) 집사, 이제 꺼줄래?

집사   네, 가온 주인님. (스크린 화면이 꺼진다)

강요한   (김가온을 보며) 불편한가?

김가온   …네. 또 다른 괴물을 만든 기분이네요.

강요한   (피식 웃으며) 괴물은 만들어지는 게 아니야. 원래 있던 괴물들이,
         스스로 눈을 뜨는 거지. …좋은 핑계만 있으면. (차갑게 웃는다)

S#53. 정선아의 집 (밤)

굳은 표정으로 문을 쾅 닫고 들어오는 정선아. 강요한의 저택과 똑같이
꾸며놓고 정성껏 모아놓은 주방의 접시와 장식품을 둘러본다. 강요한
에게 치밀어오르는 분노로 치를 떨다가 일단 분을 가라앉히고 침착하
게 대응하려고 깊게 심호흡을 한다.

정선아   …그래, 생각하자. 이럴수록 침착해야 돼. 너무 흥분하지 말고.

Cut to

요가를 하고 있는 정선아. 이마에 땀이 송골송골 맺혀 있다. 유연하게 다리를 머리 위로 들어올리며 어려운 동작을 우아하게 해내는 그녀의 귀에 자기계발 멘토의 목소리가 낭랑하게 들려온다.

멘토(E)   현실주의자가 되십시오. 그러나 가슴속에는 불가능한 꿈을 가지 십시오. 노력하는 당신에게 성취는 반드시……

차경희(E)   (차갑고 건조한 말투로) 열심이네.

정선아   (소스라치게 놀라 돌아보는데, 차경희가 팔짱을 끼고 미소를 띤 채 보고 있다) 자, 장관님?! 여기 어떻게…… (리모컨으로 오디오를 끄며 벌떡 일어선다)

차경희   (피식 웃으며) 뭘 그렇게 놀라고 그래. 정이사장답지 않게. (천천히 의자에 앉아 다리를 꼰다. 뒤를 돌아보며 눈짓하자 열린 문간에 서 있던 검은 양복 차림의 남자가 인사를 하고 밖으로 나간다)

정선아   (굳은 표정으로) 압수수색이라도 나오신 겁니까?

차경희   (풋 웃으며) 자기, 참 재밌는 사람이야. 그렇게 대단한 분이셨던가? 일국의 법무부장관이 직접 압수수색을 나올 정도로?

정선아   (차경희를 노려보며) 그럼, 제게 부탁할 일이라도 있으신 건가요.

차경희   (피식 웃으며) 뭔가 착각하고 있는 모양인데, 난 당신 위치를 일깨워주려고 온 거야.

정선아   위치?

차경희   (차갑게 웃으며) 알잖아. 당신은 누구 뒤에, 두 손 모으고 서 있는

게 어울려. 사람이 자기 주제를 파악하지 못하면, 끝이 안 좋기
마련이지.

정선아 (표정이 일그러졌다가 냉소하며) 장관님이야말로, 본인의 위치를
아직도 자각 못하시는 거 아닙니까? 아직도 대권 후보 1위라고
착각하고 계신 건가요? 아드님이 그 꼴이 된 후에도?

차경희 (순간 매섭게 노려보았다가) 너무 자신만만한 거 아냐? 과거를 완
벽하게 지웠다고 생각해?

정선아 (흠칫하지만 내색하지 않으며) 글쎄요, 무슨 말씀을 하고 싶으신 건
지.

차경희 (픽 웃으며) 왜 당신 주변에선 자꾸 사람이 죽어나가는 걸까?

정선아 (내색 않고 차갑게 차경희를 노려본다)

차경희 (싱긋 웃으며) 열두 살 때는 엄마가, 스무 살 때는 모녀 버리고 집
나갔던 아빠가, 그리고 최근엔, (묘한 웃음을 지으며) 비서로 모시
던 서선생이?

정선아 (동요를 들키지 않으려 애써 싱긋 웃으며) 소설에 취미 있으신 줄 몰
랐네요. 상상력이 풍부하세요.

차경희 (O.L.) 적성에 맞는 일을 해. (자리에서 일어서더니) 원래, (정선아
를 빤히 보며) 하녀였다며? (차갑게 웃는다)

정선아 (순간 머리를 쇳덩이로 맞은 듯한 충격으로 얼어붙는다. 미처 표정을 감
추지 못한 채 얼굴이 일그러지고 만다)

차경희 또 봐. (싱긋 웃고는 휙 돌아나간다)

사라지는 차경희를 넋 나간 듯한 표정으로 멍하니 보고만 있던 정선아.
문득 강요한의 말을 떠올린다.

플래시백 > 9부 8신.

강요한   (피식 웃으며) 경고가 부족했던 건가? 난 별로 참을성이 없다고 했
           을 텐데.

정선아, 급히 핸드폰을 꺼내 버튼을 누른다.

재희(F)   응, 언니.

정선아   (무시무시한 표정으로) 강요한이 차경희한테 나에 대한 정보를 흘
           린 것 같애. 빨리 알아봐.

재희(F)   뭐라고? 설마 강요한이……

정선아   (O.L.) 닥치고 당장 알아봐! (악을 쓰듯 소리를 치고는 탁 끊어버린
           다)

분노로 숨이 가빠지는 정선아. 강요한의 저택과 똑같이 꾸며놓고 정성
껏 모아놓은 주방의 접시, 장식품을 본다. 이렇게 노력했는데 난 아직
도 하녀에서 한 발짝도 못 벗어난 건가? 내가 하녀였다는 사실을 아는
건 강요한밖에 없다. 목걸이를 훔치던 내 덜미를 잡던 강요한. 창가에
서 뛰어내리게 만들던 강요한. 분노와 광기가 북받치는 정선아, 접시들
을 밀어 떨어뜨려 박살내버린다!

정선아   (무섭게 빛나는 눈빛으로) 강요한, 죽일 거야…… 찢어 죽여버릴
           거야!

악귀처럼 분노하는 정선아의 얼굴 위로 타이틀, **악. 마. 판. 사.**

11부

맥베스

S#1. 강요한의 저택, 서재 (밤)

김가온　　(정선아를 이용하겠다는 강요한의 계획을 듣고 놀란다) 그건 너무 위
　　　　　험한 거 아닙니까? 무슨 짓을 할지 알 수 없는 사람이라면서요.

강요한　　(책상 위에 카드 탑을 쌓으며 무심하게) 얘기했잖아. 세상을 지배하
　　　　　는 자들이 뭉쳐 있기까지 하면 방법이 없다고.

김가온　　도영춘을 확보했잖습니까. 그자를 이용해서 차경희를 먼저 잡고.

강요한　　(O.L.) 검찰에 고발하게?

김가온　　(흠칫 놀란다)

강요한　　(싱긋 웃으며) 아니면 언론? 차경희는 언론사주들 비리 파일도 손
　　　　　에 쥐고 있어.

김가온　　(카드 탑을 응시하며 혼잣말처럼) 밖에서 무너뜨리는 건 불가능하
　　　　　고, 서로에게 칼을 겨누도록 할 수밖에 없다…… (강요한을 보며)
　　　　　그러다 그 칼날이 부장님을 향하면요?

강요한　　…어떻게 아무것도 걸지 않고 판을 흔들겠어.

| 김가온 | (걱정스레 강요한을 바라본다) |
| 강요한 | (싱긋 웃으며) 다행인 건, 인간이란 찌르면 아픈 곳이 한 군데쯤은 있다는 거지. …그게 누구든. |

S#2. 차경희의 집 (밤)

지친 표정의 차경희, 집으로 들어오는데, 이재경, 얼른 달려나와 맞는다.

이재경	여보, 저녁은 먹었어?
차경희	(고개를 저으며) 영민이는?
이재경	오늘도 그대로야. (괴로운 표정으로) 상처는 다 아물었는데, 휴우……

차경희, 굳은 표정으로 이영민의 방문을 연다. 겁먹은 표정으로 방구석에 쭈그리고 앉아 무릎을 껴안고 덜덜 떨고 있던 이영민, 엄마를 보자 갑자기 벌떡 일어선다.

이영민	(차경희의 팔에 매달리며) 엄마! 우리 미국 가자! 나 이 나라에서 못살겠어, 무서워!
차경희	(고통스러운 표정으로 이영민을 본다. 만감이 교차한다)
이영민	엄마, 응? 응? (어린애처럼 차경희의 팔을 붙잡고 흔든다)
차경희	(순간 몸을 비틀어 이영민을 떨쳐내고는, 짝! 소리가 나도록 매섭게 이영민의 따귀를 갈긴다)

이영민   (충격에 바닥으로 쓰러지며) 엄마!

이재경   (뒤에서 지켜보다 놀라서 이영민에게 달려가며) 여보!

차경희   (이영민을 매섭게 쏘아보며) 약해빠진 자식! 되갚아줄 생각은 못하
         고 겨우? (목이 메어온다) 그 치욕을 당하고 어떻게, 어떻게……
         (눈물이 고이자 얼른 외면한다)

이영민   (눈물을 글썽이며) 엄마……

S#3. 재단 이사장실 (낮)

초조한 표정의 정선아, 손톱을 물어뜯고 있다.

정선아   차경희가 뭘 어디까지 알고 있는 거지? (재희를 보며) 알아봤어?

재희   (난감해하며) 알아봤는데, 연결고리를 찾을 수가 없어. 원수나 다
         름없는데 차경희가 강요한 손을 잡았을까?

정선아   강요할밖에 없어. 차경희 손에 칼을 쥐여주고 내 등을 찌르게 만
         들 인간은. (생각에 잠기며) 뭔가 노리는 게 있는 거야…… (갑자
         기 벨소리가 울리자 핸드폰을 본다. 발신자는 차경희. 흠칫 놀라서 전화
         를 받는다) 네, 장관님.

S#4. 법무부장관실 (낮)

차경희, 책상 앞에 앉아 정선아를 세워두고 있다.

차경희	(책상 서랍에서 낡은 서류철을 꺼내 책상에 툭 올려놓는다. 표지에는 '변사 사건 처리 결과 보고'라고만 쓰여 있다)
정선아	……!
차경희	(차갑게 웃으며) 잘도 숨겨놨던데? 돈깨나 썼었나봐. 술만 먹으면 딸을 구타하던 엄마가, 공교롭게도 산동네 계단을 데굴데굴 굴러서 사망. 보안등은 깨져 있고 목격자는 딸 한 명인데, 그 아이, 눈물 연기가 어찌나 뛰어난지 (정선아를 보며 씨익 웃고는) 경찰들은 아무 의심 없이 만취 상태 실족사로 종결.
정선아	(입을 꾹 다문 채 차경희를 노려본다)
차경희	이 정도면 재료는 충분한 거 같은데? 만취 상태였다는 증거는 아이 진술밖에 없던데, 그와 완전히 반대되는 의사 소견서가 하나 튀어나오면 어떨까. 술 마신 흔적은 전혀 없었다, 누군가가 밀지 않고서는 있기 힘든 일이다……
정선아	(차갑게 차경희를 쳐다보며) 그런 소견서 따윈 없었습니다만.
차경희	(싱긋 웃으며) 아직도 이해 못하는 건가? '사실'은 내가 만드는 거야. 나한테 필요한 건 재료뿐이야. 상상력을 자극할 만한.
정선아	(노려보다가 피식) 역시 전문가시네요. 증거 조작, 강압 수사. 장관님 특기시죠.
차경희	(싱긋 웃으며) 칭찬 고마워.
정선아	…원하시는 게 뭐죠?
차경희	강요한.
정선아	……!
차경희	그자를 잡고, 내 아들의 명예를 회복시켜. 그러면 널 놓아주지.
정선아	재판까지 다 끝난 사건입니다. 그걸 어떻게……
차경희	그래서 너 같은 인간이 필요한 거야. 더러운 흙탕물에서 태어나

자랐고, 살기 위해서는 뭐든 하는, 그런 인간.

정선아   (차경희를 노려본다)

차경희   일주일 주지. 내가 원하는 걸 가져와. (얼음장같이 차갑게 정선아를 쳐다본다)

S#5. 바버숍 (밤)

앤티크한 분위기의 고급 바버숍. 정장 차림의 강요한이 들어서자 머리가 희끗희끗한 이발사가 반가워하며 인사한다. 다른 손님은 아무도 없는 프라이빗한 느낌의, 강씨 집안이 오래전부터 단골로 다니는 곳이다.

이발사   오셨습니까, 도련님.

강요한   (미소 지으며) 안녕하세요.

이발사   늘 하시던 대로 만져드릴까요.

강요한   네.

Cut to

의자에 앉아 눈을 감고 편하게 쉬고 있는 강요한. 이발사, 가위로 조심스레 강요한의 뒷머리칼을 다듬고 있다.

Cut to

강요한의 얼굴에 세이빙폼을 묻힌 채 클래식한 면도칼로 조심조심 거품을 스윽, 아래로 긁어내리는 손. 그런데, 빨간 매니큐어를 칠한 여자의 손이다! 강요한의 목 파란 핏줄 가까이에서 거품을 긁어내리는 칼날. 강요한은 반쯤 잠이 들었는지 편하게 눈을 감고 있다. 강요한의 귓가에 나지막이 속삭이는 목소리.

정선아(E)　안녕, 도련님?

순간 놀라 눈을 뜨는 강요한! 앞거울에 비친 모습은, 한 손으로는 면도칼을 들고 한 손으로는 강요한의 머리칼을 부드럽게 쓰다듬며 미소 짓고 있는 정선아의 얼굴!

S#6. 바버숍 (밤)

강요한　니가 여기 어떻게…… 아저씨는?!

강요한, 옆을 본다. 바닥에 쓰러져 있는 이발사.

강요한　(정선아를 노려보며) 너……!
정선아　(생긋 웃으며) 흥분하지 마. 잠깐 주무시는 거니까.
강요한　(차갑게 보며) 뭐하는 짓이지?
정선아　그냥. (생긋 웃으며) 전부터 한번 해보고 싶었어. 우리 도련님, (면도칼로 거품을 스으윽 밀어내리며) 이쁘게 만져주는 거. (매서운 눈빛이다!)

위협적인 상황. 긴장감이 흐른다.

강요한   (정선아를 쏘아보다가) 소원이라면. (의자를 뒤로 더 깊이 넘기고는
         기댄다)

정선아   (미소 짓고는 면도칼로 거품을 천천히 밀어내리며) 그런데 말야, 왜
         그랬어?

강요한   (피식 웃으며) 뭘 말이지.

정선아   차경희한테 내 얘기 흘린 거. 덕분에 나 많이 곤란해졌는데.

강요한   (정선아를 물끄러미 보며) 니가 필요해서.

정선아   (의외의 대답에 흠칫했다가 생긋 웃으며) 어머, 설렌다. 진심이야?

강요한   (미소 지으며) 난 차경희를 잡아야겠는데, 너도 좀 그래줬으면 해
         서 말야.

정선아   …그래서 날 궁지에 몰아넣었다? (면도를 마친 강요한의 뺨을 손으
         로 천천히 쓸어내리며) 도련님 참 나쁜 사람이야. 뻔뻔하고.

강요한   그래서 내가 좋다는 거 아니었나? 너랑 비슷해서.

정선아   (무방비 상태로 뒤로 기대 누워 있는 강요한을 위에서 내려다본다)

강요한   어차피 돌이킬 수 없게 됐잖아. 이제 차경희가 있는 이상 넌 자유
         로울 수 없어. 선택하지?

정선아   (싱긋 웃는다. 면도칼을 들어 보이며) 이걸 택한다면 어쩔 거지?

강요한   (미소 짓더니 눈을 다시 감으며) 어쩔 수 없는 거지. 마음 가는 대로
         해.

정선아   (강요한을 노려본다. 흔들리는 눈빛. 면도칼을 탁, 내려놓고는 뒤돌아
         선다)

강요한   …집에 한번 오지 그래.

정선아   (놀라 돌아본다)

강요한	(미소 지으며) 오랜만이잖아. 옛날 생각도 나고, 좋을 것 같은데.
정선아	(강요한을 멍하니 본다)

S#7. 강요한의 저택, 정문 앞 (밤)

강요한, 차에서 내리더니 보조석 문을 연다. 굳은 표정으로 차에서 내리는 정선아. 어린 시절 잠시 머물다 쫓겨났던, 하지만 잊지 못하던 저택을 본다. 강요한, 미소를 띤 채 에스코트하여 문 쪽으로 이끌더니, 문을 연다. 환한 빛이 쏟아진다.

S#8. 강요한의 저택, 집안 (밤)

눈이 부신 듯 저택 안을 둘러보는 정선아. 주방, 복도, 서재…… 저택에 처음 왔던 당시의 기억에 젖는 정선아.

인서트 > 6부 4신, 6신.

―황홀해하며 주방 은 세공품들과 최고급 접시들을 만지작거리던 어린 정선아.
―서재에서 책을 읽던 어린 강요한을 훔쳐보던 어린 정선아.

서재를 멍하니 바라보는 정선아 뒤로 다가와 귓가에 속삭이는 강요한.

강요한	뭘 그렇게 생각하지?
정선아	(강요한을 돌아보며) 예전 그대로네. 모든 게.
강요한	(싱긋 웃으며) 넌 달라졌잖아.
정선아	(눈빛이 반짝이며) 그래? 진짜?
강요한	(미소 짓는다)
김가온(E)	이사장님?
정선아	(돌아본다)
김가온	잘 오셨습니다. 부장님께 말씀 들었습니다. 초대하실 거라고.
정선아	(미소 지으며) 그래요?
김가온	괜찮으시면, 식사 함께하시죠. 저녁 시간인데. (미소 짓는다)

S#9. 강요한의 저택, 주방 (밤)

강요한, 엘리야, 정선아가 앉아 있고 김가온이 음식들을 식탁 위에 가져다 놓고 있다. 마치 귀족들만의 은밀한 저녁에 초대받은 외부인 같은 느낌의 정선아.

정선아	(김가온을 보며) 진짜 김판사님이 준비하신 거예요?
김가온	얹혀사는 처지라서요. (싱긋 웃는다. 정선아를 쳐다보며) 덕분에.
정선아	…상처는 다 나으셨을 텐데. 아닌가? (생긋 웃는다)
김가온	(피식한다)
정선아	(음식을 보며) 이렇게 재주가 많으신 줄 몰랐네요, 김판사님. (김가온을 보며 화사하게 웃는다)
김가온	(뼈 있는 말로 응수한다) 저도 처음 뵈었을 때는 미처 몰라뵈었습니

다. 이렇게 재주가 많은 분이신 줄.

정선아　(피식 웃는다. 이 꼬마가 까부네?)

엘리야　(정선아를 힐끗 보며 강요한에게) 누구라고?

강요한　시범재판부 운영지원단장님이야.

엘리야　집에 아무도 데려온 적 없잖아. 사귀어?

강요한　엘리야!

정선아　(미소 지으며) 영광이다. 여자 손님은 내가 처음인가보네.

강요한　…식사나 하죠. (가운데 놓인 접시에서 음식을 덜어 정선아의 개인 접
　　　　시에 놓아준다)

엘리야　(찌릿 노려보며) 사귀어?

강요한　아니라니까.

김가온　(미소 지으며) 부장님을 도와주시는 분이야. (정선아를 보며) 앞으
　　　　로도 많이 도와주십쇼.

정선아　(강요한을 힐끗 보며) 글쎄요, 제가 감히 강판사님을 도울 만한 능
　　　　력이 있을지.

김가온　부장님한테 꼭 필요한 분이시라고 들었습니다.

정선아　어머, (미소 지으며) 으쓱한데요? 강판사님이 정말 그러셨어요?
　　　　(이것들이 짜고 꼬시는구나, 하면서도 기분 좋은 건 어쩔 수 없다)

강요한　(김가온에게) 쓸데없는 소리 그만하고 밥이나 좀 먹지? (말똥말똥
　　　　바라보는 엘리야를 보며) 너도.

엘리야　(입을 삐죽이더니 식사를 시작한다)

정선아　(식사하는 김가온을 빤히 보더니) 김판사님, 꼭 원래 이 집 식구였던
　　　　것 같네요. 잘 어울려요.

김가온　(씨익 웃으며) 그럴 리가요.

정선아　(묘한 시샘이 든다. 강요한을 보며) 이젠 외롭지 않으시겠어요? 부

러워라.

강요한   (피식한다)

엘리야   (정선아의 말을 듣더니 갸우뚱한다) 원래 아는 사이예요?

정선아   (미소 지으며) 그냥 멀리서 지지하고 응원하고, 그런 사이예요. 엘
         리야 아가씨.

엘리야   내 이름은 또 어떻게……

이때 멀리서 문 여는 소리 작게 들린다(지영옥이 정문으로 들어오는 소
리).

강요한   (O.L.) 건배나 할까? 귀한 손님도 오셨는데. (와인을 들어 정선아
         와 김가온의 잔에 따라준다)

엘리야   나는? (도도한 표정을 지으며 잔을 든다)

김가온   넌 이걸로. (포도 주스를 얼른 따라준다)

엘리야   (김가온을 째려본다)

정선아   고맙습니다. (미소를 지으며 잔을 높이 든다)

강요한   잠깐만. 올 때가 됐는데……

정선아   누구……?

이때, 지영옥이 툴툴거리며 주방으로 들어온다.

지영옥   웬일로 저녁때 오라 그러시고. (정선아를 보더니) 어? 손님 오셨네
         요.

정선아   (지영옥을 알아보고 순간 얼굴이 굳는다)

강요한   (묘하게 웃으며) 오랜만에 집에 돌아오신, 정, 선, 아, 이사장님을

위해.

정선아　……!

지영옥　(갸웃하며 나지막이) 선아? 선아…… 라면! (순간 경직되며 정선아
　　　　의 얼굴을 바라본다)

엘리야, 무슨 영문인지 몰라 멀뚱거리고, 김가온은 태연하다. 정선아,
강요한을 노려보는데, 강요한은 와인을 마시며 싱긋 웃는다.

S#10. 강요한의 저택, 강이삭의 방 (밤)

어린 정선아가 목걸이를 훔쳤던 장식장 앞에 서 있는 두 사람. 정선아,
강요한을 매섭게 노려보고 있다.

정선아　이게 다 뭐하는 장난질이지?

강요한　마음에 안 들었나? 그거 유감이네.

정선아　김가온까지 동원해서! 내가 우스워? 감히 날 갖고 노는 거야, 지
　　　　금?

강요한　(싱긋 웃으며) 그래.

정선아　뭐야! (눈을 번뜩이며 강요한의 얼굴을 할퀴려든다)

강요한　(정선아의 손을 턱 잡으며) 넌, 재밌거든.

정선아　(흠칫 놀란다)

강요한　(얼굴과 얼굴이 닿을 듯 가까이 다가서며) 영리하고, 가차없고, 나만
　　　　큼이나 망가져 있어. (묘하게 웃는다) 그건 아주 흔치 않은 건데 말
　　　　야.

정선아	(강요한을 노려본다)
강요한	너랑 노는 것도 나쁘지 않겠다, 그런 생각이 들어. 니가 먼저 제안했었잖아. 세상 제일 위, 꼭대기까지 가자며. 너랑 같이.
정선아	(눈빛이 흔들린다)
강요한	(정선아의 손을 놓더니, 천천히 자기 손목에 감긴 십자가 목걸이를 푼다)
정선아	(놀라서 강요한을 바라본다)
강요한	(정선아의 목에 천천히 목걸이를 걸어주고는 부드럽게 어깨를 잡아 돌려 거울 쪽을 보게 한다)
정선아	(홀린 듯이 거울에 비친 자신을 본다)
강요한	(뒤에서 정선아의 어깨에 손을 올린 채 미소 지으며 귓가에 속삭이듯) 넌 꽤 잘 어울려. 이 집에.

S#11. 강요한의 차 안 (밤)

정선아를 집으로 데려다주는 강요한. 정선아, 운전하는 강요한의 얼굴을 가만히 본다. 구불구불한 어두운 밤길을 달리는 차.

S#12. 정선아의 집 (밤)

식탁에 혼자 멍하니 앉아 있는 정선아. 김가온, 엘리야와 함께 시끌벅적 즐거워 보이던 강요한 저택의 식탁을 떠올린다. 많은 것을 이루었는데 왜 처음 그 자리 그대로인 것 같을까. 잔에 위스키를 따라 들이키는 정선아. 문이 벌컥 열리더니 재희가 들어온다.

재희   언니! 대체 어떻게 된 거야? 연락도 안 되고!

정선아   (희미하게 웃으며) 걱정해준 거야?

재희   그럼! 고용주가 잘못되면 난 어쩌라고? 언니 노리는 놈들이 한둘도 아니고.

정선아   (왠지 쓸쓸하게 웃으며) 좋아라. 나도 걱정해주는 사람이 있네.

재희   왜 그래? 무슨 일 있었어?

정선아   응, 그게……

S#13. 강요한의 저택, 입구 (밤)

정문을 열고 강요한이 들어오는데, 얼굴이 파랗게 질린 지영옥이 서 있다.

지영옥   도련님, 그 아이 맞지요? 그때, 그 아이……

강요한   (싱긋 웃으며) 기억나?

지영옥   (혼란스럽다) 그 아이가 어떻게…… 도련님은 무슨 생각으로 그 아일 여기……

강요한   (지영옥의 어깨를 두드려주며 나긋나긋하게) 유모. 너무 걱정이 많아. 나 어린애 아니잖아? (미소 짓는다)

지영옥   (멍하니 강요한을 보다가 주방으로 식사 자리를 치우러 사라진다)

김가온   (조용히 다가와서는 나지막이) 정말 정선아가 부장님 손을 잡을까요?

| 강요한 | 차경희 편에 설지도 모르지. 워낙 예측 불허니까. (미소 짓는다) |

S#14. 정선아의 집 (밤)

재희	말도 안 돼! 속임수가 뻔하잖아!
정선아	(미소 지으며) 그렇지?
재희	강요한 이 인간, 언니를 뭘로 보고 이런 장난질을 쳐? 어이가 없네 진짜……
정선아	그래…… 장난질인 게 뻔한데, 그걸 숨길 생각도 그닥 없어 보이던데.
재희	근데?
정선아	이상하지? 왠지 속고 싶네. 그냥. 잠깐이라도. (목에 걸린 십자가 목걸이를 만지작거린다. 묘하게 쓸쓸해 보이는 얼굴)
재희	언니!
정선아	…안 되겠지? 역시? (생긋 웃는다)

S#15. 배석판사실 (낮)

일하고 있는 김가온과 오진주. 오진주의 사무실 전화가 울린다.

오진주	네, 오진주 판삽니다.
박두만(F)	안녕하십니까, 판사님. 저 사람미디어그룹 박두만이라고 합니다.
오진주	(놀라며) 아 네…… 안녕하세요.

박두만(F)	하하하, 불쑥 전화드려서 죄송합니다. 거두절미하고, 좀 뵙고 싶
	습니다. 저희, 사회적책임재단에서.
오진주	(긴장한 표정으로 김가온을 힐끗 보며) 저희 재판부 전부 말이십니
	까?
박두만(F)	아뇨. 오판사님만입니다. 저희가 뵙고 싶은 건.
오진주	네⋯⋯ 알겠습니다. (전화를 끊는다)
김가온	무슨 일이에요?
오진주	어, ⋯별일 아냐. (눈빛이 흔들린다)

S#16. 재단 회의실 (낮)

긴장한 오진주, 회의실 문을 열고 들어간다. 회의용 테이블 앞에 앉아
있는 박두만과 민용식.

박두만	오, 우리 오판사님 오셨네.
오진주	처음 뵙겠습니다. 오진주입니다.
민용식	앉으시죠. 거기.

마치 면접 보는 자리처럼 테이블 바깥 멀찍이 의자가 하나 놓여 있다.
굳은 표정으로 앉는 오진주. 신사적이지만 오만한 태도의 두 회장.

박두만	이번에 국가 홍보 영상 출연해주셔서 고맙습니다. 체질이시더만
	요. 잘하시던데요.
오진주	⋯별말씀을요.

민용식	저희 재단 일도 좀 도와주시죠.
오진주	재단…… 일이라시면?
박두만	(히죽거리며) 다 나라를 위한 일들입니다. 그걸 대중들한테 신뢰감 있게 전달할 얼굴이 필요하지요.
오진주	(굳은 표정으로 두 사람을 본다)
민용식	워낙 훌륭하신데, 몇 가지 조금 마음에 걸리는 게 있어서 모셨습니다.
오진주	…무슨 말씀이시죠?
민용식	(앞에 있는 '오진주 판사 재판 성향 분석'이라는 제목의 얇은 서류 파일을 톡톡 건드리며) 지방에서 재판하실 때, 기업주를 법정구속하신 적이 있으시더라고요.
오진주	(표정이 굳는다)
박두만	자기 회삿돈 몇 푼 횡령, 그거, 보통 집행유예하는 거 아닙니까? 그걸 왜 그리 모질게 하셨을까…… 혹시, 반기업 정서가 있으신가…… (묘하게 웃는다)
오진주	(두 사람을 차갑게 쳐다보다가, 피식 웃더니) 이거, 역시 면접이었군요?
민용식	(묘한 미소만 띤다)
오진주	모델 면접은 아닌 것 같고, (두 사람을 대담하게 쳐다보며) 시범재판부 재판장 면접, 맞습니까?
민용식	(씨익 웃으며) 이해도 빠르시고. 역시.
박두만	판사님을 전국구 스타로 만들어드릴까 싶은데, 어떤 리스크가 있을지 정도는 알아야 되지 않겠습니까? 허허허허.
오진주	(두 사람을 응시하다가) 이 면접, 강요한 판사도 거친 겁니까?
박두만	(씨익 웃더니) 대법원장도 거친 겁니다.

오진주	(굳은 표정으로) 그런 거였습니까……
민용식	(세상이 다 그런 것 아니겠느냐는 표정으로 싱글거린다)
오진주	(입을 굳게 다물고 있다가 결심한 듯 자리에서 일어선다)
박두만	(자리를 박차고 나가는 줄 알고 의외라는 듯 오진주를 바라본다)
오진주	(뚜벅뚜벅 두 사람이 앉은 회의용 테이블 쪽으로 다가오더니 두 사람 맞은편에 앉는다. 편하게 다리를 꼬고 팔을 테이블 위에 올려 손깍지를 끼더니) 이제 좀 낫네요. 그래, 뭐가 그렇게 궁금들 하신가요? (두 사람을 도전적으로 쳐다본다)

S#17. 강요한의 저택, 주방 (밤)

웃으며 같이 젠가 게임을 하고 있는 김가온과 엘리야, 지영옥. 김가온, 문득 시선이 느껴져 문 쪽을 보는데, 강요한이 멍하니 보고 있다가 사라진다.

김가온	부장님도 같이 해요! 부장님~
엘리야	됐어. 요한은 이런 거 안 해.
김가온	(잠시 생각에 잠기다가 일어선다)

S#18. 강요한의 저택, 서재 (밤)

혼자 책을 보고 있는 강요한. 서재로 들어오는 김가온.

김가온	무슨 하실 말씀 있으셨던 거 아녜요?
강요한	아냐, 그냥 지나가다. (무심히 책을 넘긴다)
김가온	(강요한을 물끄러미 본다. 2부 후반, 강요한의 초등학교 동창생 신부를 찾아갔던 날 들었던 이야기를 떠올린다)

S#19. 김가온의 회상, 성당 안 (밤)

신부	강요한은 그때부터 섬뜩한 데가 있었어요.
김가온	…그랬나요?
신부	한번은, 제가 친구들하고 놀고 있는데 그걸 숨어서 관찰하고 있더라고요. 흉내까지 내가면서. 얼마나 소름이 끼쳤는지 원……
김가온	(가만히 생각하더니) 그런데 신부님.
신부	네?
김가온	…그 아인 사실, 친구들과 놀고 싶었던 게 아닐까요?
신부	무슨 말씀이신지……
김가온	(이상하게도 어린 강요한이 상상되는데, 가슴이 아파온다) 실은 그 아인, 많이 외로웠던 게 아닐까요.
신부	(어리둥절하다)

S#20. 신부의 기억, 강요한의 초등학생 시절 교실 (낮)

교실 뒤에서 왁자지껄 말뚝박기를 하고 있는 반 아이들(신부, 김동준, 한석우, 윤세인 등). 친구 등에 올라탄 아이는 술래와 가위바위보를 하고, 밑에서는 무겁다고 야단이다. 그런데 강요한, 복도에 혼자 서서 창문으로 아이들을 엿보고 있다. 멍한 표정. 입은 뭐라고 중얼댄다.

강요한   (작은 소리로 혼잣말한다) 가위바위보! 가위바위보! 야, 넌 보밖에 낼 줄 모르냐? 바보야……

S#21. 강요한의 저택, 서재 (밤)

김가온   (강요한을 보며 생각에 잠겨 있다가 결심한 듯) 부장님.
강요한   (의아한 듯 김가온을 쳐다본다)

S#22. 강요한의 저택, 주방 (밤)

식탁에 젠가를 쌓고 있는 김가온. 김가온 혼자 생글생글 웃고 있고 강요한과 엘리야는 똥 씹은 표정이다.

강요한   …지금 이거 하자고 내 독서를 방해한 건가?
엘리야   (외면하며) 나 과제해야 되는데.
김가온   자자, 그러지들 말고, 식구들끼리 같이 놀기도 좀 하고 그래요.
지영옥   (벌떡 일어서며) 전 설거지를 하겠습니다.
김가온   (일어서서 지영옥을 붙잡으며) 아주머니!
지영옥   (나지막이) 저 둘을 대결시키는 거, 그닥 좋은 생각이 아닙니다.
김가온   (고개를 갸우뚱하며) 네?

강요한   책 읽을 시간도 부족한데 쓸데없이! (일어서려 한다)

김가온   엘리야하고 5분 이상 마주앉아 있어본 적 있어요? 싸우지 않고?

강요한   (움찔하더니 슬그머니 앉는다)

S#23. 강요한의 저택, 주방 (밤)

젠가 블록을 엄청나게 집중하며 뽑아내고 있는 강요한. 아슬아슬하게
무너지지 않는 젠가. 강요한, 씨익 웃는다. 엘리야, 째려보더니 조심조
심 다른 블록을 뽑아내는데, 그만 왕창 무너지고 만다.

엘리야   (찡그리며) 씨이……

강요한   (싱긋 웃으며) 구조역학을 알아야지. 아무렇게나 한다고 돼?

엘리야   (찌릿 노려보며) 다시 해!

김가온   (지친 표정으로) 저기 엘리야, 이제 그만하는 게……

엘리야   (O.L.) 빨리 쌓아. (들은 체도 안 하고 젠가를 쌓는다)

김가온   (한숨을 내쉰다. 보란듯이 웃고 있는 지영옥을 힐끗 본다)

결국 김가온은 포기한 채 멀찌감치 지영옥 옆에 서서 두 사람의 불꽃 배
틀을 구경만 하고 있다. 엄청나게 심각한 표정으로 젠가 블록을 뽑아내
고 있는 엘리야.

김가온   …두 시간째 저러고 있는데 괜찮을까요?

지영옥   다시 생각해보시라고 했잖습니까.

강요한이 블록을 뽑다가 그만 무너뜨리고 만다. 엘리야, 환호를 보내며 강요한의 손목을 매섭게 때린다. 강요한, 오만상을 찡그리다가 고개를 숙이는데, 감출 수 없는 미소가 배어난다. 강요한의 미소를 눈치챈 김가온, 흐뭇하게 웃는다.

S#24. 익선동 음식점 (낮)

낡은 한옥을 개조한 음식점에서 함께 밥을 먹고 있는 김가온과 윤수현. 김가온의 표정이 밝다.

윤수현   (고개를 갸웃하며) 김가온, 뭐 좋은 일 있냐? 뭔가 분위기가 달라진 거 같은데……

김가온   (진지하게) 좋은 일 있지. 너랑 같이 있잖아.

윤수현   (순간 닭살로 몸서리치며) 어우, 왜 이래 무섭게! 자꾸 장난칠래?

김가온   (미소 지으며) 진심인데.

윤수현   뭐지 진짜? 저번엔 갑자기 찾아와서 자전거 타자고 하질 않나…… 너 혹시, (김가온을 쳐다보다가 번뜩 떠오른 생각에) 아픈 거야?! 심각한 거래? (벌떡 일어선다)

김가온   (쓴웃음을 짓는다. 윤수현의 두 손을 잡아 앉히더니) 그래, 이럴 줄 알았다. 밥이나 먹자.

윤수현   (고개를 갸우뚱하더니 맛있게 먹는다)

김가온(N) (따뜻한 눈으로 윤수현을 가만히 보며) 이 일만 끝내면, 그땐 꼭……

S#25. 법무부장관실 (낮)

다시 차경희 앞에 서 있는 정선아.

차경희   (미소 지으며) 그래, 내가 원하는 대답을 가져온 건가?

정선아   첫 단추.

차경희   첫 단추?

정선아   아드님 사건에서 피해자로 진술한 사람이 스무 명이 넘습니다. 그걸 다 뒤집는 건 어렵지요. 너무 눈에 띄기도 하고.

차경희   그래서?

정선아   하지만 첫 단추부터 잘못 꿴 사건이었다, 이렇게 되면 전체 인상이 나빠집니다. 이쁘지가 않잖아요? 그런 상태에서 두어 개만 더 수상한 구석이 나와주면 어떨까요.

차경희   (씨익 웃으며) 졸속 재판으로 공개 태형까지 한 재판장, 의도가 뭐였나…… 기사 제목으로 나쁘지 않네. 그래, 첫번째 단추는 찾았나?

정선아, 미소를 짓더니 문 쪽으로 가서 문을 연다. 잔뜩 움츠린 채 들어오는 이십대 여성. 한소윤이다.

차경희   (정선아를 힐끗 본다. 누구냐는 표정이다)

정선아   (미소 지으며) 기억나실 텐데요. 흐름을 바꿨던, 첫번째 단추.

차경희   (기억이 난다)

플래시백 > 3부 59신.

이영민의 얼굴이 비치는 법정 대형 스크린 중앙의 네모 칸이 열리더니 디케 앱으로 전송된 시청자 영상이 재생된다. 이십대 초반 여성(한소윤)이다.

한소윤　(손에 핸드폰을 들고 셀카 찍듯 자신을 비추며 이리저리 각을 잡아보다가 놀라며) 어? 연결됐네? 어어, 이거 진짜 전국에 나가는 거임?

한소윤　(흥분한 어조로) 알죠! 저 새끼…… 아, 이거 방송이지. 저 인간, 완전 사이코예요! 제가 백화점 주차장 알바를 했거든요? 이거. (두 손으로 이쪽저쪽 안내하는 포즈를 취한다)

한소윤　저 인간이 글쎄, 주차장 안에 차 밀린다고 내려서 지랄을 하더니, 주차요원을 발로 걸어차는 거예요! 놀래서 갔더니 넌 또 뭐냐고 귀싸대기를 때리는데, 우와!

한소윤　(눈물이 고인 채 애타게 정선아를 보고 있다)

차경희　(차갑게) 아주 신나 하던 그 아가씨네. (정선아를 보며) 그래, 이 친구가 뭘 해줄 수 있지?

한소윤　(그만 눈물이 터져나온다) 뭐든 할게요! 울 엄마만 살려주세요! 제발요! (얼굴을 감싸고 흐느낀다)

정선아　강요한이 돈을 주며 거짓 증언을 시켰다고 진술할 겁니다.

차경희　(놀라며) 그게 사실인가?

정선아　(생긋 웃으며) 그게 중요한가요? 중요한 건, 그렇게 진술하도록 만들 수 있다는 거죠. 제가.

한소윤　(애타게) 우리 엄마, 진짜로 무사한 거 맞죠? 협심증이 있는데,

우리 엄마…… (흐느낀다)

정선아   (어깨에 손을 올리며 속삭이듯) 목소리 들려줬잖아?

차경희   (미소 지으며) 스토리가 나쁘지 않네. 강요한이 증인을 매수했다…… 교묘히 빠져나갔지만 장기현 사건도 있었으니.

정선아   같은 일이 반복되면 느낌이 확 달라지죠.

차경희   (팔짱을 끼며) 강요한이 가만히 당하고 있을까?

정선아   대응할 여유를 주지 말고 갑자기 터뜨려야죠. 전 국민이 지켜보는 가운데. 카메라 잘 받으시잖아요? 장관님. (생긋 웃는다)

차경희   (피식 웃으며 의자 뒤로 깊이 기댄다)

S#26. 법무부 기자회견장 (낮)

기자들 앞에 선 차경희.

차경희   (오만한 표정으로 기자들을 슥 둘러보더니) 시범재판이 과연 공정하게 이루어지고 있는지, 의문이 들게 만드는 중대한 제보가 있었습니다.

기자들 웅성인다.
-그게 뭡니까! -말씀해주십쇼!

차경희   (미소를 띠며) 여기서 일방적으로 공개하는 것은 제 자식 일 때문에 이러는 것 아니냐, 하는 불필요한 오해를 받을 우려가 있습니다. 저는 강, 요, 한, 판사에게 즉각적인 공개 청문회를 제안합니

다! 국민들 앞에서 모든 것을 밝힐 테니, 해명할 수 있으면 직접
해명하십시오. 시범재판 법정에서!

S#27. 강요한 부장판사실 (낮)

결투장을 내미는 듯한 차경희의 얼굴을 굳은 표정으로 보는 강요한.

S#28. 대법정 (낮)

무대 한가운데 서 있는 강요한. 그리고 그를 기소한 검사처럼 그의 주위
를 돌며 이야기하는 차경희. 방청석에는 기자들과 방청객들이 앉아 있
다. 정선아도 방청석에 앉아 지켜보고 있다.

차경희   (묘한 미소를 머금은 채 강요한을 빤히 보며) 강판사님, 막대한 자산
        의 상속자로 유명하신데, 맞습니까?
강요한   (피식 웃으며) 새삼 그게 궁금하셨습니까? 네. 그렇습니다.
차경희   그러시군요. 그래서 세상 모든 걸 돈으로 살 수 있다고 생각하시
        는 겁니까?
강요한   (차가운 표정으로) 좀더 구체적으로 질문해주시지요.
차경희   진실 말입니다. 판사님. (강요한을 노려보는) 첫 시범재판이었던
        JU케미컬 사건 증인에게 금품을 제공하셨지요?
강요한   (차경희를 노려보며) 그 건은 이미 충분히 해명을 했습니다만.
차경희   그런데, 바로 그다음 사건 증인한테도 돈을 주셨다면, 이건 좀 이

상하지 않습니까? 그것도, 거짓 증언을 요구하면서.

웅성이는 기자들.

강요한	재미있는 말씀을 하시네요. 무슨 근거로 그런 말씀을 하시는지?
차경희	이분 기억하시죠? (차경희가 재판부 출입구 쪽을 쳐다보자 한소윤이 걸어나온다)
강요한	(굳은 표정으로 한소윤을 쳐다본다)

방청객들 웅성인다.

한소윤	(조명을 받은 채 힘든 표정으로 서 있다)
차경희	(한소윤에게) 하실 말씀이 있으신 것으로 알고 있는데, 용기 내서 해주시죠. 국민 여러분 앞에서.
한소윤	(심호흡을 하더니 결심한 듯) 저는 이영민 피고인에게 폭행을 당했다고 진술했던 한소윤입니다. 저는, 거짓 진술을 강요당했습니다. (고개를 숙인다)

방청객, 웅성이고 차경희, 승리감에 취한 표정으로 강요한을 비웃듯 쳐다본다.

S#29. 시내 곳곳 (낮)

놀란 표정으로 지켜보는 시민들.

- 진짜? 강요한이?

S#30. 차경희의 집 (낮)

이재경과 이영민, 감격한 표정으로 지켜보고 있다.

이재경   그렇지!

이영민   엄마……

S#31. 대법정 (낮)

한소윤   (고개를 들더니 차경희를 쳐다보며) 저기 계신 차경희 장관님이 협박하셨습니다.

차경희   ……!

한소윤   판사님한테 돈 받고 거짓말했다고, 여기 나와서 얘기하지 않으면 제가 한 적도 없는 마약밀매 혐의로 감옥에 집어넣겠다고 했습니다. (눈물 흘리며) 저 하나 죄인 만드는 건 일도 아니라면서……

차경희   (경악하며) 그런 말도 안 되는 거짓말을.

강요한   (걱정스레) 그게 사실입니까?

한소윤   네. 지난주에 법무부장관실에서 직접 저한테 그러셨습니다. 법무부 출입자 명부를 확인해보시면 제 이름이 있을 거예요……

차경희   (방청석의 정선아를 매서운 눈초리로 쳐다보는데, 정선아, 생긋 웃으며 윙크한다. 당했구나! 아득해지는 차경희)

강요한	(차경희를 보며) 장관님, 아무리 자제분 일이라지만, 이건 범죄인 것 같은데요…… 이분은 일단 저희 시범재판부가 보호하고 있겠습니다. (한소윤을 향해 미소 지으며) 너무 걱정 마세요. 제가 지켜드리겠습니다.
한소윤	(눈물을 글썽이며) 고맙습니다, 판사님. (법정에서 나간다)
차경희	조작입니다! 이건 다 저를 음해하려는.
강요한	(O.L.) 저분을 이 자리에 모신 건, (차경희를 보고 싱긋하며) 장관님 아니셨습니까?
차경희	(말문이 막힌다)

S#32. 대법정 뒤쪽 (낮)

대법정에서 내려오는 한소윤. 김가온이 웃으며 맞는다.

김가온	고생했어요, 소윤씨.
한소윤	(소곤소곤 속삭이며) 제 눈물 연기 괜찮았나요, 판사님? (생긋 웃는다)
김가온	(나지막이) 완전. 연기력 진짜, (감탄한 표정으로) 와, 대박.
PD	(얼떨떨한 표정으로 김가온 쪽으로 오더니) 대체 이게 어떻게 돌아가는 겁니까? 판사님.
김가온	(미소 지으며) 너무 걱정 마세요. 시청률 잘 나올 거예요.
PD	(혼란스럽다) 정선아 이사장님이 최대한 협조해드리라고 해서 그러고는 있는데, 당최 이게 다 무슨 일인지 원……
김가온	(씨익 미소 짓는다. 강요한이 김가온과 함께 작전을 짠 후 정선아를 통

해 방송 제작진을 움직여놓은 것이다)

S#33. 대법정 (낮)

강요한 저도 장관님께 한 가지 여쭙고 싶은 것이 있습니다. 이 사람 기억
하십니까? (무대 위 모니터 화면에 영상이 재생된다)

플래시백 > 7부 33신.

성난 표정의 피해자들과 유족들이 플래카드를 들고 있다. '내 가족 죽
게 만든 도영춘을 사형에 처하라!' '8천억대 다단계 사기 도영춘 엄벌
하라!' 이때, 호송버스가 도착하고, 재판받으러 온 죄수들이 차례로 내
린다. 흥분한 피해자들, 우르르 호송버스로 몰려가고, 버스에서 도영
춘이 내린다. 내리다 말고 피해자들을 비웃듯 스윽 둘러보는 도영춘,
눈매가 날카롭고 카리스마 있는 강한 인상이다. 저놈 죽여라! 아우성치
는 피해자들과 이를 제지하느라 쩔쩔매는 경찰들. 포승줄에 묶인 채 유
유히 내려와 걷는 도영춘.

차경희 ……!
강요한 징역 17년 받은 사기범입니다. 교도소에서 죗값을 치르고 있는
거 맞겠지요? 장관님.
차경희 (당황하면서도 일단 모른 척한다) 왜 그런 걸 나한테 묻는 겁니까?!
당연히 그렇겠지요.
강요한 (미소 지으며) 그렇습니까? (방청석 쪽으로 시선을 돌린다)

방청석 한쪽 구석에 모자를 푹 눌러 쓴 채 앉아 있던 사내, 일어서서는 천천히 모자를 벗고 고개를 드는데, 방금 모니터 화면에서 봤던 도영춘이다! 놀라는 방청객들.

강요한   (차경희에게) 교도소에 있어야 할 사람이 왜 여기 있는 건지, 아시는 게 있습니까? 장관님.

차경희   (강요한을 노려보며) 이게 다 무슨 장난인지는 모르겠지만, 나하고는 아무 상관없는 일입니다.

강요한   그런가요? (방청석 쪽을 보며) 저분께 마이크 좀 드리시죠.

스태프가 도영춘에게 마이크를 준다.

도영춘   (차경희를 쳐다보며) 차경희 장관이 거액을 받고 저를 빼내주었습니다. 지금 교도소에는 저 대신 엉뚱한 사람이 들어가 있습니다.

기자들과 방청객들, 놀라 웅성거리며 차경희를 쳐다본다.

S#34. 시내 곳곳/차경희의 집 (낮)

지하철 안에서 스마트폰으로 생방송 화면을 보며 놀라는 사람들. 허름한 식당 TV로 지켜보며 웅성거리는 손님들. 윤수현, 갓길에 세운 차 안에서 스마트폰으로 방송을 보며 경악하고 있다.

윤수현   뭐야! 저 인간이 어떻게 저기서 나와!

집에서 방송을 지켜보다 경악하는 이재경과 이영민.

이재경 여보!

이영민 (망연자실하며) 엄마, 어떡해…… 우리 엄마…… (태형 이후 충격
으로 자폐증 아이 같은 모습이다)

S#35. 대법정 (낮)

차경희 (충격을 감추며 매섭게) 감히 사기꾼 말 따위로 저를 모함하는 겁니
까?! 이건 저에 대한 정치적 공격입니다. (강요한을 노려보며) 진
실은 검찰이, 수사를 통해 밝히겠습니다. (성큼성큼 무대에서 내려
와 나가버린다)

소란스러운 장내. 강요한은 차갑게 미소 짓고 있다.

S#36. 차경희의 차 안/대법원 복도 (낮)

대법원 건물 앞에서 대기중인 차경희의 차. 운전석에서 좌불안석인 비
서. 문을 거칠게 열고 차경희가 뒷자리에 올라탄다.

비서 장관님! 강요한 이 인간이 어떻게 도영춘 일을! (필사적으로 연기
한다)

차경희 (냉정하고 침착하게) 됐고, 강요한한테 연락해. 조용히 만나자고.

비서	네.
차경희	…그리고, (창밖을 보며) 권총 하나만 구해 와.
비서	네?! 설마…… (강요한을 직접 죽이려고? 놀란다)
차경희	경호용으로 필요하다고 하고 가져오라고!
비서	알겠습니다, 장관님. (차를 운전하여 출발한다)
차경희	(정선아에게 전화를 건다)
정선아	네, 장관님. (대법원 복도를 걸으며 전화를 받는 정선아)
차경희	미쳤어? 감히 내 등에 칼을 꽂아?
정선아	(생긋 웃으며) 그러게요. 아주 자~ 알 들어가네요.
차경희	내가 가만있을 것 같애? 기다려. 니 죄상을 하나하나 낱낱이 까발려줄 테니!
정선아	글쎄요…… 장관님이 뭘 발표하든, 사람들이 믿을까요? 조작의 아이콘이 되신 거 같은데.
차경희	뭐야!
정선아	그러게, 잘하지 그랬어. …비서 나부랭이한테. (전화를 툭 끊어버린다)
차경희	(전화기를 쥔 손이 부들부들 떨린다)

S#37. 대법원 지하 주차장/윤수현의 차 안 (낮)

한소윤을 에스코트해서 데리고 내려온 김가온, 승합차에 한소윤을 태운다. 운전석에 앉아 있는 K와 시선을 교환하며 고개를 끄덕하는 김가온. 차량 출발한다. 당분간 안전한 곳으로 대피시키려는 것이다. 김가온, 출발하는 승합차를 뒤에서 보는데, 품안에서 전화벨 소리가 울린다. 윤수현이다. 올 것이 왔구나……

김가온　　어, 수현아.

윤수현　　(운전해서 급히 경찰청으로 돌아가면서 전화한다) 가온아! 너도 봤지?! 강요한이 도영춘 잡은 거!

김가온　　…응. 방금 봤어. 방송으로.

윤수현　　야! 근데 어떻게 그렇게 태연해! (눈물이 터지며) 잘됐다, 진짜 잘됐어…… 너 맘고생한 거 생각하면 진짜……

김가온　　(먹먹하다) 수현아……

윤수현　　근데 도대체 강요한은 뭘 어떻게 한 거야? 도영춘을 어떻게 찾았지?

김가온　　(흠칫 놀라며) 뭐, 어쨌든 잘됐잖아. 이제 끝난 일이니 잊어버리자. 수현아.

윤수현　　이제 시작인데 뭔 소리야?! 차경희, 이 인간 꼭 내 손으로 법정에 세울게!

김가온　　(윤수현에게 숨길 수밖에 없어 착잡한 심경이다)

S#38. 법무부장관 부속실 (낮)

비서　　(윤수현과 통화중이다) 안 된다니까요! 지금은 경황이 없으시다니까 그러네. 끊습니다!

밖에서 들어온 차경희, 비서를 물끄러미 본다.

비서	(얼른 수화기를 내려놓으며 꾸벅 고개를 숙인다) 장관님, 웬 광수대 형사 하나가 자꾸 쳐들어오려고 해서……
차경희	…얘기한 건 구해놨나?
비서	네, 장관님.
차경희	(장관실로 들어간다)

S#39. 법무부장관실 (낮)

책상 앞에 앉아 있는 차경희. 무표정하다. 문을 열고 들어오는 비서. 책상 위에 작은 권총을 조심스레 내려놓는다.

비서	여기 있습니다. 사용법은 아시는지요……

차경희, 말없이 권총을 들더니 장전이 되어 있는지 확인하고 안전장치를 풀더니, 갑자기 총을 비서에게 겨눈다!

비서	(경악하며) 장관님! 왜 이러십니까, 장관님!
차경희	(얼음장같이 차가운 눈빛으로) 말해봐. 왜 날 배신했지?
비서	절 못 믿으십니까!
차경희	(비서를 노려본다)
비서	십 년을 모셨습니다. 제가 어떻게 장관님 은혜를 잊겠습니까! (억울하고 괴로운 표정이다. 눈물이 맺힌다)
차경희	…자네가 아니면, 누가 도영춘 있는 곳을 말했다는 거지?
비서	(생각하다가) 도영춘 감시를 맡긴 동네 이장! 그 늙은이 짓일 겁니

다! 대가가 적다고 불만이 많았습니다. 그 인간.

차경희 (차갑게 비서를 노려보다가 천천히 권총을 겨누며) 증명해. 가능한 한 빨리 하는 게 좋을 거야.

비서 예, 장관님. (허리를 굽힌다. 이마에 땀방울이 흐른다)

S#40. 외곽 지역 도로변 (밤)

차경희, 차를 세워놓고 인적 드문 도로변에 코트 차림으로 서 있다. 강요한의 차, 와서 그뒤에 선다. 차에서 내리는 강요한.

강요한 (주변을 둘러보며 미소 짓는다) 사람 하나 죽어나가도 아무도 모를 것 같은 동네네요? 무슨 용건이신지.

차경희 대체 나한테 왜 이러는 거야, 내가 강판사한테 잘못한 거라도 있나? 그 옛날 화재 사건? 나도 피해자야! 내가 뭘 잘못했어!

강요한 (차갑게 차경희를 본다)

차경희 아니면, 전에 얘기했던 그 자살한 국회의원? 위에서 시키는 대로 했을 뿐이야! 난 그저 조직에서 살아남으려고 발버둥친 거야. 줄도 빽도 하나 없는 내가 그렇게라도 안 하면 여기까지 올 수 있었겠어? 난 살아남기 위해 싸운 죄밖에 없어!

강요한 …권력자의 자기연민이란 거, (차경희를 응시하며) 그거 참 보고 있기 힘든 거네요. …구역질이 나서.

차경희 (분노하며) 뭐야! (코트 안에 손을 넣은 채 강요한을 무섭게 노려본다. 마치 주머니 안의 총을 꺼내서 쏠 것 같은 긴장된 분위기다)

강요한 (차가운 표정으로 차경희를 노려본다)

차경희	(당장 쏴 죽이고픈 충동을 가까스로 억제하며) 좋아, 어디 멋대로 한 번 해봐. 그런 깜짝쇼 한 번으로 날 잡을 수 있을 거 같아?
강요한	(피식 웃으며) 물론 쉽진 않겠지요. 정식으로 수사한다면서 시간을 끌고, 어떻게든 희생양을 찾아서 뒤집어씌우고, 조작극이라며 정치 공방으로 몰고 가고. 워낙 전문가이시지 않습니까.
차경희	…알면서 왜 시작한 거지?
강요한	화살 한 개, 두 개는 어떻게 막을 수 있어도, 동시에 날아오는 여러 개는 쉽지 않을 겁니다. 이제 시작이니까.
차경희	(강요한을 노려보다가) 그래. 내게 원하는 게 뭐지?
강요한	전담팀까지 만들어서 허중세와 재단 인사들 뒷조사를 해왔었죠? 그 파일을 제게 넘기십쇼.
차경희	……!
강요한	(미소 지으며) 그럼 최소한의 살길은 열어드리죠.
차경희	(분노하며) 최소한의 살길?! 내가 그렇게 호락호락 당할 것 같아? 어디서 감히……
강요한	(피식 웃으며) 알겠습니다. 생각이 바뀌면 연락하십쇼.

차에 올라타서 떠나는 강요한. 굳은 표정으로 노려보는 차경희.

S#41. 차경희의 집 (밤)

굳은 표정으로 들어서는 차경희. 이재경과 이영민이 달려나온다.

| 이영민 | 엄마! |

이재경	여보, 괜찮아? 이 일을 어떡해? 뉴스고 뭐고 온통 당신 얘기뿐이야……
이영민	(울며) 엄마, 미안해…… 다 나 때문이야. 나 때문에 엄마가……
차경희	(굳은 표정으로) 두 사람 다 잘 들어. 절대 약한 모습 보이지 마. 약한 자만 당하는 거야. 이 악물고 끝까지 버텨내서, 다 무릎 꿇리고 말 거야. 내가 어떻게 여기까지 왔는데…… 알아들어?
이재경	그래, 여보! 당신은 이겨낼 수 있을 거야. 당신 강한 사람이잖아.
이영민	엄마 미안해…… (계속 운다)
차경희	(참담한 표정으로 이영민을 본다)

S#42. 강요한의 저택, 서재 (밤)

김가온	역시 끝까지 버티네요.
강요한	틈을 주지 말고 몰아쳐야 돼. 자기 야심을 위해서라면 자식도 버리는 인간이야. 쉽게 포기 안 할 거야.
김가온	(미소 지으며) 차경희 옛날 수사기록들, 샅샅이 뒤져놓길 잘했네요.
K	…고맙습니다. 김판사님.
김가온	…아닙니다. 피해자들 한 사람 한 사람 찾아다니느라 고생 많으셨잖아요.
강요한	(피식 웃으며) 아직 끝나지도 않았는데 한가한 소리들 말고, (K에게) 교도소장 쪽은 잘 처리된 거지?
K	네. 제대로 겁을 먹었으니, 시킨 대로 움직일 겁니다. 차경희 비서한테도 지시해두었습니다. 조용히 출입하실 수 있도록.

강요한   …계획대로라면, 결국 무너질 거야. 그 순간에 손을 내밀어야 돼. 어떻게든 살아보겠다고 매달리도록. (매서운 눈빛이다)

S#43. 법무부 현관 앞 (낮)

출근길, 차에서 내리는 차경희. 기자들이 우르르 따라붙는다.
– 장관님! 도영춘을 바꿔치기하신 게 맞습니까?
– 허위 진술을 강요하신 일은요?
– 한말씀해주십쇼!
차경희, 발걸음을 멈추더니, 레이저 눈빛으로 마이크를 들이미는 기자를 노려본다. 기세에 압도되어 움찔하며 물러서는 기자를 뒤로한 채 차경희가 법무부 건물 안으로 들어간다.

S#44. 법무부장관실 (낮)

성난 표정으로 박두만과 통화하고 있는 차경희.

차경희   당신네 방송국이 제일 집요하게 날 물어뜯고 있어. 제정신이야?
박두만   아이고, 장관님. 요즘 젊은 기자들이 어디 윗사람 말을 들어먹습니까. 기자 정신인가 뭔가, 저도 골치 아픕니다. 허허허허.
차경희   (전화를 확 끊으며 책상 위에 던지듯 놓는다) 이것들이 진짜!
비서   (뛰어들어오며) 장관님, 큰일났습니다!
차경희   뭐야 또!

비서   (얼른 TV를 켠다)

뉴스 속보가 나오고 있다.

아나운서(E) 어제 폭로된 다단계 사기범 바꿔치기 의혹에 관해서, 방금 경기
           남부교도소장이 기자들 앞에서 양심선언을 시작했습니다. 현장,
           연결하겠습니다.

교도소장(E) (침통한 표정으로) 차경희 장관 지시가 맞습니다.

차경희   (놀라 벌떡 일어선다)

교도소장(E) 죄송합니다…… 제가 끝까지 버텼어야 하는데, 장관님의 협박에
           도저히 견딜 수가 없었습니다…… 받지도 않은 뇌물로 저를 엮어
           서 구속하고 제 아버지가 운영하는 사업체도 망하게 만들겠다고
           협박을……

차경희   (경악하며) 저 자식, 저거, 승진만 시켜주면 무슨 일이라도 하겠
           다고 나섰던 놈이!

이때, 갑자기 사무실 전화기가 요란하게 울린다.

비서   (발신번호를 보더니) 장관님, 중부지검장 전화입니다.

차경희   (굳은 표정으로 전화를 받는다) 네.

지검장(F) 장관님, 경황이 없으실 것 같은데 죄송합니다. 아무래도 지검에
           좀 출두하셔야 될 것 같습니다.

차경희   뭐야?!

지검장(F) 고소장이 열두 건이나 접수됐습니다. 장관님이 수사하셨던 사건
           들 피의자하고 그 가족들인데요. 협박, 강요, 피의사실 공표, 직

권남용…… 죄명이 한두 가지가 아닙니다.

차경희　…김지검장. 당신을 그 자리에 앉혀준 게 누군지 잊은 건가?

지검장(F)　죄송합니다. 장관님. 이게, 덮는다고 덮어질 수준이 아닌 것 같아서 말입니다. 순리대로 하시는 게 어떠실지……

차경희　(망연자실한 표정으로 전화를 끊는다)

비서　장관님!

차경희　(다시 눈빛이 매서워지더니) 차 준비시켜.

비서　네? 어디로 말씀입니까.

차경희　…청와대로.

S#45. 청와대 대통령 집무실 (낮)

허중세와 독대하는 차경희.

허중세　(싱글거리며) 어유, 차장관 이거 어떡하지? 어떻게 일이 이렇게까지 됐어? 2년만 있으면 이 집 입주할 양반이. 나 차장관 무서워서 가구도 깨끗이 쓰고 있는데. 기스 안 나게.

차경희　(굳은 표정으로) 본론만 말씀드리겠습니다.

허중세　에이, 괜찮아. 서론 결론에 2절 3절까지 다 해. 어차피 또 볼 일도 없을 것 같은데. (씨익 웃는다)

차경희　(허중세를 노려보며) 그동안 모아둔 파일이 하나 있습니다.

허중세　(표정 싹 바뀌며) 파일?

차경희　지난 대선 때 비자금 내역.

허중세　……!

차경희   …그리고 광화문 시위가 갑자기 폭동으로 커졌던 이유.

허중세   (매섭게 노려보다가) 이거 아주 판을 깨자는 소린데. 차장관, 당신 당장 구속될 주제에 그런 큰판을 벌일 수 있을 거 같애?

차경희   제가 하겠다는 소리가 아닙니다.

허중세   그럼 뭐야?

차경희   …강요한한테 넘길 겁니다.

허중세   (놀라 차경희를 바라본다)

차경희   그게 싫으면, 무슨 수를 써서라도 이 모든 걸 중단시키십시오. 국정원이든 군대든, 모두 다 동원해서.

허중세   (차경희를 노려보다가 갑자기 히죽 웃더니) 어, 저기 미안한데 말야, 내가 중요한 일은 혼자 결정을 못해. 잠시만? (내실 쪽을 향해) 허니~ 잠깐 좀 와줄래?

차경희   (내실을 바라보는데, 도연정이 나온다)

도연정   (미소 지으며) 영민 엄마, 우리 사이에 이게 무슨 일이유? 글쎄.

차경희   (허중세를 쏘아보며) 지금 뭐하는 겁니까.

허중세   (히죽 웃으며) 이제부터는 애들 부모로서 얘기 좀 해보자구. 영민이랑 우리 준희, 어릴 때부터 완전 단짝 친구였잖아.

도연정   그러게요. 우리 준희가 영민이 걱정을 많이 했어요. 애가 너무 외로움을 많이 타고, 예민해서.

차경희   (굳은 표정으로) 하고 싶은 말이 뭡니까!

도연정   영민 엄마, 알고 있었어요? 걔, 고등학교 때부터 마약에 손댄 거?

차경희   (눈앞이 아득해진다)

허중세   (싱긋 웃으며) 그게 한번 손대면 영 끊기가 어렵잖어? 최근까지도 이것저것, 많이도 건드렸더라고. 애가 그러니 자꾸 미친 짓을 하고 돌아다니지.

차경희	(손이 덜덜 떨리는데, 이를 악물고 주먹을 꼭 쥐며) 영민이를 어쩌겠다는 거지?
허중세	에이, 어쩌긴. 우리나라 법치주의 국가잖어. 법대로 되겠지. 꽤 오래 들어가 있어야겠던데…… 괜찮겠어? 걔, 심신이 골고루 허약하잖어. (싱긋 웃으며) 엄마 덕분에 태형까지 당한 뒤로.
차경희	(몸이 걷잡을 수 없이 부들부들 떨린다)
도연정	(안쓰럽다는 표정으로) 에휴, 엄마 마음이란 게 다 그렇지. 애가 제일 중요한 거 아니우? 잘 생각해봐요, 영민 엄마. 응?
허중세	(떨고 있는 차경희를 보며 히죽 웃는다. 광대인형같이 섬뜩한 웃음이다)

S#46. 차경희의 차 안 (밤)

넋이 나간 표정으로 창문에 기대 있는 차경희. 한참을 멍하니 있다가 문득 운전석을 보더니 놀라며 바로 앉는다.

차경희	당신 누구야! 김비서는 어딨어!
K	(묵묵히 운전하면서) 김비서는 그만뒀습니다.
차경희	넌 도대체 누군데 내 차를!
K	저는 강요한 판사님 심부름을 하고 있습니다. 장관님.
차경희	……!
K	마지막 기획니다. 결심하셨습니까?
차경희	(K를 노려본다)
K	이 모든 걸 멈출 수 있는 분은 강판사님뿐입니다.
차경희	(입술을 깨문 채 K를 노려보다가 불쑥) 그런데, 날 만난 적이 있었

나? 왠지 낯이 익은 것 같은데.

K   (순간 표정이 굳더니) 장관님이 수사하셨던 초선 의원 기억하십니까? 누명을 쓰고 자살했던.

차경희   설마, 자네가?!

K   …전 그때 고등학생이었습니다.

차경희   그랬나…… 아들이 있었던가…… (멍하니 K를 보다가) 부친을 많이 닮았네.

마치 얼음장 같은 표정으로 묵묵히 운전하고 있는 K, 그리고 넋이 나간 듯한 차경희를 태우고 한강 다리를 건너는 검은색 관용차.

S#48. 법무부장관실 (밤)

멍하니 책상 앞에 앉아 있는 차경희. 이때, 노크 소리 들리더니 문이 열린다. 차경희, 쳐다보는데 강요한과 김가온이 들어온다! 마치 저승사자처럼 차가운 표정으로 차경희를 바라본다.

차경희   (놀라 벌떡 일어서며) 여기 어떻게!

강요한   (싱긋 웃으며) 지금쯤 절 만나고 싶으실 것 같아서요. …아닙니까?

차경희   (굳은 표정으로 강요한을 노려본다)

김가온   (매섭게 차경희를 노려보며) 당신이 바꿔치기한 도영춘, 그놈 때문에 난 부모님을 잃었습니다.

차경희   (김가온을 본다. 눈빛이 흔들린다)

김가온	(감정을 애써 억누르며) 반성, 사죄, 기대 안 합니다. 협조하십쇼. 더 큰 죄인들을 잡을 수 있도록.
차경희	(입꼬리를 슬쩍 올리며 차갑게) 내부고발자가 되면, 사면이라도 해주는 건가?
강요한	(차갑게 웃으며) 다른 방법이 있습니까? ···당신한테?

S#49. 법무부 건물 정문 (밤)

보안요원에게 신분증을 내밀고 있는 윤수현.

윤수현	광수대 윤수현 경윕니다.
보안요원	(위아래로 훑어보다가 신분증을 돌려준다)

S#50. 법무부장관실 (밤)

차경희	(강요한을 노려보다가 한숨을 후우 쉬더니 책상 위에 있는 시가 박스 뚜껑을 열어 시가 하나를 꺼내들고는 싱긋 웃는다) 이거 하나 피우면서 생각 좀 해보고 싶은데, 자리 좀 비워줄 수 있겠나?

강요한이 피식 웃더니 방을 나간다. 김가온도 차경희를 노려보고는 뒤따른다.

S#51. 법무부 복도 (밤)

엘리베이터에서 내리는 윤수현. 고개를 갸우뚱한다. '배선 점검 및 교체 공사중' 팻말이 바닥에 놓여 있고 복도 조명은 몇 개만 켜져 있어 어둑하다. 잠시 생각하다가 벽에 붙어 있는 '법무부장관실' 표시 방향으로 발걸음을 내딛는 윤수현.

S#52. 법무부장관실 (밤)

차경희, 재떨이에 타들어가는 시가를 내려놓는다. 차경희의 시선이 머문 곳은, 책상 한쪽에 올려놓은 작은 가족 사진 액자다. 활짝 웃고 있는 이재경, 이영민, 그리고 차경희. 차경희, 웃는 듯 우는 듯 알 수 없는 표정을 잠시 짓다가 책상 서랍을 여는데, 권총이 들어 있다.

차경희　　(나지막이) …영민아.

S#53. 법무부장관 부속실/장관실 (낮)

강요한, 손목에 찬 시계를 힐끔 보는데, 갑자기 탕! 천둥 같은 총소리가 장관실 안에서 들린다! 전혀 예상치 못한 강요한, 경악한 표정으로 장관실로 뛰어들어간다. 마치 차경희의 마지막 시선에 비친 모습인 양, 경악하며 장관실로 달려들어오는 강요한과 김가온의 놀란 얼굴이 툭툭, 끊어지며 보인다. 차경희의 시선 한가운데에는 가족 사진이 놓여 있고, 그중에서도 이영민의 모습이 클로즈업되다가, 암전. 그리고 암흑 위로 떠오르는 타이틀. **악. 마. 판. 사.**

12부

네가 외로웠으면 좋겠어

S#1. 법무부장관실 (밤)

의자에서 넘어지면서 바닥에 쓰러져 숨을 거둔 차경희. 주변에 피가 튀어 있다. 김가온, 충격받은 표정으로 차경희에게 다가가 주저앉아 숨이 남았는지 살피고는, 강요한을 보며 고개를 절레절레 젓는다. 망연자실한 강요한. 충격받은 표정으로 멍하니 서 있다. 김가온도 서서 잠시 멍하다가 정신을 차린다.

김가온 우선 파일부터 확보해야 됩니다!

강요한 (여전히 멍하다)

김가온, 그런 강요한을 보더니 결심한 듯 다시 주저앉아 차경희의 옷 주머니를 뒤진다. 윤수현, 장관실에서 난 총소리를 듣고 놀라 권총을 꺼내들고는, 장관실 문을 박차고 들어가니 한 사내의 뒷모습(강요한)만 보인다. 윤수현, 사내에게 권총을 겨눈다.

윤수현	손 들고 뒤로 물러서! (강요한임을 알고는 파랗게 질린 채) 강요한?
강요한	(굳은 표정으로 서 있다)
김가온	(청천벽력 같은 윤수현의 목소리에 얼어붙어버린다)
윤수현	(차경희 앞쪽에서 뒤돌아 주저앉은 채 얼어붙은 김가온을 향해, 누구인지 모른 채) 거기, 뭐해! 빨리 일어나! (책상에 가려 김가온 뒷모습 일부분만 보인다)

김가온, 서서히 일어나 참담한 표정으로 돌아서는데, 손에 차경희 옷을 뒤질 때 묻은 피가 묻어 있다. 윤수현, 경악한다! 윤수현, 김가온이 강요한 곁에서 어둠의 세계로 빠져드는 것 같아 늘 두려웠는데, 그 공포가 눈앞에서 실현된 것 같다. 살인범처럼 손에 피를 묻힌 채 시신을 뒤지던, 상상할 수도 없던 김가온의 모습에 하늘이 무너져내리는 것만 같다.

윤수현	가온아! (충격으로 무너지는 표정이다) 너 지금 뭐하는 거야?
김가온	(말이 제대로 안 나온다) 어, 그게……
윤수현	(미쳐버릴 것만 같다) 뭐하는 거야…… 니가 여기 왜 있냐고!
김가온	(넋이 나간 듯) 수현아, 그게, 그게…… (세상이 무너지듯 아득하다. 뭐라고 해야 할지 말문이 막힌다. 다리에 힘이 빠져 뒤로 휘청하다가 피 묻은 손으로 책상을 짚는다)

권총을 겨눈 채 망연자실한 윤수현과 멍하니 서 있는 김가온.

강요한	(침착을 되찾고) 자살한 거야. 우린 차경희 죄를 추궁하러 왔다가 발견했을 뿐이고.
윤수현	(고개를 휙 돌려 매섭게 노려본다)

강요한   …우릴 체포할 건가?

윤수현, 고통스러운 표정으로 김가온을 바라본다. 형사의 눈으로 보면
타살이 의심스러운 현장이다. 윤수현, 자살이라는 강요한의 말을 믿을
순 없지만 죽어도 자기 손으로 김가온을 살인범으로 체포하지는 못하
겠다. 그 짧은 순간, 형사 윤수현과 인간 윤수현이 치열하게 싸운다. 괴
로워하는 윤수현. 결국, 강요한의 가슴에 겨누었던 총구를 내리더니,
고개를 떨군다.

윤수현   (고개를 떨군 채 나지막이) 가버려.
김가온   (괴로워하며) 수현아.
윤수현   (고개를 드는데 깊은 눈에 눈물이 맺혀 있다. 억장이 무너지는 고통스러
          운 목소리로 감정을 억누르며) 가라고.
김가온   (고통스러운 표정으로 윤수현에게 다가가려 한다)

강요한, 김가온을 붙잡으며 고개를 젓는다. 그러고는 김가온을 억지로
질질 끌며 밖으로 나간다. 김가온, 어쩔 수 없이 끌려나가며 뒤를 돌아
본다. 윤수현이 차경희가 죽은 방안에 넋 나간 사람처럼 멍하니 서 있
다. 강요한, 마치 윤수현과 김가온 사이를 닫아버리듯 문을 쾅 닫아버
리고 나간다. 김가온이 나가자 다리에 힘이 빠진 듯 휘청하는 윤수현.
지금 이 순간, 원칙과 절차를 지키던 경찰 윤수현은 죽었다. 살인이 의
심스러운 현장에서 사랑하는 사람을 지키기 위해 원칙을 저버리고 용
의자들을 보내버렸다. 돌이킬 수 없는 강을 건너버린 듯한 윤수현, 절
망 속에 터져나오려는 눈물을 꾹 참으며 핸드폰을 들어 경찰청으로 전
화를 건다.

윤수현 (죽을힘을 다해 감정을 억누르며) 차경희 장관이 집무실에서 자살했습니다. …네. 현장은 제가 보존하고 있을 테니 지원 바랍니다.

윤수현, 전화를 끊더니 김가온이 피 묻은 손으로 짚었던 책상에 난 손자국을 본다. 김가온의 핏빛 손자국이 마치 악마의 손자국처럼 보인다. 윤수현, 이를 악물고는 주머니에서 손수건을 꺼내 김가온의 손자국을 힘주어 닦는다. 더이상 참지 못하고 눈물을 흘린다. 김가온을 위해 증거를 인멸할 수밖에 없는 상황이다. 김가온의 손자국을 힘주어 지우는 윤수현의 참담한 표정.

S#2. 청와대 (밤)

복도를 걷다가 전화를 받는 허중세.

허중세 뭐야? 차경희가 죽었어? (눈빛이 번뜩하더니) 당장 장관실로 사람 보내! 분명 몸 가까운 데 뒀을 거야. 샅샅이 뒤져. 알았어?

S#3. 강요한의 차 안 (밤)

강요한, 굳은 표정으로 운전중이다. 넋이 나간 듯 멍하니 있는 김가온.

김가온 (괴로운 듯 눈을 질끈 감으며 나지막이) 수현아.

어둠 속을 달려가는 자동차.

S#4. 강요한의 저택, 서재 (밤)

굳은 표정으로 뉴스 속보를 보고 있는 강요한. 중간에 김가온이 들어온다. 김가온, 제정신이 아니다.

아나운서(E) 구속영장 청구를 목전에 두고 있던 차경희 법무부장관이 집무실에서 숨진 채 발견되었습니다. 차장관을 면담 조사하기 위해 방문했던 광수대 소속 형사가 현장을 최초 발견했는데요. 고인이 스스로 극단적 선택을 한 것이 명백하고 다른 의심할 만한 정황은 없었던 것으로 보입니다.

김가온 (비참한 마음에 자기도 모르게 공격적으로 말이 튀어나온다) 이제 안심되십니까?

강요한 (쏘아보며) 김가온!

김가온 (정신을 차리며) …죄송합니다. 부장님 잘못도 아닌데. (감정이 북받치며) 하필 수현이가 거기 왜…… (눈물을 흘린다)

강요한 …힘들겠지만, 이미 일어난 일이야. 잊어버려.

김가온 (눈빛이 번뜩이며) 잊어버리라고요?!

강요한 잊어버리라고. 다음 일을 생각해. 일단 계획은 실패야. 차경희가 수집한 파일은 허중세 손에 들어갔을 거고.

김가온 (강요한의 냉정함에 소름이 끼친다. 말없이 강요한을 본다)

S#5. 청와대 (밤)

히죽 웃고 있는 허중세. 책상 위에 장관실에서 가져온 재떨이가 놓여 있는데, 차경희가 자살 직전에 피우던 시가가 반쯤 탄 채 담뱃재와 함께 재떨이에 있다. 허중세, 핀셋으로 시가를 헤집어 뭔가를 꺼내는데, 불에 그은 작은 메모리칩이다.

허중세 (안쓰러운 듯한 표정으로) 거 담배는 건강에 참 해로운데 말야, 왜 그렇게 피워대셨나 몰라. 에이 참, 산다는 게 뭔지. (씨익 웃는다)

S#6. 경찰청 앞 (낮)

무거운 표정으로 경찰청에서 나오는 윤수현. 정문 밖으로 나오다가 흠칫 놀란다. 벽에 기댄 채 기다리고 있는 김가온.

김가온 수현아.
윤수현 (굳은 표정으로 김가온을 지나쳐 성큼성큼 걸어간다)
김가온 (쫓아가며 애타게) 수현아!

S#7. 골목 안 (낮)

굳은 표정으로 앞서가는 윤수현을 애타게 쫓는 김가온.

김가온	수현아, 제발!
윤수현	(굳은 표정으로 모른 척 걷는다)
김가온	윤수현! (윤수현의 팔을 붙잡는다)
윤수현	(순간 거세게 팔을 뿌리치더니, 뒤로 돌아 김가온의 뺨을 후려친다!)
김가온	(뺨을 맞고는 윤수현을 본다)
윤수현	(무섭게 김가온을 쏘아보며 멱살을 움켜쥔다) 내가 너 땜에 무슨 일을 했는지 알아?! 증거를 인멸했어!
김가온	(말문이 막힌다. 눈물을 흘리며) 수현아……
윤수현	(차오르는 눈물을 억지로 참으며) 니가 어떻게 나한테 그런 꼴을 보여! 니가 어떻게 나한테……
김가온	(눈물을 흘리며 그저) 미안해, 미안해……
윤수현	너, 강요한하고 도대체 무슨 짓을 하고 다니는 거야?!
김가온	(말문이 막힌다)
윤수현	(김가온을 쏘아보더니 멱살을 탁 놓으며) 다신 내 앞에 나타나지 마.

휙 돌아 성큼성큼 걸어가버리는 윤수현. 차마 잡지 못한 채 멍하니 보고만 있는 김가온.

S#8. 강요한 부장판사실/재단 이사장실 (낮)

강요한이 걸려온 전화를 받는다. 정선아다.

정선아	(미소 지으며) 도련님 축하해. 원하는 대로 차경희가 제거됐네?
강요한	(속내를 감추고 싱긋 웃으며) 그래. 수고 많았어. 네 덕분이야.

정선아	와, 내가 도련님한테서 감사 인사를 다 듣네? (생긋 웃는다)
강요한	(피식 웃는다)
정선아	자, 이제부터 시작이야. 차기 대권 후보가 없어졌으니 재단 아재들은 대체자를 찾을 거야. 나한테 맡겨둬. 어차피 이렇게 된 거, 강요한을 밀자. (생긋 웃으며) 내가 다 만들어놓을게.
강요한	(싱긋 웃으며) 그래. 이참에 아예 날 재단 이사로 만들어주는 게 어때? …꿈터전 사업에도 참여하고 싶은데.
정선아	어머? 욕심은. (생긋 웃으며) 서두르지 마. 차근차근.

강요한이 전화를 끊고 잠시 생각하다가 K에게 전화를 건다.

강요한	김가온을 찾아.
K(F)	네?
강요한	지금 제정신이 아닐 거야. 찾아서 데리고 와. 엉뚱한 짓 하기 전에.
K(F)	알겠습니다.
강요한	(창밖을 보며 생각에 잠긴다)

S#9. 대법원 주차장 안 (밤)

서류 가방을 들고 퇴근하는 강요한, 자신의 차 쪽으로 가서 차문을 연다.

윤수현(E)	퇴근하십니까?
강요한	(힐끗 뒤돌아본다)
윤수현	(기둥 옆에 앉았다 일어나 차갑게 강요한을 보며) 퇴근이 늦으셨네요.

강요한	…무슨 용건입니까.
윤수현	(매섭게 노려본다)
강요한	차경희 건은 다 정리된 거 아닌가? 윤경위 손으로, 깨끗이.
윤수현	(분노에 찬 눈으로 강요한을 노려보다가 고통스러운 표정으로) 여기서 멈추십쇼.
강요한	(윤수현을 쳐다본다)
윤수현	…여기서 멈추지 않으면, 당신을 체포할 겁니다. 내 손으로.
강요한	(차갑게 피식 웃으며) 그러든지. (돌아선다)
윤수현	(결국 진심이 터져나온다) 제발 가온이를 가만둬요!
강요한	(다시 돌아본다)
윤수현	(곧 무너질 듯한 눈빛으로) 제발 걔를, 가온이를 더이상은…… (말을 잇지 못한다)

강요한, 아까와는 다른 깊은 눈빛으로 보다가 돌아선다. 차에 올라타고 떠나는 강요한과 멍하니 서 있는 윤수현.

S#10. 포장마차 (밤)

허름한 포장마차에서 혼자 소주잔을 기울이고 있는 김가온. 두 가지 기억이 김가온의 머릿속에서 떠나질 않는다.

플래시백 >

김가온, 눈빛을 번뜩이며 주머니에서 잭나이프를 꺼내들고 도영춘 쪽으로 돌진하는데, 누군가 옆에서 튀어나와 김가온의 앞을 가로막는다. 놀라 쳐다보는 김가온. 윤수현이다. 얼른 밑을 내려다보자 윤수현이 필사적으로 잭나이프 칼날을 두 손으로 움켜쥔 채 남들의 눈에 띄지 않게 온몸으로 막고 있다. 윤수현의 손에서 피가 뚝뚝 떨어진다.

플래시백 >

윤수현   (차경희 앞쪽에서 뒤돌아 주저앉은 채 얼어붙은 김가온을 향해, 누구인지 모른 채) 거기, 뭐해! 빨리 일어나! (책상에 가려 김가온 뒷모습 일부분만 보인다)

     김가온, 서서히 일어나 참담한 표정으로 돌아서는데, 손에 차경희 옷을 뒤질 때 묻은 피가 묻어 있다. 윤수현, 경악한다!

윤수현   가온아! (충격으로 무너지는 표정이다) 너 지금 뭐하는 거야?

     괴로워 얼굴을 찡그리며 술잔을 드는 김가온, 그런데 옆자리, 만취한 취객들이 김가온을 알아보고는 힐끗댄다.

취객1   어? 잠깐만. TV 나오는 그 젊은 판사 아냐?
취객2   (비틀거리며 일어서더니 김가온에게 온다) 맞네. 어우, 실물이 더 잘생기셨네. (김가온의 어깨에 손을 올리며 셀카를 찍으려든다) 셀카 한 장 괜찮죠?
김가온   (얼굴 굳으며 손을 뿌리친다) 자리로 가십쇼.
취객2   에이, 그러지 말고~ (또 팔을 올리며 셀카를 찍으려든다)

취객1	(김가온 맞은편에 와 앉으며) 방송 잘 보고 있어요~ 팬이라니까 그러네.
김가온	(취객2의 팔을 다시 뿌리치며 매섭게 노려본다) 에이, 진짜!
K	김판사님.
김가온	(어느새 옆으로 다가온 K를 본다)
K	…그만 일어서시죠. 취하셨습니다.
김가온	(K를 잠시 바라보다가 굳은 표정으로 일어선다)

취객들 뒤에서 투덜거린다.

-거 되게 비싸게 구네.

-판사면 다야?

-국민이 주인인데 어디 주인 앞에서.

S#11. 커피숍 (밤)

괴로운 표정으로 홀로 앉아 있다가 들어오는 민정호를 보자 애써 웃으며 일어나 맞는 윤수현.

윤수현	오셨어요!
민정호	(빙긋 웃으며) 어이구, 웬일이냐. 우리 수현이가 날 다 불러주고. (자리에 앉는다)
윤수현	(미소 지으며 앉는다)
민정호	(윤수현의 얼굴을 보자마자 눈빛 깊어지며) 너, 무슨 일이 있는 게로구나.

윤수현	(빙 둘러가며 김가온 일을 상의하려 했는데 덜컥 속내를 들켜 말문이 막힌다)
민정호	(안쓰러운 듯 윤수현을 바라보며) 혹시, 가온이 일이냐.
윤수현	(참으려 해도 그만 눈물이 맺히고 만다. 고개를 떨군다)
민정호	(가만히 윤수현을 본다)

S#12. K의 차 안 (밤)

운전하고 있는 K, 옆에 앉은 김가온.

김가온	부장님이 데려오라고 시킨 겁니까? 사고라도 칠까봐?
K	…기분 나쁘셨으면 죄송합니다.
김가온	(정중하게 나오니 좀 미안해진다) 아닙니다.
K	(묵묵히 운전한다)
김가온	(K를 물끄러미 보다가 조심스레) 차경희가 결국 죗값을 치렀네요. 자기 손으로.
K	(무덤덤하게) 글쎄요, 전 아무 느낌이 없네요.
김가온	(의외의 반응에 K를 본다)
K	…아무 느낌이 없는 게, 그게 더 놀랍긴 합니다. 복수만 생각하면서 살았는데. (표정 어두워진다) 정작 이루어지니까 허무하네요.
김가온	(허무함만 남은 듯한 K의 얼굴을 가만히 본다)
K	(어두운 표정으로 김가온을 보고는) 김판사님.
김가온	네?
K	주제넘은 말씀입니다만, 너무 깊이 관여하지 마십시오.

김가온	그게 무슨 말입니까.
K	…전 아무것도 잃을 게 없는 사람이지만, 판사님은 다르지 않습니까.
김가온	(흠칫한다)
K	…강판사님 곁에 있으면, 결국 모든 걸 잃게 될 겁니다. 자기 자신까지.

김가온, 놀란 표정으로 K를 본다. 체념한 듯 우울한 듯 알 수 없는 K의 표정.

S#13. 강요한의 저택, 서재 (밤)

책상 앞에 앉아 『파우스트』를 읽고 있는 강요한. 김가온이 서재로 들어온다.

강요한	(책을 덮으며) 왔나?
김가온	…네.
강요한	윤수현을 찾아갔다며?
김가온	(흠칫 놀라 쏘아보며) 절 감시하시는 겁니까?
강요한	이렇게 보는 눈이 많은 시기에, 윤수현을 찾아가? 제정신이야?
김가온	(반항적인 눈빛으로) 왜요? 부장님 계획을 불기라도 했을까봐 겁나십니까?
강요한	(강한 눈빛으로 쏘아보며) 지금 이 싸움이 다 장난 같나?!
김가온	(흠칫한다)

강요한	모든 걸 다 걸어도 죽느냐 사느냐야. 언제까지 니 소꿉장난에 장단을 맞춰줘야 되지?
김가온	저도 다 걸었습니다! 제가 무슨 심정으로 부장님을 돕고 있는지 알기나 하는 겁니까?!
강요한	(김가온을 가만히 본다)
김가온	(괴로워하며) 눈앞에 사람이 죽어 넘어진 걸 보고도 젤 처음 든 생각이, 빨리 파일 찾아야 하는데, 였습니다. 도대체 내가 무슨 괴물이 되어가는 건지……
강요한	(김가온을 가만히 보다가 어깨에 손을 얹으며) 힘들겠지만, 어쩔 수 없다. 어떤 놈들을 상대하고 있는 건지 알잖아. 이제 더 기세등등해질 거다. 무슨 짓을 벌일지 몰라.
김가온	(착잡하다)
강요한	(김가온을 보다가) 니 소꿉친구는 위험요소다.
김가온	……!
강요한	오늘도 날 찾아왔어. 멈추지 않으면 날 체포하겠다면서.
김가온	(굳은 표정으로 침묵한다)
강요한	세상을 구하고 싶다면.
김가온	(강요한을 본다)
강요한	(김가온을 강하게 응시하며) 윤수현을 니 인생에서 끊어내라.
김가온	……!
강요한	날 도우면서 동시에 그 친구와 함께할 수는 없어.
김가온	(말없이 강요한을 응시하며 한참을 서 있다가) 제게는 수현이가, (단호한 눈빛으로) 세상입니다.
강요한	(표정이 굳는다)

김가온, 강요한에게서 등을 돌리고 뚜벅뚜벅 걸어나간다. 강요한, 가만히 김가온을 응시한다.

S#14. 강요한의 저택, 서재 밖 복도 (밤)

굳은 표정으로 서재에서 나오던 김가온, 흠칫한다. 휠체어에 앉은 채 무릎 위에 고양이를 둔 엘리야가 있다. 엘리야, 불안한 눈빛으로 김가온을 본다. 김가온, 말없이 엘리야를 스쳐지나간다. 바라보는 엘리야.

S#15. 강요한의 저택, 김가온의 방 (밤)

김가온, 주섬주섬 자기 옷가지를 꺼내 배낭에 넣고 있다. 문을 열고 들어오는 엘리야. 뚱한 표정으로 전동 휠체어 핸들을 왔다갔다한다.

김가온   (쓸쓸한 미소를 지으며) 왔어?
엘리야   …요한이랑 싸웠어?

고양이, 폴짝 내려와 김가온에게 가서 짐 싸는 것을 방해한다.

김가온   (고양이의 방해를 피해 짐을 싸면서) 그런 거 아니야.
엘리야   그럼 집은 왜 나가는데?
김가온   언제까지고 여기에 있을 수는 없잖아. 나도 내 집이 있는데.
엘리야   그래도 너무 갑작스럽잖아.

김가온	(옅은 미소를 짓는다)
엘리야	(덤덤한 표정 유지하려 애쓰며) 뭐, 상관은 없는데, 누군가 보복하려들지도 모르잖아. 죽창 부하나 뭐 그런 놈들. 이 집이 안전하긴 할 거야. 강요한이 켕기는 데가 많은지 거의 요새급으로 보안을 해놨거든. 온통 CCTV에 경보장치에……
김가온	(가만히) 엘리야.
엘리야	(흠칫한다)
김가온	(안타까운 눈빛으로) 미안하다. 끝까지 같이 있어주지 못해서. 미안해. 정말. (눈물이 슬쩍 맺히는 것 같아 시선을 돌린다)
엘리야	(눈빛이 흔들리며) 정말 갈 거야?
김가온	(가만히 보다가 고개를 살짝 끄덕인다)
엘리야	(입술을 깨문다)
김가온	(갸르릉거리는 고양이를 쓰다듬어주고, 엘리야를 가만히 보며) 종종 우리집에 놀러 올래? 맛있는 거 해줄게.
엘리야	(폭발하며) 이 꼴로 어딜 가!

엘리야, 휠체어 버튼을 눌러 획 방을 빠져나간다. 쾅 닫히는 문을 바라보는 김가온. 고양이도 놀라 쳐다본다.

S#16. 강요한의 저택, 정원 (밤)

배낭을 메고 널찍한 정원을 걸어나오던 김가온, 뒤로 돌아 강요한의 침실 쪽을 본다. 불 꺼져 어두운 저택, 아직도 불이 켜져 있는 강요한의 침실. 김가온, 생각에 잠긴다.

플래시백 >

강요한, 천천히 셔츠 단추를 풀더니 뒤로 돌아 셔츠를 벗는다. 등 한가운데 남아 있는 십자가 모양의 끔찍한 흉터.

플래시백 >

고풍스럽고 커다란 침대에서 고통스러운 표정으로 신음하고 있는 강요한. 악몽에 시달리고 있다. 이마에 진땀이 맺혀 있고 몸을 뒤틀고 있다.

김가온, 안타까운 표정으로 저택을 바라본다.

김가온(N) 나는 신을 믿지 않지만, 그 밤만은, 누구에게인지 모를 기도를 했다. 부디 이 집에 있는 모든 이들에게, 눈물도, 악몽도 없는 평안한 잠이 허락되기를.

나무가 울창한 정원에서 간절한 눈빛으로 홀로 서 있는 김가온과 웅장하지만 을씨년스러운 저택, 그리고 깊은 밤에도 악몽이 두려워 불을 끄지 못하는 강요한. 한숨을 쉬고는 저택을 나가는 김가온.

S#17. 강요한의 저택, 강요한의 침실 (밤)

창가에 멍하니 서 있다가 커튼을 탁 치고 무표정하게 돌아서는 강요한. 문가에 엘리야가 매서운 눈빛으로 쏘아보고 있다.

엘리야	왜 보냈어?
강요한	…지 발로 간 거다. 자기 선택이야.
엘리야	이 집에 있는 게 안전하고 좋잖아! 왜 보냈어! 위험한 일만 잔뜩 시켜놓고!
강요한	니가 언제부터 그렇게 남을 걱정했지?
엘리야	그래도 한 번 더 붙잡아……
강요한	(O.L.) 걘 니 아빠가 아니야.
엘리야	(표정이 일그러진다) 뭐?
강요한	들었잖아. 니 아빠 아니라고.
엘리야	……
강요한	상처받을 거다. 착각하면.
엘리야	(폭발하며) 내가 상처받든 말든! 요한이 언제부터 상관했다구 난리야!
강요한	엘리야.
엘리야	(강요한을 노려보며 저주하듯) 죽어버려!

획 돌아 나가는 엘리야. 후우, 한숨 쉬는 강요한.

S#18. 강요한의 저택, 엘리야의 방문 밖 (밤)

강요한	(문을 노크하며) 엘리야, 내가 말이 지나쳤다.
엘리야(E)	집어치워!
강요한	엘리야.
엘리야(E)	…왜 안 하던 짓을 하고 그래. 강요한은 사과 따위 안 하잖아.

강요한	……
엘리야(E)	(살짝 울음이 섞인 듯 가냘픈 소리로) 그냥 하던 대로 해. 꺼져줄래?
강요한	(방문을 쳐다보다가 쓸쓸히 돌아선다)

S#19. 강요한의 저택, 엘리야의 방 (밤)

방구석에 흰 천으로 뭔가를 덮어놓았다. 천을 벗기고는 가만히 바라보던 엘리야, 휠체어를 돌려 침대 옆으로 간다. 휠체어를 침대 바로 옆으로 붙이고는 두 팔로 침대를 짚고 하나, 둘, 셋, 힘껏 힘을 주어 훌쩍 침대 위로 올라간다. 인형처럼 덜렁거리는 다리를 끌어 침대 위에 가지런히 놓고는, 이불을 끌어 몸을 덮는다. 조용히 눈을 감는 엘리야. 엘리야가 보던 방 한구석에는 미완성한 유화가 놓인 이젤이 있다. 웃고 있는 김가온의 초상이다.

S#20. 청와대 별실 (낮)

만면에 웃음을 띤 허중세, 박두만, 민용식, 정선아. 샴페인잔을 들고 있다. 탁자에 고급 식탁보가 깔려 있고 안주도 놓여 있다.

허중세	자, 우리 차장관님의 명복을 빌며, 건배~

건배하는 재단 인사들.

허중세	(정선아를 보고 싱긋 웃으며) 이번에 정이사장이 고생 많이 했어. 차경희 그 여자, 무슨 폭주기관차같이 날뛰어서 골치깨나 아팠는데 말야.
정선아	(미소 지으며) 제 할일인데요 뭘. 재단에 대한 위협을 놔둘 수가 있나요.
박두만	(싱글벙글 웃으며) 어우, 난 그 언니 레이저 눈빛만 보면, (명치 쪽을 어루만지며) 이 명치 끝이 꽉~ 막혀오는 게 그냥, 죽겠더라고.
민용식	박회장, 이제 아주 속이 뻥~ 뚫렸겠어?
박두만	돈도 좋고 권력도 좋지만, 사람이 좀 사람같이 살아야지, 남 약점이나 잡고, 협박하고. 그러니 끝이 좋을 리가 있어?
민용식	(실실 웃으며) 뭔 약점이 그렇게 많으시길래 그렇게 벌벌 떨었나 몰라? 우리 박회장.
박두만	(발끈하며) 지는 뭘 그리 당당하다고! 당신 도미니카 국적 취득 알아보고 있는 거 모를 줄 알아?
민용식	그래, 니는 이미 시민권자라 좋겠다. 좋겠어!
허중세	신들 났네, 신들 났어. (비웃듯 흘겨보고는) 설레발들 떨지 마. 아직 상황 끝 아냐. (정선아를 보며) 정이사장? 이제 다음 할일도 해야지?
정선아	네?
허중세	(히죽 웃으며) 재단에 대한 위협, 아직 남았잖어. 강요한.
박두만	맞아! 우리가 호랭이 새끼를 키워놓은 거야, 완전.
정선아	(멈칫했다가) 제거하기보다, 끌어들이는 게 안전할 겁니다. 너무 커버렸어요.
허중세	…어떻게 끌어들인다는 거지?
정선아	야심 있는 인물입니다. 이미 속내를 드러낸 적이 있잖습니까.

플래시백 > 4부 24신, 재단 연회장.

강요한   (O.L.) 꼭 차경희라야 되는 겁니까?

순간 정적이 흐른다. 김가온도 놀라 강요한을 쳐다본다.

민용식   (당황하며) 어, 아니 그게 무슨……
강요한   다들 아시잖습니까. 차경희는 적도 많고 흠도 많은 사람입니다.
          여러분들 재산을 지켜줄 사람이 꼭 차경희여야 되는 겁니까? (좌
          중을 둘러본다)

정선아   어차피 차경희도 없어졌습니다. 차기만 보장해주면 강요한은 아
          주 든든한.
허중세   (O.L.) 차기가 꼭 있어야 돼?
정선아   (놀라 허중세를 보며) 대통령님, 외람됩니다만, 차기 대선이 2년밖
          에……
허중세   (O.L.) 대선은 꼭 있어야 되나? (히죽 웃는다)
정선아   ……!

정선아, 주변을 살핀다. 폭탄 발언에도 불구하고 태연한 박두만과 민용
식, 씨익 웃으며 시선을 교환한다. 이자들이 내가 모르는 모의를 했구
나, 눈치채는 정선아.

박두만   위기시에는 민주주의라는 게 사치이긴 합니다. 허허허허.
정선아   위기라고 하시면……

허중세	왜? 위기가 부족해? 부족하면 만들어주면 되잖어. 화끈하게. (히죽 웃는다)
정선아	……!
허중세	실망이야. 정이사장. 차기를 보장해줘? 그런 새끼한테?
정선아	…대통령님, 그래도 강요한은 이용 가치가 있으니 제거하기보다.
허중세	(히죽 웃으며) 걔랑 잤어?
정선아	(허중세를 노려보며) 무슨 그런 말씀을!
허중세	(유들유들하게) 에이, 농담이야, 농담. 그러게 왜 그렇게 감싸고 들어? 정이사장답지 않게.
정선아	(굳은 표정으로 허중세를 본다)
허중세	(정선아를 빤히 보며) 차경희가 죽기 직전에 여기 쳐들어와서 뭐라 그랬는지 알어?
정선아	…뭐라고 했습니까.
허중세	안 도와주면 그동안 재단이 해온 일 일체를 강요한한테 넘기겠다고 했어. 강요한이 그걸 요구하고 있었던 거라고. 차경희한테.
정선아	……!
허중세	강요한은 우릴 통째로 날려버리려고 한 거야. (정선아를 응시하며) 당신도 포함해서. 알아?
정선아	(표정이 일그러진다)
허중세	(비웃듯 보며) 이용당하고 있는 줄도 모르고 무슨 지원단장을 하네 어쩌네…… 아, 정신 좀 차려! 무슨 남자에 홀려 눈 뒤집힌 여자같이 굴지 말고!
정선아	(굴욕감과 분노로 얼굴이 파래진다)

S#21. 민정호 대법관실 (낮)

노크하고 들어오는 강요한. 심각한 표정으로 소파에 앉아 있는 민정호.

강요한   부르셨습니까, 대법관님.

민정호   (말없이 강요한을 노려본다)

강요한   (마주 앉으며) 무슨 용건이신지.

민정호   (분노를 참지 못하며) 가온이한테 도대체 무슨 짓을 시키고 있는
건가!

강요한   (표정이 굳는다)

민정호   (무섭게 노려보며) 그 아이가 어떻게 살아온 앤데…… 그 생지옥을
어떻게 견뎌서 여기까지 온 앤데!

강요한   …지옥은 누구한테나 있습니다, 대법관님. 그 친구는 아이가 아
니고요.

민정호   (쏘아보다가) 내 가만있지 않을 걸세. 이 일을 어떻게든 파헤쳐
서!

강요한   (O.L.) 파헤치시면, (차갑게 민정호를 바라보며) 김가온, 그 친구도
다칠 텐데요. …범죄니까.

민정호   (눈빛이 흔들린다)

강요한   (그런 민정호를 보며) 자세한 내용까진 못 들으셨군요. 그 친구한
테 직접 들으신 겁니까?

민정호   (충격받은 표정을 짓는다)

강요한   (피식 웃으며) 윤수현한테 들은 모양이군요. 뭐라고 하던가요.

민정호   …가온이한테 위험한 일을 시키고 있는 것 같다, 이렇게만 말하
던데, 그 정도가 아니었나보군…… 범죄? 범죄라고?

강요한	그 친구한테 위험한 일을 시키신 건, 대법관님입니다. …저한테 보내셨지 않습니까.
민정호	(분노하며) 자네는 뭐가 그렇게 당당하지?! 어떻게 그렇게 뻔뻔해! 자기가 하는 일이 다 정의라고 확신하고 있는 건가?
강요한	…전 제가 정의라고 착각한 적은 없습니다. 그저 선택을 하고 있을 뿐이지요. (묘하게 쓸쓸한 눈빛으로) 제겐 처음부터 선택지가 그렇게 많진 못했습니다. 그저 모든 걸 받아들이거나, 모든 것과 싸우거나.
민정호	(굳은 표정으로 강요한을 응시한다)
강요한	그 친구도 스스로 선택한 겁니다. 계속하든 멈추든 그것 역시 스스로 선택하겠지요.
민정호	모든 것과 싸운다…… 자네는 괴물 같은 세상과 싸우고 있다고 생각하는 모양인데, (강요한을 응시하며) 심연을 오래 들여다보고 있으면, 심연 역시 자네를 들여다보게 되는 거야. 멈춰야 돼. 자네는 세상을 망치고 있어. (단호한 눈빛)
강요한	(민정호를 가만히 응시하다가) 오해하시는 것 같네요. …제가 심연입니다. 대법관님.
민정호	(굳은 표정으로 강요한을 바라본다)

이미 자기 안의 깊은 어둠을 잘 알고 있기에, 더욱 위험해 보이는 강요한의 눈빛.

S#22. 대법원 복도 (낮)

긴 복도를 혼자 걷고 있는 강요한. 핸드폰을 꺼내 K에게 전화를 건다.

K(F)　　　네, 판사님.

강요한　　민정호를 감시해야 될 것 같아.

K(F)　　　네.

강요한　　그리고…… (멈칫했다가 무거운 어조로) 김가온도.

K(F)　　　(놀라며) 네?

강요한　　(표정이 굳는다)

K(F)　　　…알겠습니다, 판사님.

강요한, 전화를 끊는다. 어두운 표정으로 걸어가는 강요한.

S#23. 강요한의 저택 근처, 호숫가 도로 (밤)

운동복 차림으로 호숫가를 달리는 강요한. 땀에 젖은 채 묵묵히 달리고 있다. 얼핏 무심하게 일상적인 체력 단련을 하고 있는 것처럼 보이지만 가슴속은 예상치 못했을 만큼 소용돌이치고 있다. 김가온이 곁을 떠나고, 김가온에 대한 감시를 K에게 명령하기까지 이른 상황이 고통스럽다. 김가온이 생각 이상으로 자신에게 가족처럼 중요한 존재가 되어 있음을 깨닫는 강요한. 김가온과 함께한 순간들이 달리는 강요한의 뇌리를 스친다.

플래시백 > 5부 6신.

김가온	(강요한을 쳐다보다가) 그런데, 분노.

김가온　　　(강요한을 쳐다보다가) 그런데, 분노.

강요한　　　(순간 눈빛이 날카로워진다)

김가온　　　그건 이해합니다.

강요한　　　…이해한다고?

김가온　　　(눈빛이 담담하지만 깊어진다) 이 세상 아무도 이해 못해도, 전, 이해합니다. 그 감정만큼은.

강요한　　　(태연한 척하지만 순간 눈빛이 흔들린다)

플래시백 > 5부 22신.

냉장고 인공지능 스크린에 김가온 얼굴이 뜬다.

김가온　　　밥하고 찌개만 데워서 드시면 됩니다. 남기지 말고 다 드세요. (잠깐 망설이다가) 그래야 잠도 깊게 잘 수 있을 겁니다. (화면 사라진다)

플래시백 > 8부 48신.

강요한　　　(김가온을 물끄러미 보다가 무표정하게) 난 니가……

김가온　　　……

강요한　　　내 편이 되어주길 바랐다.

김가온　　　……!

강요한　　　만약, 필요했다면 그보다 더한 일을 해서라도. 바꿔치기든 뭐든.

| 김가온 | ······! |
| 강요한 | 그게 내 방식이니까. 그건 앞으로도 달라질 게 없어. |

단호한 눈빛의 강요한과, 그런 강요한을 쳐다보는 김가온.

강요한, 괴로운 표정으로 달리기를 멈추고는, 무릎을 짚은 채 거친 숨을 내쉰다. 하아, 하아.

S#24. 강요한의 저택, 주방 (밤)

지친 표정의 강요한. 운동복 차림으로 주방에 들어온다. 텅 빈 주방. 강요한, 슥 둘러보더니 찬장에서 컵라면을 꺼낸다.

지영옥(E)	(엄격한 말투로) 그런 걸로 끼니 때울 나이는 지나셨습니다.
강요한	(돌아보니 지영옥이 냄비를 들고 와 식탁에 놓고 있다) 그건 뭐야?
지영옥	(냄비 뚜껑을 열며) 가온 도련님이 해놓고 가신 겁니다. 제육볶음. (다른 음식도 차리며) 된장찌개.
강요한	(그렇게 떠나면서도 음식을 해놓고 간 김가온의 마음에 가슴이 쿵 내려앉는 것 같다. 가만히 음식을 보는데, 왠지 오늘만큼은 혼자 식사하고 싶지 않다. 애써 무심한 양) 맛있어 보이면 같이 먹든지.
지영옥	(생전 처음 듣는 강요한의 말에 놀라) 예에에?
강요한	(이런 반응을 예상한 듯 쓸쓸한 미소를 지으며) 농담이야.
지영옥	(강요한의 속도 모르고 어이없다는 표정으로 중얼중얼 혼잣말을 한다) 농담이라곤 생전 안 해본 사람이 그걸 농담이라고······ 나이를 먹

었나.

강요한　　(찌릿 노려본다)

지영옥　　네네, 갑니다. 가요. (나가다 말고 텅 빈 주방을 둘러보더니) 든 자리
　　　　　　는 몰라도 난 자리는 안다더니, 집이 텅 빈 거 같네.

강요한　　(묵묵히 식사중이다)

지영옥　　(강요한을 힐끗 보며 중얼거린다) 그러게 있을 때 좀 잘하지.

강요한　　(다시 지영옥을 째려본다)

지영옥　　(얼른 사라진다)

묵묵히 혼자 식사하던 강요한. 식사를 멈추고 주방을 둘러본다. 다 같
이 모여서 떠들며 식사하던 때를 어쩔 수 없이 떠올리고 마는 강요한.

S#25. 강요한의 회상, 강요한의 저택 주방 (밤)

강요한, 주방으로 들어서는데 김가온과 엘리야, 식탁에서 아웅다웅하
며 카드로 도둑잡기를 하고 있다. 픽 웃으며 주방 입구에 기대 둘의 모
습을 보는 강요한. 늘 얼음장 같던 엘리야가 아이 같은 표정으로 온통
김가온이 들고 있는 카드에만 집중하고 있다. 놀리듯 휘파람을 불며 엘
리야 앞에 카드를 내미는 김가온. 강요한이 주워온 길고양이도 야옹거
리며 김가온 곁을 맴돌고 있다. 이 집에서 본 적 없는 풍경이다. 원한과
증오, 의심만 가득했던 저주받은 이 집. 강요한, 만감이 교차한다. 점점
둘을 보는 표정이 따스해진다. 엘리야, 온통 집중해서 신중하게 김가온
이 들고 있는 카드 다섯 장 중 한 장을 뽑아내는데, 조커다.

엘리야   (울상을 지으며) 아 뭐야! 또?

김가온   이쯤 되면 인정하지? 넌 천직이 경찰이야. 어쩜 그렇게 도둑만 잘
         도 골라내니?

엘리야   (찌릿! 김가온을 노려본다) 죽는다! (김가온의 어깨를 퍽 친다)

김가온   (오만상을 찌푸리며 맞은 곳을 어루만진다) 어우, 아니다. 조폭이 낫
         겠다. 손에 살기가 있어. 여럿 잡겠어.

엘리야   야! 김가온!

강요한   (풋 웃는다)

일제히 돌아보는 김가온과 엘리야.

엘리야   왔어?

김가온   (웃으며) 왔어요?

강요한   (처음 보는 따뜻한 표정으로 둘을 가만히 보다가 불쑥) 인류 따위 멸망
         해도 좋아.

김가온   예?

강요한   (김가온과 엘리야를 보며) 너희들만 있다면.

순간, 스틸 사진처럼 강요한을 멍하니 쳐다보는 김가온과 엘리야. 그런
그들을 하염없이 바라보는 강요한.

엘리야   (몸서리치며) 뭐래! 갱년기야 진짜? 무슨 이상한 소리 하고 있
         어?!

김가온   (진지하게) 부장님, 사람이 안 하던 짓을 하면 어떻게 된다, 그런
         말이 있는데요……

| 강요한 | (씨익 웃더니) 나도 끼워주지? 이번엔 엘리야 용돈 걸고 할까? (둘에게로 간다) |
| 엘리야 | 좋지! 이번달 아주 풍족하겠네, 다 죽었어! |

소소하고 평범하지만 어쩌면 이들에게 다시는 없을지도 모를, 그런 행복한 모습이 앵글 안에서 점점 추억 속 장면처럼 빛이 바래간다. 배경음악도 점점 아련해진다.

S#26. 강요한의 저택, 주방 (밤)

착잡한 표정의 강요한이 수저를 내려놓고는 일어서 나간다.

S#27. 김가온의 집, 옥상 (밤)

김가온이 난간에 걸터앉아 윤수현에게 전화를 계속 걸고 있지만 받지 않는다. 전화를 끊고는 깊은 한숨을 쉬고 캔맥주를 들이마신다.

S#28. 강요한 부장판사실 (낮)

전화를 받고 있는 강요한.

| K(F) | 민정호 움직임이 심상치가 않습니다. 야당 의원, 그리고 기자들 |

을 차례로 만나고 있습니다.

강요한　…알았어. 잘 체크해. 이상한 기사 나오면 바로 반박 기사 낼 준비해두고.

K(F)　네. 그리고 이상한 일이 한 가지……

강요한　(O.L.) 혹시, 죽창?

K(F)　네? 알고 계셨습니까?

강요한　도주했나?

K(F)　전자발찌를 부수고 도주했는데 경찰도 검찰도 전혀 움직이지 않고 있습니다. 허중세 짓이 분명합니다.

강요한　이제 눈치볼 것도 없다, 이건가. 뭔가 큰일을 벌이려는 거야. 본격적으로. (표정이 굳는다)

S#29. 민정호 대법관실 (낮)

기자와 대화하고 있는 민정호. 심각한 표정이다.

기자　대법관님, 시기상조 아닐까요. 아직 충분한 증거도 확보하지 못했고……

민정호　유기자. 시기를 기다리기엔 이미 너무 늦었습니다. 되든 안 되든, 문제 제기라도 해봅시다. 최소한, 이 시대에 다른 목소리도 있었다는 것 하나만은 남겨야 되지 않겠습니까.

기자　…알겠습니다, 대법관님. 기자회견 자리, 마련하겠습니다.

깊은 한숨을 쉬는 민정호.

S#30. 성당 터 (낮)

과거 강이삭 부부가 화재로 죽은 성당 터. 여전히 흉물스럽게 잔해가 남아 있다. 그 앞에 서서 굳은 표정으로 여기저기 둘러보는 윤수현.

S#31. 성당 인근 마을 구멍가게 (낮)

가게 할머니, 활짝 웃으며 다가오는 윤수현을 알아본다.

할머니   에유, 또 왔어?

윤수현   네, 할머니. 이제 반가우시죠? 저 보면. (싱긋 웃는다)

할머니   (눈을 흘기며) 반갑긴! 불나고 사람 죽고 한 흉한 일을 뭘 그리 자꾸 묻고 그래. 징그럽게.

윤수현   (수첩을 꺼내 펼치는데 사람 이름 여럿에 죽죽 좌우로 줄을 그어 지운 흔적이 보인다) 할머니, 그때 그 성당에서 일했던 분들 제가 찾는다고 다 찾아봤는데요. (줄을 긋지 않은 마지막 이름 하나, '요셉'을 가리키며) 세례명인 것 같은데, 이분을 도저히 못 찾겠어요. 혹시 본명은 모르시나요? 어디로 이사 가셨는지라도……

할머니   글쎄…… (고개를 갸웃한다)

S#32. 기자회견장 (밤)

작은 레스토랑에 마련된 기자회견장. 기자들 앞에 앉아 준비한 성명서를 읽고 있는 민정호.

민정호 …강요한 판사는 이 나라를 광기와 폭력 속으로 몰고 가고 있습니다. 학생들이 약한 친구를 묶어놓고 때리는 태형 놀이를 하게 만들었고, 전 국민으로 하여금 디케 앱으로 피고인의 뒤를 쫓으며 인간 사냥을 하게 만들었습니다. 그가 하는 재판은 엄격한 증거와 신중한 절차가 아니라, 깜짝쇼 같은 폭로와 자극적인 선동에 의지하고 있습니다. (단호한 눈빛으로) 이것은 정의가 아닙니다. 인간 세상에 손쉬운 정의란 없습니다. 저는 대법관직을 걸고, 시범재판부를 해체할 것을 요구합니다. 강요한은, 물러나야 합니다!

S#33. 청와대 (밤)

TV로 민정호 회견을 보고 있는 허중세. 히죽 웃는다.

허중세 거, 아주 시의적절하네. 시의적절해. (집무실 전화기를 들더니) 어, 걔 좀 연락 좀 해봐. 할일이 하나 더 생겼어. (씨익 웃는다)

S#34. 대법원 앞 (낮)

기사가 운전하는 관용차로 출근중인 민정호. 강요한을 지지하는 시위대가 민정호의 차로 몰려들어 성난 표정으로 차창을 두드려댄다. '강요한 판사님을 지키자!' '민정호는 사퇴하라!' '민정호 구속!' '시범재판은 계속되어야 한다' 같은 구호가 적힌 피켓을 들고 있다. 굳은 표정으로 눈을 감는 민정호.

S#35. 민정호 대법관실 (낮)

겁먹은 표정의 보안 관리 대원, 민정호 앞에 서 있다.

대원   대법관님, 퇴근길에는 아무래도 경찰에 경호를 요청하셔야 될 것 같습니다. 분위기가 심상치 않습니다.

민정호   괜찮네. 나 하나 때문에 그럴 필요까지는 없어.

대원   대법관님, 그래도.

이때, 울리는 민정호의 핸드폰. 민정호, 전화를 받는데, 음성변조된 목소리다.

괴한(F)   민정호 대법관님?

민정호   (놀라며) 누구요. 어떻게 이 번호로.

괴한(F)   감히 우리 강요한 판사님을 모함해? 목숨이 아깝지 않은가보지?

민정호   (굳은 표정으로) 어디서 협박질이야!

괴한(F)   내 말이 우습게 들리나본데, 당신 처자식한테도 한번 물어볼게. 목숨이 아깝지 않은지.

민정호   (충격을 받아) 뭐라고!

괴한(F)   집이 아주 아담하시네. 청렴한 거야, 청렴한 척하는 거야? 응? 대법관님?

민정호, 충격받은 표정으로 앞뒤 가릴 것 없이 벌떡 일어나 대법관실을
뛰쳐나간다.

S#36. 민정호의 집 근처 (낮)

소박하고 아담한 단독주택(민정호의 집)이 보이는 주택가 골목길. 민정
호, 황급히 집 쪽으로 달려가며 통화중이다.

민정호   경찰은 아직입니까? 급하다니까!

이때 갑자기 옆 골목에서 튀어나온 마스크를 쓴 괴한이 쇠파이프로 민
정호를 내리친다! 쓰러지는 민정호. 괴한, 마스크를 내리더니 씨익 웃
는데, 죽창이다!

S#37. 대법원 복도 (낮)

충격받은 표정으로 복도를 뛰고 있는 김가온. 블루투스 이어폰으로 뉴
스 속보를 듣고 있다.

아나운서(E) 민정호 대법관이 강요한 판사의 광적인 지지자로 추정되는 인물
에게 피습을 당해 급히 병원으로 옮겨졌습니다. 민대법관은 어제
시법재판부 해체를 요구하는 기자회견을 한 뒤부터 이에 불만을
품은 사람들의 항의와 협박에 시달리고 있었는데요.

S#38. 청와대 브리핑 룸 (낮)

거드름을 피우며 기자들 앞에 선 허중세.

허중세   어, 이거 문명사회에서 있기 힘든 야만적인 일이 있어났습니다. 우선 민대법관님의 완쾌를 기원하고요. 특정 판사의 광적인 지지자들이 폭력까지 행사한다, 이거 말이나 되는 일입니까? 과연 강요한 판사한테 시범재판부 재판장을 계속 맡겨도 될지, 대법원에서 깊이 고민 좀 해주셔야겠습니다. 아니, 우리 대한민국에, 괜찮은 판사가 한 명만 있는 건 아니잖아요? 안 그래요? 허허허허허.

S#39. 민정호의 병실 앞 (낮)

경찰관이 경호하고 있는 민정호의 병실. 김가온, 그 앞에서 간호사에게 들여보내달라 요청하고 있다.

간호사   (곤란해하며) 다행히 중태는 아니지만, 그래도 안정을 취하셔야 됩니다. 지금은 곤란합니다. 판사님.

김가온   제겐 아버지 같은 분이십니다! 잠깐이라도 뵙게 해주십쇼!

간호사   (고민하다가) 한번 여쭤볼게요. 잠시만요. (병실로 들어간다)

기다리는 김가온. 잠시 후 간호사가 나오더니 고개를 끄덕한다.

김가온   고맙습니다. (병실로 들어간다)

S#40. 병실 안 (낮)

팔과 머리에 붕대를 감은 채 누워 있던 민정호, 찡그리며 몸을 일으킨다.

김가온   (얼른 부축하며) 그냥 누워 계세요!

민정호   왔냐, …지난번엔 다신 안 볼 것같이 가버리더니.

김가온   (눈물이 맺힌 채) 괜찮으신 거죠? 다행히 중태는 아니라고 하던데.

민정호   다 늙은 나야 아무려면 어떻겠냐마는, (눈빛이 매섭게 번쩍이며) 아무 죄 없는 내 처자식까지 괴롭히고 있다. 인터넷에 우리 식구들 신상을 털어서, 딸애가 회사 출근도 못하고 있어. (눈에 핏발이 서 있다. 평소와 달리 분노가 가득한 표정이다)

김가온   교수님……

민정호   강요한 이자가 이렇게까지 비열하게 나올 줄은 몰랐다. 어떻게 이런 짓을……!

김가온   (망설이며) 강요한이 지시한 건 아닐 거예요. 아무리 그래도 이런 일까지 저지를 사람은.

민정호   (O.L.) 아직도 그놈 편을 드는 게냐!

김가온   (입을 다문다)

민정호   그런 소리나 하러 온 거면, 돌아가라. 난 절대로 그자를 용서 못 한다. (매서운 눈빛이다)

김가온   (안타깝게 민정호를 바라본다)

S#41. 주차장 (낮)

인적 드문 건물 주차장. K가 혼자 차에 탄 채 누군가를 기다리고 있다. 조금 떨어진 곳에 세워둔 차에서 K를 감시하고 있는 재희. 조민성, 주변을 경계하며 K의 차에 탄다.

재희   (싱긋 웃으며) 빙고. (K와 조민성의 사진을 찍는다)

S#42. 정선아의 집 (밤)

위스키잔을 든 정선아 앞에 K와 조민성의 사진을 내려놓는 재희.

재희   (K를 가리키며) 이놈이야. 언니 뒤를 캐고 다니는 놈.

선아   …그래?

재희   오래전부터 강요한을 돕고 있는 놈이야. (조민성을 가리키며) 이 광수대 팀장을 이용해서 언니네 엄마 사건기록도 찾아냈고.

정선아   (무표정한 채 위스키를 조금 마신다)

재희   지금도 계속 언니 뒤를 캐고 있어. 언니 아버지 사건에, 서정학 건까지.

정선아   (표정 굳었다가 서서히 쓸쓸한 표정이 되면서) 알았어. 수고했어, 재희야.

재희   (일어서서 나간다)

착잡한 표정으로 생각에 잠긴 정선아, 핸드폰을 들어 허중세에게 전화를 건다.

정선아   대통령님.

허중세(F) 어, 정 이사장.

정선아   …진행하시죠. 말씀하셨던 일.

허중세(F) 그래! 밀어붙이자고. 재단에서도 팍팍 밀어줘야 돼!

정선아   알겠습니다. 그리고 저도 하나 부탁드릴 일이 있는데요. 죽창, 그
        친구가 이번 일 진행할 때, 제 개인적인 심부름도 하나 부탁해도
        될까요?

허중세(F) 어 그래? 좋아 좋아!

정선아   고맙습니다. (전화를 끊는다)

정선아, 천천히 일어서더니 거울 앞에 가 선다. 목에 건 십자가 목걸이
를 가만히 만지작거리며 거울 속 자신을 보던 정선아, 순간 표정이 일그
러지며 십자가를 세게 붙잡아 당긴다. 끊어지는 목걸이.

S#43. 강요한의 저택, 강요한의 침실 (밤)

침대에 누워 뒤척이는 강요한. 악몽에 시달리고 있다. 스냅숏으로 이어
지는 화재 사건 당시의 기억, 괴로워하는 강이삭의 얼굴, 그리고 타들
어가는 듯한 십자가 흉터의 고통으로 몸부림친다. 순간 고통스러운 표
정으로 잠에서 깨 일어나 앉는 강요한. 이마에 땀이 송송 배어 있는데, 얼
굴로 찬 바람이 불어온다. 옆을 돌아보니, 제대로 닫지 않은 창으로 바람
이 들이치고 있다. 휘날리는 커튼. 멍하니 창문을 바라보는 강요한.

S#44. 정선아의 집, 발코니 (밤)

발코니에 나와 어두운 바깥을 내려다보는 정선아. 밤바람이 들이친다. 정선아, 손에 들고 있던 목걸이를 툭 밑으로 던진다. 어둠 속으로 사라지는 강이삭의 십자가 목걸이.

S#45. 강요한의 침실/정선아의 집 (낮)

전화벨 소리에 잠을 깨는 강요한. 전화를 받는다.

강요한   네.

정선아   안녕, 도련님?

강요한   …아침부터 무슨 일이지?

정선아   어머, 너무 매정한 거 아냐? 차경희 처리하고 나니까 이젠 볼일 없다, 이건가?

강요한   (피식 웃으며) 그럴 리가. 앞으로도 계속 봐야지, 우리.

정선아   그래? 그럼 지금 좀 볼까?

강요한   지금?

정선아   데이트하자, 도련님. 꼭 보여주고 싶은 게 있는데. (생긋 웃는다)

S#46. 김가온의 집, 방안 (낮)

핸드폰 진동 소리에 잠을 깨는 김가온, 졸린 눈을 비비며 전화를 받는다.

김가온	여보세요.
죽창(F)	(변조된 음성으로) 민정호 대법관을 살리고 싶으면 형산동 빈민촌으로 와라.
김가온	(경악한다) 당신 누구야!
죽창(F)	지금 당장. (전화를 끊는다)
김가온	(다급히 민정호에게 전화를 걸지만 전화를 받지 않는다) 교수님! (뛰쳐나간다)

S#47. 형산동 빈민 집단거주지 (낮)

다리 밑 오르막길 쪽 좁은 골목, 방역 요원들이 서서 길을 막고 있다. 급히 택시에서 내린 김가온, 경악한 채 방역 요원 뒤로 엿보이는 풍경을 본다. 울려퍼지는 사이렌 소리 속에 온통 불길한 안개 같은 하얀 연기가 뿌옇게 가득하다. 방역복을 입은 요원들이 여기저기 소독제를 뿌려댄다. 허름한 건물에서 기침하며 밖으로 나오는 주민들. 강제 연행하듯 주민들을 끌고서 '사회적책임재단' 마크가 찍힌 승합차에 태우는 요원들.

S#48. 시내 빌딩 전광판 (낮)

한편, 같은 시각 시내 빌딩 대형 스크린에서는 '긴급 속보' 타이틀 아래 오진주가 안타까움 가득한 표정으로 호소하고 있다.

오진주(E)	주민 여러분, 역병 바이러스가 형산동 빈민 집단거주지에서 다시

발견되었습니다. 여러분의 생명과 안전을 위해 방역 당국의 조치에 부디 협조해주십시오. 우리는 반드시 다시 이겨낼 것입니다. 어떤 어려움이 있어도요. (눈물을 닦는다)

S#49. 형산동 빈민 집단거주지 (낮)

김가온, 방역 요원 너머 보이는 모습에 충격받는다. 복면 같은 마스크를 쓴 죽창부대가 강제 연행에 저항하는 주민 한 명을 쇠파이프로 구타하고 있다!

김가온 (앞을 가로막는 방역 요원을 밀치며) 이게 뭐하는 짓들입니까!
요원 긴급 방역 조치중입니다. 물러나세요!

김가온, 방역 요원을 세게 밀치며 안으로 뛰어들어간다. 한편, 김가온 뒤쪽 건물의 뒤편에 숨어 있던 괴한, 김가온을 보며 마스크를 슬쩍 올리고 히죽 웃는다. 죽창이다.

S#50. 부천 아트벙커 B39 안 (낮)

폐공장 같은 분위기의 사용 정지된 쓰레기 저장소 건물 안. 아무도 없어서 더 그로테스크한 분위기다. 강요한 혼자 높은 천장의 긴 복도, 크레인 조종실, 낡은 쇳덩이들이 군데군데 자리한 철제 계단 등을 걷는다. 문을 열고 39미터 높이의 쓰레기 저장고로 들어오는 강요한, 위를 올려다본다. 콘크리트벽에 녹슨 쓰레기 배출구가 있다. 까마득한 천장. 이때, 갑자기 뒤에서 강요한의 허리를 끌어안는 두 팔. 강요한, 돌아본다.

정선아 (생긋 웃으며) 왔어?

강요한 (피식 웃으며) 꽤나 로맨틱한데. 모닝 데이트 장소치고는.

정선아 취향에 맞을 줄 알았어. 느낌 괜찮지? (강요한의 허리를 안은 채 앞쪽으로 돌아 나온다)

강요한 (정선아의 목을 힐끗 보며) 목걸이는?

정선아 어머, 세심도 하셔라. 너~ 무 귀한 선물이라, 잘 모셔놨지. 누가 빼앗아가면 어떡해.

강요한 (픽 웃으며) 감히 그럴 만한 인간은 없을 것 같은데.

정선아 (생긋 웃으며) 그런가? 내가 무서워? 도련님은?

강요한 (미소 웃으며) 아니. 니가 왜.

정선아 (생긋 웃으며 강요한의 가슴에 와락 안긴다) 좋아라! 다정하니까 좋다. 도련님.

강요한 (미소 지으며 정선아의 머리칼을 가만히 쓰다듬는다)

정선아 (강요한의 가슴에 얼굴을 묻은 채) 그런데 말야, 도련님. …왜 그랬어?

강요한 (표정 굳으며) 뭘?

정선아 (고개를 들어 생긋 웃으며) 나한테 조금만 더 친절하지 그랬어.

순간, 강요한의 머리 위 높은 곳 난간에서 철커덩 소리가 난다. 놀라 올려다보니 손이 뒤로 묶인 K가 난간 끝으로 몰려 부딪히는 소리다. 그뒤에는 무표정한 재희가 K의 등에 권총을 겨누고 있다.

강요한　　……!

S#51. 부천 아트벙커 B39 안 (밤)

K　　　　(강요한을 보고는 놀라 외친다) 판사님!

정선아, 싱긋 웃으며 한 발 뒤로 물러선다. 강요한, 무시무시한 표정으로 다가서려 한다.

정선아　　거기 있어, 도련님. (어느새 작은 권총을 꺼내 강요한에게 겨눈다)

강요한　　(정선아를 노려보며) 뭐하는 짓이지.

정선아　　나랑 같이 꼭대기까지 가기로 한 거 아니었어? 2년만, 2년만 기다리면 되는데. 그러면 이 세상 모든 걸 가질 수 있는데.

강요한　　…미안하지만, 난 그다지 가지고 싶은 게 없어서.

정선아　　역시 그렇구나…… 도련님은 그냥 다 부숴버리고 싶은 거구나. 왜 굳이? 어차피 지금 있는 쓰레기들 치워봤자, 다른 쓰레기들이 그 자리를 메울 뿐이야. 알잖아.

강요한　　…그렇다고 그 쓰레기들 대장 노릇이나 하는 건 내 취향이 아니라서.

정선아　　(묘하게 슬픈 눈빛으로 강요한을 보며) 그렇구나. 유감이네. (재희를 올려다보며) 쏴버려. 그 친구.

K　　　　(공포에 질린다)

강요한, 순간 정선아에게 달려들어 손에 든 총을 멀리 걷어차버린다!

재희   (놀라) 언니! (강요한을 향해 아래로 총을 쏜다!)

강요한, 앞으로 굴러 가까스로 총을 피하지만, 고통으로 얼굴을 찡그린
다. 옆구리에서 피가 배어나온다. 하지만 이를 악물고 일어나 정선아를
쫓는다. 차갑게 웃으며 엘리베이터에 타 문을 닫는 정선아.

S#52. 부천 아트벙커 B39 안 (밤)

강요한, 손으로 피나는 곳을 지혈하며 계단을 뛰어올라 K가 있는 난간
쪽으로 달려간다. 재희, K의 머리에 총을 겨누고 있고, 정선아는 팔짱
을 끼고 강요한을 보고 있다.

K   (강요한을 보며) 오지 마십쇼! 위험합니다!

정선아, 강요한을 보며 싱긋 웃더니 망설임 없이 K의 앞가슴을 팍! 밀
어버린다.

강요한   (달려들며) 안 돼!
K   으아아악!

공포로 눈이 커진 채 까마득한 아래로 떨어지는 K! 강요한, 난간 끝에
멈춘 채 망연자실 아래를 본다.

정선아   난 말야, 도련님이 외로웠으면 좋겠어. 나처럼.

강요한   (무서운 눈으로 돌아본다)

재희, 강요한에게 총을 겨누고 있다. 그 옆에서 미소 짓는 정선아.

정선아   (생긋 웃으며) 그러면 나한테 오지 않을까? 도련님 곁에 아무도 없으면 말야.

강요한   (분노로 부들부들 떨며) 외롭고, 비참하게 죽게 만들어주지. 너한테 아주 잘 어울리게.

잡아죽일 듯 정선아를 노려보는 강요한과 생긋 웃고 있는 정선아 위로 타이틀. **악. 마. 판. 사.**

13부

헝거 게임

S#1. 부천 아트벙커 B39 안 (낮)

강요한, 고통스러운 듯 얼굴을 찡그리며 내려다본다. 손으로 누르고 있는 옆구리에서 피가 배어나온다.

정선아　저런…… 많이 아파?

정선아, 핸드폰을 꺼내더니 강요한에게 다가와 영상을 보여준다. 형산동에서 죽창부대 앞에 선 김가온의 모습이다!

정선아　(싱긋하며) 어쩌나…… 김가온 판사도 구하러 가야 될 텐데.
강요한　(흠칫하더니 정선아를 죽일 듯 노려보며 일어서려 애쓴다) 너, 니가 감히……!
정선아　말했잖아. 도련님이 외로웠으면 좋겠다고. (생긋 웃는다)
강요한　(필사적으로 버티지만 출혈이 많아지면서 점점 바닥에 주저앉는다)

정선아	(강요한을 가만히 보다가) 안녕, 도련님.

정선아, 뒤돌아나간다. 강요한을 계속 총으로 겨누며 뒤따라가는 재희.

정선아	(걸어가면서 블루투스 이어폰으로 다른 부하와 통화한다) 밑에 떨어진 거 좀 치워. (무표정한 얼굴로) 깨끗하게.

S#2. 부천 아트벙커 B39 안/윤수현의 차 안 (낮)

강요한, 필사적으로 몸을 일으켜 피가 배어나오는 옆구리를 손으로 누른 채 계단을 내려가면서 윤수현에게 전화 건다.

강요한	(고통으로 이를 악문 채) …윤수현 경위? 강요한입니다.
윤수현	(운전하다 전화를 받고는 놀라) 무슨 일입니까!
강요한	(고통으로 잠시 말을 잇지 못한다)
윤수현	(차갑게) 무슨 용건입니까!
강요한	(힘겹게 말을 잇는다) …김가온한테 가.
윤수현	(놀라며) 예?
강요한	그 녀석…… 지금 위험하다…… 형산동 빈민촌으로 가. …지금, 당장. (전화를 끊는다)

바닥까지 내려오니 비참하게 앞으로 엎어져 숨을 거둔 K가 있다. 강요한, K의 비참한 모습을 보니 어이가 없다. 걷잡을 수 없는 비통함과 기막힘에 자기도 모르게 눈물을 흘리면서 헛웃음이 나온다.

강요한	(K 옆에 털썩 무릎 꿇으며) 하하, 꼴이 이게 뭐냐, 이 자식아…… (쓰러진 K의 머리를 떨리는 손으로 쓸어주며) 다 끝났는데. 이제, 진짜 니 인생 살아도 되는데…… (울컥한다) 참 뭣 같구나, 니 인생도. 나만큼이나……

강요한, K 옆에 털썩 같이 누워버린다. 천장을 멍하니 올려다보는데, 출혈로 기력이 쇠해간다. 어지럽다. 힘겹게 다시 핸드폰을 꺼내 엘리야에게 전화를 거는데, 전화를 받지 않는다. 강요한, 죽은 K에게 혼잣말처럼 말을 건다.

강요한	엘리야가 전화를 안 받네…… 어떡하냐…… (이를 악물며 죽을힘을 다해 일어선다) 가야 돼……!

강요한, 힘겹게 몇 걸음 걷다가 그만 쓰러지고 만다. 기력이 쇠한 듯 눈을 감는다.

S#3. 형산동 빈민 집단거주지 (낮)

김가온, 소독약 연기에 기침을 하며 죽창부대 쪽으로 걸어 올라가는데, 오르막길 위쪽 도로에 경찰 승합차가 서는 것을 보고 희망을 품은 채 소리 지른다.

김가온	여기요! 여기!

그런데, 뜻밖에도 차에서 내리는 진압복 차림의 경찰대원들, 죽창부대를 제지하는 게 아니라 외려 보호하듯 뒤로 돌아서서 열중쉬어 자세로 그쪽 출입로를 막는다. 김가온, 그 풍경을 절망적으로 쳐다보는데, 죽창, 조용히 김가온의 등뒤까지 다가와 씨익 웃으며 쇠파이프를 들어 내리친다!

S#4. 로펌 지하 주차장 (낮)

운전해서 로펌에 출근한 고인국 변호사가 서류 가방을 들고 승용차에서 내리는데, 옆에 검은색 승합차가 와서 선다. 고인국이 경계하듯 옆을 힐끗 보고는 건물 출입문 쪽으로 걷는다. 차 문이 열리더니 한 사내 (정선아의 부하)가 내려 고인국을 따라붙는다.

사내 (고인국의 어깨를 톡 치며) 저기요?

고인국, 뒤로 돌며 서류 가방으로 사내의 배를 강타한다. 예기치 못한 공격에 배를 감싸쥐고 쓰러지는 사내. 그 틈을 타 고인국, 서류가방을 버린 채 필사적으로 뛰어 건물 안으로 도망간다.

사내 (찡그리며) 에이, 씨. (매서운 눈빛으로 벌떡 일어나 고인국의 뒤를 쫓는다)

S#5. 경찰청 앞 (낮)

조민성, 경계하듯 주위를 살피며 서둘러 경찰청 정문에서 나와 골목길로 접어드는데, 모퉁이에 숨어 있던 괴한이 갑자기 달려들어 뒤에서 칼로 찌르려 한다! 본능적으로 몸을 피하며 앞으로 구르는 조민성, 얼굴을 찡그린다. 어느새 골목 입구에 검은색 승합차가 정차하더니 괴한 두 명이 더 차에서 내린다. 다시 칼을 들고 달려드는 괴한을 피하며 필사적으로 도망치는 조민성.

S#6. 한소윤의 자취방 (낮)

온통 강요한 포스터가 붙어 있는 한소윤의 자취방. 한소윤, 기지개를 켜며 침대에서 일어서는데, 누군가 뒤에서 가죽장갑을 낀 손으로 한소윤의 입을 틀어막는다! 공포에 질려 발버둥치는 한소윤의 팔에 주사기 바늘이 꽂히고, 한소윤은 서서히 의식을 잃고 축 늘어진다.

S#7. 한소윤의 집 앞 (낮)

괴한들이 축 늘어진 한소윤을 '긴급 방역, 구호' '행선지: 꿈터전 마을' 이라고 쓰인 재단 승합차에 태우고 있다.

S#8. 형산동 빈민 집단거주지 (낮)

죽창의 쇠파이프에 어깨를 맞은 김가온, 고통으로 찡그리며 돌아본다. 죽창, 다시 쇠파이프를 치켜든다! 이때, 끼이익, 소리를 내며 승용차 한 대가 커브를 틀며 달려온다. 놀라 좌우로 피하는 경찰대원들. 죽창도 놀라 뒤로 멈칫한다. 옆으로 돌면서 멈추는 차.

윤수현　　(차창 밖으로 고개를 내밀며) 빨리! (보조석 문을 힘껏 연다)

김가온, 차 안으로 몸을 날린다. 윤수현, 부우웅 액셀을 밟으며 후진으로 현장을 빠져나간다. 윤수현의 차 뒤꽁무니를 무섭게 노려보는 죽창.

S#9. 윤수현의 차 안 (낮)

김가온　　(다시 보지 말자고 해놓고도 구하러 와준 윤수현이 고맙고 미안해서 애틋하게 윤수현을 바라보며) …수현아.

윤수현　　(운전하면서 덤덤하게) 다쳤어?

김가온　　(어깨가 아프지만 참으며) 어…… 괜찮아. 고맙다, 수현아.

윤수현　　안 다쳤으면 됐어. (무덤덤하게 운전에만 집중한다) 근데 여긴 뭐하러 온 거야?

김가온　　이상한 전화를 받았어. 민교수님을 살리고 싶으면 이리로 오라고.

윤수현　　(김가온을 힐끗 보며) 뭔 소리야? 오늘 아침에도 교수님하고 통화했는데. 병원에서 잘 쉬고 계셔.

김가온	(놀라며) 그래? 그럼 죽창 그놈이 거짓말로 날 이리로…… (생각하다가 문득) 그런데, 넌 어떻게 알고 왔어?
윤수현	(흠칫했다가 얼버무리듯) 어, 그냥……
김가온	(의아한 듯 윤수현을 쳐다본다)
윤수현	(둘러댄다) …경찰 무전 듣고 왔어. 그나저나 이게 다 무슨 일이냐? 바이러스가 또 나왔다니.
김가온	(굳은 표정. 방금 본 풍경으로는 도저히 믿을 수가 없다)

윤수현의 차가 달리는 동안 곳곳 빌딩 전광판마다 굵직한 글씨의 속보 문구가 뜬다.
'역병 바이러스 재발견'
'긴급 방역 및 구호 조치중'
'정부 비상사태 선포'
그리고 화면에 오진주의 얼굴이 가득하다.

오진주(E)	여러분의 생명과 안전을 위해 방역 당국의 조치에 부디 협조해주십시오. 우리는 반드시 다시 이겨낼 것입니다. 어떤 어려움이 있어도요. (눈물을 닦는다)

S#10. 부천 아트벙커 B39 안 (낮)

기절한 강요한의 귓가에 환청처럼 목소리가 들려온다.

K(E)	판사님, 일어나십쇼…… 판사님……

힘겹게 눈을 뜨는 강요한의 시야에 K의 환영이 보인다. 다친 흔적 하나 없이 완벽한 슈트 차림의 K가 걱정스레 강요한을 바라본다.

K   판사님……
강요한   (반가운 마음에 죽음에서 삶으로 돌아오듯 힘겹게 몸을 일으킨다)
고인국   판사님!

강요한이 정신을 차리고 보니 K 대신 걱정스러워하는 표정의 고인국이 보인다.

강요한   (환상이었구나, 맥이 풀리면서) …고변호사님.
고인국   (표정 밝아지며) 좀 어떠십니까, 급한 대로 지혈은 했습니다.
조민성   괜찮으십니까!

강요한, 몸을 살피니 재킷은 벗겨 있고 셔츠도 풀어헤쳐 있다. 총 맞은 옆구리 쪽은 붕대와 거즈로 지혈되어 있다.

고인국   조력자들이 일제히 공격당하고 있습니다! 판사님도 위험하실 것 같아서 위치 추적해서 왔습니다.
강요한   (힘겹게) …엘리야는, 엘리야는 괜찮습니까! 계속 전화를 안 받던데.
고인국   바로 사람 보내놨습니다. 괜찮을 겁니다.
조민성   (착잡한 표정으로) 그런데, 한소윤씨가 연락이 안 됩니다.
강요한   (굳은 표정으로 힘겹게 몸을 일으키며) 두 분은 우선 한소윤씨를 찾아보십쇼. 전 엘리야한테 가보겠습니다. 그리고 저 친구는……

(굳은 표정으로 K의 시신을 본다)

고인국 (침통한 표정으로) …걱정 마십쇼. 저희들이 수습하겠습니다.

조민성 (K의 시신을 보며 고통스러운 표정을 짓는다)

강요한 (부탁한다는 듯 고인국의 어깨에 잠시 손을 얹었다가 한쪽 어깨에 재킷
을 걸치고 셔츠 단추를 하나씩 채우면서 발걸음을 옮긴다)

S#11. 강요한의 차 안 (낮)

강요한, 차를 운전하며 엘리야에게 전화를 건다. 셔츠 옆구리 쪽에 피
가 배어나온 자국은 있지만 일단 지혈하고 재킷을 걸쳤기 때문에 겉으
로는 티가 나지 않는다. 애태우듯 벨소리가 한참을 울린 후에야 엘리야
가 전화를 받는다.

엘리야(F) (졸린 목소리로) 여보세요?

강요한 (다급한 마음에 버럭하며) 왜 전화를 안 받아!

엘리야(F) (태평하게) 깜짝이야, 왜 소리를 지르고 그래? 자느라 못 받았지!

강요한 내 말 잘 들어. 누가 오든 절대 문 열어주지 말고 방안에 있어. 알
았지?!

엘리야(F) (심상찮은 분위기를 알아채고) 알았어. 빨리 와.

강요한, 초조한 표정으로 서둘러 저택으로 차를 몰며 뉴스 속보를 듣고
있다.

아나운서(E) 이번에 다시 변종 바이러스가 발견된 형산동은 위생 상태가 좋지

못한 빈곤층 집단거주 지역입니다. 정부와 사회적책임재단은 주민들을 안전하게 꿈터전 마을로 이동시켜 치료 및 구호 조치를 취하고 있습니다. 시민 여러분, 치사율이 매우 높은 바이러스입니다. 서울 전역으로 퍼지면 대형 참사가 예상됩니다. 외출을 삼가시고 집안에 계시면서 정부 발표에 귀를 기울여주시기 바랍니다.

강요한 (굳은 표정으로 듣다가 라디오를 꺼버린다)

S#12. 강요한의 저택 (낮)

강요한 (서둘러 문을 열고 들어가며) 엘리야! 엘리야! (엘리야의 방으로 가려다가 주방에서 들려오는 여자 웃음소리에 흠칫해 발걸음을 멈추고 주방으로 향한다)

S#13. 강요한의 저택, 주방 (낮)

서둘러 주방으로 향하는 강요한의 눈앞에 믿어지지 않는 모습이 서서히 펼쳐진다. 엘리야와 정선아가 식탁에 마주앉아 영국풍 우아한 찻잔에 차를 마시며 웃고 있다! 강요한이 얼어붙은 듯 멈춰 둘을 쳐다본다.

엘리야 (강요한을 보더니 반갑게) 왔어?

정선아 (생긋 웃으며) 어머, 늦으셨네요, 판사님.

강요한 (정선아를 매섭게 노려보며 한 걸음씩 다가선다)

엘리야 집 앞에 이상한 남자들이 와 있었대! (정선아를 보며) 지원단장님이 안 와주셨으면 큰일날 뻔했어. 요한이 부탁했다며.

정선아 뒤에 서 있던 재희가 차가운 미소를 지으며 재킷을 살짝 열어 강요한에게만 보이도록 권총을 보여준다. 강요한, 재희를 노려보면서 천천히 식탁에 앉는다. 내 눈앞에서 엘리야를 죽이러 온 거구나. 정선아의 말이 떠오른다.

정선아   (V.O.) 난 말야, 도련님이 외로웠으면 좋겠어. 나처럼.

강요한, 거의 처음으로 느껴보는 본능적인 공포감이 분노마저 눌러버린다. 태연한 척하려 하지만 손이 덜덜 떨리고 등에 땀이 차온다. 엘리야가 놀라지 않도록 필사적으로 미소를 짓는다.

강요한   …응. 그래. 내가 부탁했어. (정선아를 향해 미소 짓는다) 고마워요.
정선아   별말씀을요. (생긋 웃는다)
강요한   (재빨리 재희와의 거리, 정선아와의 거리를 눈으로 잰다. 재희가 총을 뽑기 전에 정선아를 인질로 잡을 수 있을까? 정선아의 흰 목을 쳐다보며 천천히 식탁 위 접시에 놓인 버터나이프에 손을 가져간다)
정선아   (강요한의 손 위에 자신의 손을 턱 올리며 미소 짓는다) 제가 해드릴게요.

정선아, 버터나이프를 집어들더니 접시에 놓인 스콘에 클로티드 크림을 천천히 바른다. 위협하듯 한발 다가서서 강요한을 내려다보는 재희와 긴장된 강요한의 시선이 교차되는 가운데 유유히 나이프를 움직이는 정선아의 손 움직임이 묘하게 섬뜩하다. 마치 갑자기 누군가를 찌를 것만 같은 느낌이다. 정선아, 나이프를 든 채 엘리야를 빤히 쳐다보며 묘하게 웃다가, 천천히 스콘을 강요한 앞접시에 내려놓는다.

정선아   여기요. (미소 짓는다)

강요한   (굳은 표정으로) 고맙습니다. (스콘을 천천히 집어들다가 내려놓고
         는) 엘리야, 네 방에 가 있을래? 난 지원단장님과 할말이 좀 있어
         서.

정선아   (엘리야의 손에 살포시 자신의 손을 포개며 미소 짓는다) 에이, 안 돼요.

강요한   (표정이 굳는다)

정선아   이제 겨우 조금 친해졌는데. 그죠?

엘리야   (고개를 끄덕하며 강요한을 향해) 이 언니 재밌어. 나랑 잘 맞는 거
         같애. 비슷해서.

정선아   (픽 미소 지으며 천천히 자리에서 일어나 다정한 언니처럼 엘리야 뒤로
         가 서더니 눈은 강요한을 빤히 쳐다보면서 엘리야에게 대답한다) 그러
         게요. 우리 참 비슷하죠? …영리하고, 가차없고. (두 손을 천천히
         엘리야의 어깨 쪽으로 내리는데, 마치 당장이라도 목을 조를 듯한 분위
         기다)

강요한   (눈빛을 번뜩이며 식탁을 부여잡고 일어선다)

정선아   (두 손으로 엘리야의 목을 감싸며 고개를 숙여 속삭이듯) 조금은 망가
         져 있고? (생긋 웃는다)

엘리야   (찡그리며 정선아의 손을 탁 쳐내고는) 아이씨! (잡아먹을 듯 정선아
         를 노려보며) 쯧, 거리 좀 지키죠?!

재희   (순간 움찔한다)

정선아   (오히려 그런 엘리야가 귀여운 듯 웃음을 터뜨리더니) 어머, 나 좀 봐
         봐. 너무 친한 척했죠? 주책맞게. 미안해요, 엘리야 아가씨.

엘리야   (이 여자 뭐지? 하는 표정으로 정선아를 노려본다)

정선아   그럼 담에 또 봐요. (생긋 웃으며 엘리야에게 까딱 목례하더니 일어서
         서 노려보는 강요한 옆을 지나며 강요한의 귀에 소곤거린다) 이제 시작
         이야, 도련님.

         재희, 호위하듯 재빠르게 정선아 뒤에 붙어서 강요한을 주시하며 정선
         아와 함께 사라진다. 경계를 늦추지 않고 정선아가 사라질 때까지 노려
         보던 강요한, 고통스러운 듯 찡그리며 의자에 주저앉는다.

엘리야   (입을 삐죽이며) 저 여자 뭐야? 이상해. (그러다 강요한을 보더니 갸
         웃하며) 근데 땀을 왜 그렇게 흘려? 어디 아파? (가까이 다가오다
         가 놀라며) 그거 뭐야?! 피 아냐? (강요한의 셔츠 옆구리 쪽에 배어나
         온 피를 보고 놀란다)

강요한   …괜찮아. (애써 미소 짓더니, 걱정스럽게 쳐다보는 엘리야를 가만히
         바라보다가 끌어안는다)

엘리야   (순간 깜짝 놀라지만 가만히 있는다)

강요한   (품안의 아기처럼 머리를 쓰다듬으며 안심시키듯) 아무것도 아니야.
         이제 다 괜찮아…… 괜찮아…… (그러다가 그만 필사적으로 견뎌왔
         던 출혈 쇼크로 기절하며 쓰러진다)

엘리야   (쓰러지는 강요한을 끌어안으며 울부짖는다) 요한!

S#14. 김가온의 집, 방안 (낮)

         김가온, 윗옷을 벗다가 순간 어깨의 상처가 아파서 찡그린다.

윤수현	(김가온의 셔츠 어깨 쪽에 피가 배어나는 걸 보고 놀라며) 어? 너 잠깐만……
김가온	(애써 웃으며) 아냐, 괜찮아.
윤수현	(다짜고짜 소리친다) 빨랑 벗어!
김가온	(당황하며) 버, 벗으라고?
윤수현	(O.L.) 당장!

어쩔 수 없이 조심조심 셔츠를 벗어 어깨를 드러내는 김가온. 심한 피멍이 들었을 뿐 아니라, 살갗 일부가 찢겨 피가 나고 있다. 윤수현, 깜짝 놀란다.

Cut to

조금 쑥스러워하면서 웃통을 벗고 앉아 있는 김가온과 김가온의 어깨에 조심조심 붕대를 감아주는 윤수현. 김가온, 조심스레 차경희 사망현장에서 윤수현에게 들켰던 일에 관해 말을 꺼낸다.

김가온	…미안하다, 수현아.
윤수현	뭐가?
김가온	너한테 그런 꼴을 보게 해서. (입술을 깨물며) 차경희 죽었을 때.
윤수현	그런 소린 필요 없다. 나 원래 그렇게 훌륭한 경찰 아니니까.
김가온	(고개를 숙이며) 미안해. 그 말밖엔 할말이 없어……
윤수현	(김가온을 노려본다)
김가온	알아. 강요한의 방법이 옳지 않은 거 알고, 판사가 그런 짓 하는 게 범죄인 것도 아는데……

윤수현　……

김가온　(괴로워하며 속을 털어놓는다) 못 견디겠어. …이렇게라도 안 하면 정말 미쳐버리겠어.

윤수현　(입을 꾹 다문 채 김가온을 보고만 있다)

김가온　(괴로워하며 혼잣말하듯) 미안해, 수현아…… 니 곁에 있을 자격도 없는 놈인데, 어렸을 때부터 지금까지 평생 이런 꼴만 보이고…… 그래도 뻔뻔스럽게 니가 없으면 못살겠어서, 정말 죽을 것 같아서…… (눈물을 흘린다)

윤수현　(김가온을 노려보며) 개똥 같은 소리.

김가온　(놀라서 윤수현을 쳐다본다)

윤수현　정말 못 참겠다. 니 개똥 같은 소리를 언제까지 들어줘야 될지.

김가온　수현아.

윤수현　(붕대를 집어던지며) 이 멍청한 자식아! 그렇게 모르겠어?! 자격이고 뭐고 다 필요 없고! 옳고 그르고 세상이 어떻게 되고 다 모르겠는데! (그만 눈물이 터져나온다) 제발 위험한 꼴만 보이지 말라고! 울지 말고, 불행해지지 말고, 자기 인생 망가뜨리는 짓 좀 하지 말고!

김가온　(눈물 흘리며 윤수현을 하염없이 본다)

윤수현　(울음이 섞인 채) 난 그거면 되는데…… 그냥 너 하나면 되는데…… 이 멍청한 자식아…… (눈물을 흘리며 자기도 모르게 김가온을 퍽 치는데, 하필 상처 난 어깨 쪽을 치고 만다)

김가온　으윽! (너무 아파 오만상을 찌푸리며 움찔한다)

윤수현　(정신이 번뜩 나면서 놀라서 김가온을 본다) 괜찮아?! 아이고, 하필 거길…… (김가온의 무릎을 한 손으로 짚으며 상처 쪽을 보려고 김가온 얼굴 앞으로 훅 다가온다)

김가온   괜찮아, 괜찮아, 진짜.

당황해서 얼른 상처 쪽을 보려고 다가서는 윤수현과 찡그리면서도 괜찮다고 물러서던 김가온, 심각한 얘기를 하다가 이러고 있는 상황이 우스워서 서로 픽 웃고 만다. 김가온, 눈물 자국이 난 채로 바로 코앞에서 웃고 있는 윤수현의 얼굴이 너무 이뻐서 자기도 모르게 살짝 윤수현의 입술에 입술을 갖다댄다. 아주 살짝 입술이 닿는 순간 시간이 정지된 듯한 두 사람. 하지만 바로 다음 순간 정신이 번쩍 나면서 현실을 자각한다. 방안에 단 둘이 있다. 그것도 김가온은 웃통을 벗고 있다. 평생 불알친구로 투닥거리며 살아온 두 사람, 후다닥 떨어져 괜히 돌아앉는다.

김가온   미, 미안!
윤수현   (벌떡 일어서며) 나, 난 나갔다 올게! 상황도 체크해봐야 되고. (김가온을 애써 외면하며) 넌 여기 얌전히 있어! 또 공격당할지 모르니까. 알았지! (후다닥 나가다가 기둥에 쿵 부딪혀 아파하면서도) 나 간다! (얼른 나간다)
김가온   수현아, 수현아! (황급히 나가는 윤수현의 뒷모습을 본다)

문이 닫히고, 멍하니 소파에 앉아 문득 조금 전 입술이 살짝 닿던 순간을 떠올리는 김가온. 아직 제대로 고백도 못했는데 심각한 얘기를 하다 갑자기…… 그래도 뭔가 달콤하면서도 쑥스럽고 어색하다.

김가온   (쿠션에 머리를 처박으며) 아, 미치겠네! 왜 그랬냐, 김가온!

문을 쾅 닫고 나간 윤수현, 벽에 기대 자기도 모르게 입술에 손을 갖다대며 몽글몽글 멍한 표정을 짓다가, 정신을 퍼뜩 차리며 몸서리를 치더니 미친듯 달려간다.

S#15. 재단 회의실 (낮)

즐거운 표정의 허중세, 박두만, 민용식이 정선아와 이야기를 나누고 있다.

박두만   죽창인가 그 친구, 일을 꽤 잘하는구만요.

민용식   일처리가 과감해요. 작업 진행 속도가 장난이 아닙니다.

허중세   (싱긋 웃으며) 말했잖아. 잃을 게 없는 애들이 일을 잘한다고. (정선아를 보며) 그래, 강요한 돕던 놈들은 잘 처리했어?

정선아   (미소 지으며) 네, 거의 다 긴급 구호 버스에 태워드렸어요. 사람이 제일 귀한 거잖아요.

허중세   (씨익 웃으며) 맞아. 사람이 제일 귀하지. 암.

이때, 똑똑, 노크 소리가 들린다.

허중세   들어와요.

오진주   (들어와 목례한다)

허중세   어, 재난방송 녹화 끝났나보네. 이번에 아주 수고가 많던데?

박두만   오판사님이 아주~ 신뢰감 있게 국민들을 안심시켜주셨습니다, 허허허.

오진주   (걱정이 가득한 표정으로) 상황이 얼마나 심각한 건가요? 치사율이 높은 변종이라면서요? 서민들 거주 지역이라는데, 얼마나 피해가 클지……

민용식   너무 걱정 마세요. 긴급 조치를 대대적으로 시행하고 있습니다.

오진주   방송만 하고 있을 게 아니라 저도 직접 구호 현장에 나가서……

박두만   (O.L.) 전문가가 할 일은.

오진주   (박두만을 쳐다본다)

박두만   (싱긋 웃으며) 전문가들한테 맡깁시다. 그렇죠?

오진주   …네, 알겠습니다. 돌아가보겠습니다. (목례하고 돌아 나가려 한
         다)

정선아   …우리 오판사님은, 준비나 하고 있으시죠?

오진주   (돌아보며) 네?

정선아   (생긋 웃으며) 재판장 취임 준비.

오진주   (표정 굳으며 살짝 목례하고 다시 나간다)

         오진주가 나가자 서로 묘한 미소를 주고받는 네 사람.

S#16. 강요한의 저택, 강요한의 침실 (낮)

         침대에 누워 있는 강요한. 왕진 왔던 의사가 자리에서 일어나고 있다.

의사   무리하지 마시고 안정을 취하십시오. 그럼.

강요한   (목례한다)

         의사가 나가자, 엘리야가 문을 빼꼼히 열고 들어온다.

엘리야   (아닌 척하지만 걱정이 가득하다) 괜찮은 거야? 도대체 어디서 다쳤
                어?

강요한   별거 아니야.

엘리야   진짜?

강요한   걱정 마라. 건강할게. (미소 짓는다)

엘리야   ……?

강요한   (씨익 웃으며) 니 두 발로 일어서서 나 죽일 때까진.

엘리야   (째려보며) 뭐야?! (문을 쾅 닫고 나가며 투덜투덜댄다) 뭐래 진
                짜…… 누가 걱정이라도 해줄 줄 알고?

강요한   (미소 짓다가 서서히 표정이 어두워지더니 전화기를 들어 고인국에게
                전화를 건다) 고변호사님.

고인국(F)   판사님, 좀 괜찮으십니까?

강요한   한소윤씨는 찾았습니까? 다른 조력자분들은요?

고인국(F)   (침통하게) 재단 놈들한테 끌려간 것 같습니다. 긴급 구호라는 핑
                계로 사람들을 마구잡이로 잡아가고 있습니다.

강요한   …알겠습니다. (전화를 끊고는 잠시 멍하니 있다가 TV를 켠다)

벽면 TV 화면에서는 허중세가 긴급 담화문을 발표하고 있다.

허중세(E)   전 국민의 생명이 걸린 비상사태입니다. 이 시간부로 모든 신문,
                방송은 정부의 통제에 따라야 하며, 밤 10시 이후의 통행은 금지
                합니다. 긴급 구호 조치를 방해하는 모든 행위는 살인으로 간주
                하여 최고형에 처해질 것입니다. 정부는 오늘 오전, 유언비어를
                유포하며 사회 불안을 야기하던 불온 세력들을 일제히 검거하여
                배후를 조사중입니다.

분노와 충격 속에 지켜보던 강요한, 결국 자기가 지키지 못하고 말았던 사람들을 떠올린다. 방송에서 흘러나오는 소리가 페이드아웃된다.

플래시백 > 12부 52신.

K   으아아악!

공포로 눈이 커진 채 까마득한 아래로 떨어지는 K!

눈을 질끈 감는 강요한. 이번에는 한소윤의 모습이 떠오른다.

플래시백 > 8부 41신. 김가온에게 조력자들을 소개하는 장면.

강요한   첫 물꼬 트는 게 어렵잖아. (한소윤을 보며 미소 짓는다)
한소윤   (장난스레 브이 포즈하며 윙크한다)

그러고는 기둥에 깔린 채 죽어가던 강이삭의 얼굴, 난간 아래로 떨어지는 K, 윙크하는 한소윤과 번갈아 번쩍번쩍 환각처럼 겹쳐 지나간다. 등의 흉터에서 불타오르는 듯한 고통이 느껴져 신음하는 강요한.

강요한   <u>으으으으</u>……

고통스러워하다가 눈을 번쩍 뜨는 강요한! 모든 걸 파멸시킬 듯한 살기와 분노로 가득 차오른다. 그러고는 이내 얼음처럼 차갑게 가라앉는다. TV에서는 허중세가 여전히 떠들어대고 있다.

허중세(E)   여러분! 두려워 마십시오! 우리는 이길 것입니다! 반드시 이 위기를 이겨내어 우리 민족이 세계에서 최고로 우수한 민족임을 전 세계에 과시하고야 말 것입니다. 여러분!

강요한   (얼음같이 차가운 분노의 시선으로 허중세를 응시한다)

인서트> 9부 10신.

어릴 적 형 강이삭과의 약속을 떠올린다.

강요한   (분노와 슬픔이 교차하는 표정으로 나지막이 혼잣말로) …미안해, 형. 약속, 못 지키겠어.

S#17. 김가온의 집 (낮)

분노한 표정으로 허중세의 발표를 지켜보는 김가온.

김가온   미친놈들! 말도 안 돼. (자리에서 일어서더니 재킷을 걸치고 밖으로 서둘러 나간다)

S#18. 배석판사실 (낮)

자리에서 일어나 수심 가득한 표정으로 재난 방송을 보는 오진주.

아나운서(E) 국민 여러분 안심하십시오. 현재 재난 지역에 질서 있고 안전한
구호 조치가 시행되고 있습니다.

문을 벌컥 열고 들어온 김가온, 성큼성큼 TV로 다가가더니 방송을 꺼
버린다.

오진주   (놀라며) 김판사.

김가온   (성난 표정으로) 저거 다 새빨간 거짓말입니다. 지금 밖에서 무슨
일이 벌어지고 있는지 아세요?

오진주   그게 무슨 소리야? 바이러스 때문에 난리가 났잖아, 지금.

김가온   사람을 짐승 끌어내듯 강제로 질질 끌어가고 있어요! (TV를 가리
키며) 저 영상은 다 가짭니다! 재단이 조작한 거라구요.

오진주   지금 이 나라 정부가 전 국민을 속이고 있단 소리야? 그게 말이 돼?

김가온   제가 제 눈으로 직접 보고 당한 일입니다. (어깨의 상처를 보여주며)
죽창부대 짓입니다. 사람들한테 쇠파이프를 휘두르고 있어요.

오진주   (흠칫하며) …김판사가 당했다고?

김가온   더 무서운 게 뭔 줄 아세요? 전 아무리 생각해봐도 바이러스가 발
견됐다는 거부터 거짓말인 것 같습니다.

오진주   (황당하다는 듯) 뭐라고? 김판사 지금 제정신이야?

김가온   치사율이 높은 치명적인 변종 바이러스라고 떠들어대면서, 길거
리 양아치들이나 다를 바 없는 죽창부대를 최전선에 투입했어요.
방역복도 없이, 마스크도 쓰는 시늉만 한 채로.

오진주   (굳은 표정으로 김가온을 본다)

김가온   전자발찌 찼던 범죄자를 국가 비상사태에 방역 최전선에 세운다
고요? 죽창 그자는 허중세의 친위 사조직 관리자였어요. 뭔가 미

친 짓을 벌이고 있는 거라구요!

오진주 (침묵한다)

김가온 (안타까워하며) 오판사님, 이용당하고 계신 거예요. 지금 길거리
에는 온통 오판사님 영상이……

오진주 (O.L.) 미안한데.

김가온 (오진주를 본다)

오진주 김판사, 지금 너무 흥분한 거 같아. 현장에서 뭔가 과잉 조치가 있었
는지는 모르겠지만, 지금 한 얘기를 나보고 믿으라고? 너무 갔어.

김가온 …오판사님.

오진주 이럴 때일수록 최대한 침착하게, 질서 있는 조치가 필요해. 난 그
걸 돕고 있을 뿐이야.

김가온 (굳은 표정으로) 잘 알겠습니다. 오판사님.

김가온, 휙 돌아 밖으로 나간다. 김가온의 얘기에 충격을 받았으면서도
오진주는 차마 믿기지 않고, 믿고 싶지도 않다.

S#19. 대법원 복도/청와대 복도 (낮)

김가온과 강요한이 각각 대법원과 청와대 복도를 걸으면서 통화하고
있다.

김가온 (다급하게) 법원에 안 계시네요. 무슨 일이 있는 겁니까?

강요한 …다쳤다며. (김가온이 무사한지 걱정되어 바로 윤수현에게 물어봤었
으면서 태연한 척 물어본다)

김가온	전 괜찮습니다. 그보다 지금 무슨 일이 벌어지고 있는지 아십니까?!
강요한	괜찮으면 됐어. 그 얘기는 이따 하지. (대통령 집무실 앞에 딱 서면서 전화를 끊는다)
김가온	여보세요? 여보세요?
강요한	(상처 입은 옆구리 쪽이 아파와서 잠시 상처 쪽에 손을 올리고 얼굴을 찡그렸다가 다시 손을 내리더니, 굳은 표정으로 노크한다)

S#20. 청와대 대통령 집무실 (낮)

노란 민방위복 차림을 한 허중세가 소파 상석에 앉아 싱글거리며 강요한을 맞이한다.

허중세	어, 강판사. 거기 앉아. (강요한이 소파에 앉자, 두 팔을 벌려 자기 민방위복을 힐끔거리며) 아, 이 옷은 아무리 옷걸이가 좋아도 영 태가 안 산단 말야. 이런 거부터 선진화해야 돼.
강요한	…무슨 짓을 시작한 겁니까.
허중세	무슨 짓이라니? 역병으로부터 내 나라 내 겨레를 지키는 일이지.
강요한	사조직을 동원해서 빈민들을 강제로 끌어내는 거, 그걸 말하는 겁니까.
허중세	그럼 어쩌라고. 그 사람들 만 명 남짓, 인권 따지다 서울 인구 천만 명 다 죽일까? 일보다 천이 큰 숫자잖어. 산수 아냐? (히죽거린다)
강요한	(굳은 표정으로 허중세를 노려본다)
허중세	이번 사태 끝나고 나면, 시민들은 외려 좋아할걸? 서울이 확 깨

끗해져서 아파트 값 올라갔다고. 그게 인간이잖아. 알면서. (씨익 웃는다)

강요한   (차갑게) 바이러스, 있기는 있는 겁니까?

허중세   (인상을 확 구기면서) 뭐야?!

강요한   ……

허중세   이 친구 이거, 완전 또라이 아냐? 이런 국가적 위기에, 농담하는 거야, 지금?

강요한   긴말 않겠습니다. 즉시 이 짓거리를 중지하십쇼.

허중세   …그러지 않으면?

강요한   (무시무시하게 노려보며) 당신들이 무슨 짓을 벌이고 있는 건지, 시범재판에 올려서 모두 밝혀낼 겁니다. 성난 군중들이 여기를 불바다로 만들고, 당신을 개처럼 질질 끌고 나올 때까지.

허중세가 흠칫하더니 굳게 입을 다문 채 강요한을 응시한다. 침묵 속에 서로를 응시하는 두 사람. 허중세가 천천히 입을 연다.

허중세   …꼭 개패를 쥔 놈이 제일 세게 지르더라고.

강요한   (무표정하게 허중세를 바라본다)

허중세   (천천히 싱긋 웃으며) 아무 증거도 없이 막 던진다고 먹힐 것 같애? 지금 시민들, 잔뜩 겁먹었어. 누구 말을 믿을까. 낯선 사람들은 위험하니 집에 있으라는 나. 거리로 뛰쳐나와 이웃들을 구하자는 당신.

강요한   ……

허중세   대중들한테 인기 좀 끈다고 오버하는 거 같은데, 잊지 마. 당신한테 열광하는 사람들하고 나 대통령 만들어준 사람들, 크게 다르지 않아. (히죽거리며) 나를 낳은 자들이 너도 낳은 거야. 알아?

강요한   (차갑게 허중세를 바라보다가) 굳이 운을 시험해보시겠다면. (자리
        에서 일어나 나간다)

허중세   (나가는 강요한을 노려보는데 표정이 굳는다. 센 척했지만 불안하다)

S#21. 경찰청/성당 인근 마을 구멍가게 (낮)

어수선한 분위기의 사무실에서 삼삼오오 불안한 표정으로 사람들이 모
여 웅성거리고 있다. 자기 자리에 앉아 있던 윤수현이 전화가 울리자 발
신인 '가게 할머니'를 확인하고는 얼른 받는다.

할머니   경찰 아가씨?

윤수현   네, 할머니.

할머니   아무거라도 좋으니 생각나면 연락 달라고 했잖어? 거, 성당 관리
        하던 요셉이.

윤수현   (눈빛이 번쩍한다) 네!

할머니   누가 요셉 비슷한 사람을 서울 어느 동네에서 봤다는데, 이게 영
        확실치가 않아서……

윤수현   괜찮으니 뭐든 말씀해주세요. 할머니. (얼른 메모를 준비하는 윤수
        현의 눈빛이 빛난다)

S#22. 형산동 빈민 집단거주지 (낮)

방역 요원이 입구를 지키고 있는데, 마스크를 쓴 트렌치코트 차림의 오진주가 입구로 다가온다.

요원   통제 구역입니다! 물러서세요!

오진주   (마스크를 슬쩍 내렸다가 올린다)

요원   판사님? (놀란다)

오진주   (침착하게) 차질 없이 진행중이죠?

요원   네? 네!

오진주   (말없이 골목으로 들어간다)

요원   (오진주의 기세에 눌려 얼떨결에 비켜선다)

거주지 안으로 접어든 오진주, 눈앞에 펼쳐진 모습에 충격을 받고 벽에 기댄다. 죽창부대가 환호성을 지르며 인간을 사냥하듯 주민들을 질질 끌어내고 있다! 쇠파이프를 든 죽창부대 앞에 포로처럼 줄줄이 무릎을 꿇고 두 손을 머리 위에 올린 주민들이 보인다. 방역 요원들은 망을 보듯 뒷전에 서 있을 뿐이다. 눈물을 흘리며 입을 틀어막는 오진주.

S#23. 김가온의 집 앞 (밤)

다들 문을 걸어 잠가 인적 하나 없이 조용한 동네. 윤수현, 김가온의 집으로 걸어오다가 집 앞에 털썩 앉아 있는 김가온을 보고 놀란다.

윤수현	어? 김가온.
김가온	(일어선다) 왔어?
윤수현	집안에 조신하게 있으라니까 왜 나와 있어!
김가온	(어색하게) 아니 그냥, …니가 오는 거 같아서.
윤수현	(괜히 뭉클한데 아닌 척하며) 시끄럽고, 빨리 들어가. (김가온을 뒤 따라 들어가는데 괜히 심장이 뛴다)

S#24. 김가온의 집 (밤)

소파에 둘이 앉아 있자니 낮의 입맞춤이 자꾸 생각나는 두 사람. 어색해 서 죽을 지경이다. 서로 반대쪽을 보며 앉아 있다.

김가온	(심호흡하더니 용기를 내서 돌아보며) 수현아.
윤수현	(마침 김가온 쪽을 돌아보다가 김가온의 얼굴이 훅 다가오자 화들짝 놀 라 소파 끝으로 후다닥 물러나 앉으며) 왜, 왜!
김가온	(그런 윤수현을 보며 씁쓸하지만 그래도 용기를 내서) 낮에 있었던 일 말야.
윤수현	(얼른 외면하며) 야, 일은 무슨 일, 뭔 일이 있었다구 그래!
김가온	(윤수현을 가만히 보며, 차분한 어조로) 윤수현.
윤수현	(조심스레 돌아보며) 왜.
김가온	사과는 안 할게. 근데……
윤수현	(김가온을 바라본다)
김가온	순서가 틀렸던 것 같아서.
윤수현	순서?

김가온	(끄덕이고는) 나, 정말 지독하게 겁쟁이인 거 아니?
윤수현	(가만히 바라본다)
김가온	(눈빛 깊어지며) 오늘 하루종일, 무서워서 죽는 줄 알았어. 갑자기 서로 어색해지면 어쩌나, 서먹서먹해지면 어쩌나……
윤수현	……
김가온	평생을 그랬어. 혹시…… 사귀는 사이가 되었다가 남들처럼 시시한 일로 싸우고, 오해하고, 질투하고, 맘 상하고, 그러다 헤어지고, 그러면 어떡하나. 나한텐 너밖에 없는데. 너까지 잃으면 나한텐 아무도 없는데.
윤수현	(눈빛이 흔들린다) 가온아.
김가온	남녀 사이가 아니라 친구면, 세상에서 제일 친한 친구로만 남아 있으면, 평생 외롭지 않을 줄 알았어. (울컥하며 고개를 숙인다) 못났지. 이기적이고.
윤수현	(조용히 눈에 눈물이 고인다)
김가온	(윤수현을 보며) 근데 이제 더이상은 못 참겠어. 그냥, 다 필요 없고, 남들처럼 시시한 일로 싸우고, 오해하고, 질투하고, 맘 상하고, 그러면서 평생 널 좋아하고 싶어. 윤수현, 좋아해. 좋아한다, 수현아.
윤수현	(눈물이 터지더니 고개를 돌려 쓱 닦고는) 이리 와. (김가온에게 다가앉으며 팔을 벌려 끌어안는다)

서로 끌어안는 두 사람. 한참을 그러고 있다가, 천천히 서로 얼굴을 마주보는데, 자기도 모르게 서서히 입을 맞출 듯 가까이 서로 다가가다가, 거의 동시에 얼굴이 빨개진 채로 고개를 휙 옆으로 돌려 서로 외면한다.

김가온   …역시 아직 어색하지.

윤수현   (어색해 죽으려고 하며) 응. 야, 친구로 살아온 세월이 얼만데……

김가온   (부드러운 미소로 윤수현을 보며) 서두르지 말자. 우리한텐 시간이
         많잖아. 평생. 앞으로 한 백년.

윤수현   (픽 웃음을 터뜨리며) 욕심도 많다. 거북이와 두루미냐?

김가온   (환하게 웃는 윤수현을 멍하니 보다가) 반칙이다 너. 그렇게 이쁘게
         웃는 거. 또 시도하고 싶어지잖아.

윤수현   (왠지 부끄러워서 얼른 일어서며) 뭐래. 나 간다.

김가온   …응. (문득 벽시계를 보는데 밤 10시 5분 전이다. 놀라며) 아, 근데
         시간이……

윤수현   (그제야 정신 차리며) 아, 통행금지……

서로 곤란해하며 외면하는 김가온과 윤수현.

S#25. 김가온의 집 (밤)

윤수현은 침대에, 김가온은 소파에 각각 이불을 덮고 누워 뒤척이고 있
다. 자는 척하고 있지만 온 신경이 서로에게 가 있는 두 사람. 윤수현이
못 참고 고개를 빼꼼히 들어 김가온 쪽을 보려다가 김가온이 자기 쪽으
로 돌아눕자 화들짝 놀라 반대쪽으로 돌아눕는다. 윤수현이 돌아누운
채 설레 죽겠다는 표정으로 두 팔로 자기 몸을 꼭 껴안으며 몸을 아기처
럼 웅크린다. 전쟁 같은 세상 속 두 사람만의 도피처인 듯 방안이 달콤
하고 평화롭다. 창으로 달빛이 살포시 비친다.

S#26. 재단 회의실 (밤)

허중세, 박두만, 민용식이 심각한 표정을 짓고 있다. 정선아는 딴생각
에 잠긴 표정이다.

허중세   강요한 이 자식, 진짜 뭘 쥐고 있는 거 맞을까?

민용식   방역 당국, 언론, 검찰, 경찰 모두 우리가 쥐고 있잖습니까.

박두만   바이러스고 뭐고, 우리가 있다고 하면 있는 거고, 없다고 하면 없
         는 겁니다. 없다는 걸 무슨 수로 증명하겠습니까. 지가 직접 현미
         경 들고 검사하고 다닐 것도 아니고.

허중세   그래도 찜찜한데…… 에이씨, 맘 같아서는 어따 갖다 묻어버리면
         속이 시원하겠구만, 그랬다가는 나라가 발칵 뒤집어질 거고……
         (정선아를 보며 짜증스레) 정이사장도 뭐 의견 좀 내봐! 남의 일 보
         듯 할래, 진짜?

정선아   죄송합니다. 대통령님. (미소 지으며) 경고를 해도 알아듣지 못하
         면, …날려버려야죠.

허중세   (짜증내며) 아니, 맘이야 그런데, 그랬다가는.

정선아   (O.L.) 우선, 무대부터 날리시죠.

허중세   무대?

정선아   스타도 무대 위에 있을 때 빛나는 별인 겁니다. 무대가 없으면,
         그냥 한 사람일 뿐이죠.

허중세   (씨익 웃으며) 흐음…… 그건 그렇지.

S#27. 김가온의 집 (낮)

소파에 누워 행복한 표정으로 자고 있는 김가온을 윤수현이 거칠게 흔들어 깨운다.

윤수현 빨리 일어나봐! 빨리!

김가온 (졸린 눈을 비비며) 응? 아니 왜……

김가온의 눈에 TV 화면이 들어오는데, '시범재판부 해체'라는 큼직한 자막과 허중세의 얼굴이 보인다. 김가온이 정신이 번쩍 나서 벌떡 일어난다.

S#28. 청와대 브리핑 룸 (낮)

허중세 정부는 기존의 시범재판부를 해체하고, 이번 국가적 위기 상황에 대응하기 위한 비상재판부를 신설하기로 결정했습니다. 비상재판부의 관할 사건은 방역 및 긴급 구호 조치에 대한 방해 행위, 유언비어 유포 행위, 불법 집회 및 시위 등입니다. 비상재판부 재판장은 오진주 판사가 내정되었고, 국가관이 투철한 판사들 중에서 배석판사를 선발할 예정입니다. (위압적으로 기자들을 보며) 이상입니다.

S#29. 김가온의 집 (낮)

김가온   (충격과 분노로) 이런 미친! 수현아, 이거 막아야 돼! 저놈들이 온 국민을 속이고 있는 거야, 이걸 막을 수 있는 사람은 부장님밖에 없어!

윤수현   가온아! 강요한은 안 돼! 지금 벌어지는 일들도 이상하지만 그렇다고 강요한을 어떻게 믿어?! 그 사람 위험한 사람이야!

김가온   수현아.

윤수현   (안타깝게) 조금만, 조금만 기다려봐. 내가 강요한 정체를 밝혀낼게. 이제 거의 다 왔어. 거의 다 왔다구!

김가온   (윤수현의 어깨를 잡고) 수현아 제발, 이번 한 번만 날 믿어주라. 어떻게든 이번 사태는 막아야 돼. 강요한이 어떤 인간이든 그건 그뒤에, 응? 수현아.

윤수현   (안타깝고 혼란스럽다) 가온아……

S#30. 강요한 부장판사실 (낮)

창가에 서서 심각한 표정으로 고인국과 통화중인 강요한.

강요한   가능하겠습니까?

고인국(F) 불가능해도 해야죠. 마지막 남은 조력자들을 다 동원하겠습니다. 주조정실 출입이 가능한 분이 한 분 계십니다.

김가온   (벌컥 문을 열고 들어오며) 부장님!

강요한   다시 하겠습니다. 고변호사님. (전화를 끊고 김가온을 본다)

김가온	이대로 있을 겁니까?!
강요한	(말없이 김가온을 쳐다본다)
김가온	(창밖을 가리키며) 지금 저 바깥에는 죄 없는 사람들이 개처럼 맞으며 끌려가고 있습니다! 이대로 보고만 계실 겁니까?
강요한	……
김가온	뭐라고 좀 말씀을!

그 순간, 노크 소리가 들리더니 판사실 문이 열린다. 김가온, 놀라 돌아본다.

S#31. 대법원 휴게실 (낮)

PD가 걱정스러운 표정으로 조연출과 이야기중이다.

PD	하아, 이거 참, 내 평생 이런 시청률 나오는 프로그램은 처음인데, 이대로 끝나는 거야? 진짜?
조연출	저희도 잘리는 거예요? 비상재판부라는 게 생긴다면서요.
PD	(짜증내며) 야! 너 같으면 그런 거 보겠냐? (구시렁거리며) 무슨 비상군법회의도 아니고, (갑자기 핸드폰이 울리자) 어우 씨! 깜짝이야! (괜히 겁먹고 주위를 두리번거리고는 전화를 받는다) 오판사님?

S#32. 윤수현의 차 안 (낮)

굳은 표정으로 운전하는 윤수현, 한적한 동네로 접어들고 있다.

S#33. 주택가 (낮)

소박한 서민 동네. 윤수현이 오르막길을 올라가고 있다. 한숨 돌리며 '오래된 단독주택, 파란 지붕, 오르막길 끝 쪽'이라고 적힌 수첩을 힐끗 본다. 고개를 들어 주위를 보는데, 온통 파란 지붕에 오래되어 보이는 집들이 죽 있다. 한숨을 내쉬고는 다시 주먹을 불끈 쥐고 걷기 시작한다. 동네를 무작정 뒤질 결심이다. 집들을 살피며 묵묵히 걷는 윤수현.

S#34. 사람미디어 방송국, 박두만 회장실 (낮)

문이 열리더니 오진주가 들어온다.

박두만   축하합니다. 오판사님, 아니 비상재판부 재판장님. 나중에 대법
        관 거쳐서 대법원장까지 하셔야죠. 저희가 만들어드리겠습니다.
        하하하하.
오진주   (싸늘한 표정으로) 만들어주실 거면, 좀 제대로 만들어주셔야죠.
박두만   예?
오진주   (냉정하고 침착하게 따진다) 강요한 그 인간, 이러니저러니해도 아
        직 인기가 대단해요. 제가 재판장이 되려면 그 인기를 이겨내야

됩니다. 강요한 취임 연설하던 거 생각 안 나세요? 제가 권력입니다, 하던 거.

박두만 흐음…… 임팩트 있게 시작해야 된다?

오진주 미디어 시대잖아요. 보이는 게 전부예요. 이미지. 임명장 하나로 만들 수 있는 게 아니라니까요. (답답하다는 듯) 이렇게 느닷없이 발표해버리면 낙하산일 뿐이에요. 그것도 선배 자리 갑자기 빼앗은.

박두만 그러면 어떻게 해드리면 되겠습니까, 판사님. 취임 연설, 한번 하시겠습니까.

오진주 (도전적으로 쳐다보며) 강요한이 연설했던 바로 거기서. 제 뒤에 강요한, 김가온을 앉혀놓고.

박두만 (놀라며) 강요한이 응하겠습니까?

오진주 제가 설득할게요. 부장님을 이대로 허무하게 보내드릴 수는 없다. 짧은 고별 방송이라도 만들겠다. 제가 직접 부장님의 업적을 기리겠다.

박두만 대관식을 하고 싶으신 거구만요. 강요한 손으로 왕관을 넘겨주는. (씨익 웃는다)

오진주 그림 이쁘잖아요? 시청률도 죽이게 나올걸요? (싱긋 웃는다)

박두만 (시청률 소리에 입이 벌어진다) 허허허허, 하긴 단독 방송에다가 화제성이…… (머릿속으로 셈을 한다)

S#35. 주택가 (낮)

윤수현이 작은 단독주택 현관에 서서 집주인과 얘기중이다.

집주인	(잔뜩 경계하며) 아, 그런 사람 안 산다니까요!
윤수현	그럼 혹시 이런 분이 동네에서 보신 적은 없으세요? (수첩에서 삼십대 중반 평범한 남성의 사진을 꺼내 내민다)
집주인	(보는 둥 마는 둥 힐끗하며) 없어요, 없어! (문을 닫으며 투덜거린다) 시국이 어떤 시국인데……
윤수현	(깊은 한숨을 내쉬고 다시 다음 집의 초인종을 누른다)

S#36. 강요한 부장판사실 (낮)

PD와 오진주, 강요한과 김가온 앞에 서 있다. 도전적으로 강요한을 쳐다보는 오진주.

강요한	(차가운 미소를 지으며) 그거 참 눈물겹게 감사한 말씀이네. 오판사님.
오진주	오해는 마세요. 진심입니다. 받아주시죠.
PD	(안절부절못하며) 갑자기 비상사태가 터지는 바람에 이리 됐지만, 마무리되면 시범재판도 다시 시작하지 않겠습니까? 잠시 오판사님한테 맡기고 곧 다시 돌아온다, 이렇게 해두시는 게 복귀하실 때 모양도 좋을 거고.
김가온	(O.L. 오진주를 쏘아보며) 들러리가 필요하신 겁니까? 신임 재판장님.
PD	아이구, 그러지 마시고요.
강요한	해봅시다.
김가온	(강요한을 보며) 부장님.

강요한	(PD를 보며) 대신 잘 찍어야 될 겁니다. (피식 웃으며) 그림 잘 나오게.
PD	걱정 마십쇼! 제가 아주 감독 20년 경력을 불살라보겠습니다!
강요한	(차가운 표정으로 오진주를 바라본다)

S#37. 주택가 (낮)

윤수현이 지친 표정으로 또다른 집 앞에 서 있다. 초인종도 없는 집. 윤수현이 문을 두드린다.

윤수현	계세요? 계세요?

한참 기다려봐도 답이 없다. 윤수현, 체념한 표정으로 돌아서는데 문이 끼이익 조금 열린다.

정요섭	…누구?
윤수현	(놀라 돌아보는데, 사진에서 본 바로 그 얼굴이다) 정요섭씨?

정요섭, 흠칫 놀라 얼른 문을 닫으려는데 윤수현이 재빨리 문을 붙잡는다.

윤수현	잠시만요. 광수대에서 나온 윤수현입니다. (눈빛이 빛난다)

S#38. 승합차 안 (낮)

강요한, 오진주, 김가온이 탄 밴형 승합차가 밤거리를 달리고 있다. 세 사람 다 굳은 표정으로 말 한마디 없다.

S#39. 사람미디어 방송국 주조정실 (낮)

네댓 명의 주조정실 담당 인력이 일하고 있는데, 그중 한 명(조력자)의 안색이 안 좋다. 잔뜩 긴장한 표정이다.

S#40. 방송 중계 차량 (낮)

PD가 싱글벙글하며 조연출과 같이 앉아 있다. 앞에는 판사들이 탄 승합차가 앞서가고 있다.

PD   이거 시청률 어마어마하게 나오겠다. 어차피 다들 방구석에 앉아 TV만 보고 있잖아!

조연출   근데 식사부터 하고 가나보죠?

PD   응?

조연출   아까부터 한참 딴 길로 돌아가고 있는 거 같은데요.

PD   (창밖을 살피며) 그런가? 이상하다…… 그런 얘기 없었는데. 화장실이 급하신가? (전화가 울려서 받는데 오진주다) 오판사님.

오진주(F)   시간 여유 있죠? 식사부터 하고 가요, 우리.

PD   네? 네. 그러시죠, 뭐.

S#41. 사람미디어 방송국 주조정실 (낮)

조력자가 조용히 일어나 일하는 사람들을 살피더니, 조심스레 문 쪽으로 다가가 문을 연다. 청소 용역 작업복 차림에 모자를 눌러쓴 세 사람이 재빨리 들어온다.

주조정실PD (자리에서 일어서며) 어? 여긴 들어오시면 안 되는데?

모자를 눌러쓴 세 사람 중 두 명이 말없이 총을 겨눈다. 사람들, 놀라 얼어붙는다. 그리고 나머지 한 사람인 고인국, 주조정실 문을 걸어 잠그며 이어폰으로 통화한다.

고인국   준비됐습니다. 생방송.

S#42. 형산동 빈민 집단거주지, 옥상 주차장 (낮)

아직 해지기 전인 저녁 6시경이다. 허름한 건물 위 옥상 주차장에 판사들이 탄 승합차가 멈춰 서고, 방송 중계 차량도 뒤따라 선다. PD가 의아해하며 차에서 내린다.

PD   (두리번거리며) 아니 이런 데 무슨 식당이 있어? (건물 아래 내려다보이는 광경을 보고 놀라며) 저, 저게 뭐야?!

조연출과 스태프도 아래에 보이는 풍경에 경악한다. 노인, 여성 할 것 없이 집에서 질질 끌려나오고, 두들겨 맞으며 포로처럼 줄줄이 무릎 꿇는 모습이 보인다. 그때, 승합차에서 판사들이 내리는데, 법복 차림이다! 세 판사가 법복 자락을 펄럭이며 내린다. 마지막으로 내리는 강요한의 법복이 평소와 달리, 마치 죽음의 신같이 검정색이다.

PD   (당황하며) 파, 판사님?
오진주   (생긋 웃으며) 죄송해요, 피디님. 대신, 진짜 시청률 최고 찍을 거예요. 약속해요.
PD   아니 이게 대체…… 이게 다 무슨 난립니까?! 전쟁 난 것도 아니고.
오진주   (결연한 표정으로) 알려야죠. 무슨 일이 벌어지고 있는 건지.

인서트 > 13부 36신.

노크하고 강요한 방으로 들어온 오진주.

오진주   (결의에 찬 듯) 저도 끼워주십쇼.
김가온   (놀라며) 오판사님.
오진주   (깊은 눈빛으로) 김판사. 나도 현장 봤어. 몰랐다는 말로는 속죄가 안 되는 거 알아. 뭐든 할게. 내가 할 수 있는 일이라면 무엇이든.
강요한   (O.L.) 정말 뭐든 할 텐가.
오진주   네, 부장님.
강요한   (싱긋 웃으며) 잘됐네. 더 자연스럽게 됐어.

PD	(고민하다가 아래 보이는 끔찍한 풍경에 결심하고는) 네. 알려야죠. (분노한 표정으로) 이런 걸 안 찍으면 방송쟁이도 아닙니다. (조연출과 스태프를 돌아보며) 다들 목숨걸고 찍어!
조연출	네! (스태프와 함께 카메라를 꺼내든다)
강요한	(미소 지으며) 든든합니다. (김가온과 오진주를 보며) 자, 그럼 재판 들어갑시다.
김가온	(결의에 찬 눈빛으로) 네, 부장님.
오진주	(생긋 웃으며) 네!
PD	(어리둥절해서) 재, 재판이라시면?
김가온	(승합차에서 방역복을 꺼내 PD에게 내밀며) 우선 이거부터 입으시죠.
PD	네?
김가온	(싱긋 웃는다) 무대로 가야죠.

S#43. 형산동 빈민 집단거주지 (낮)

세 판사와 PD, 방역복을 입고 위장한 채 죽창부대가 사람들을 끌어내는 현장을 지나 2층 건물 철문으로 들어간다. 문 안으로 들어가니 기다리고 있던 조민성이 나타난다.

조민성	(씩 웃으며) 여긴 저한테 맡기십쇼.
강요한	(미소 짓는다) 부탁합니다.

세 판사와 PD, 계단 쪽으로 가고, 조민성은 철문을 닫고는 안에서 쇠사

슬로 칭칭 감아 문을 잠근다. 계단을 올라 널찍한 건물 옥상으로 나온 세 판사. 아래가 내려다보이는 옥상 끝에서 한 걸음 정도 떨어진 곳으로 가서 선다. PD, 휴대용 카메라로 판사들을 잡는다. 강요한, 좌우에 있는 김가온과 오진주를 차례로 바라본다. 강요한, 김가온, 오진주, 서로 시선을 교환하고는 동시에 성큼 한 걸음 걸어나와 옥상 끝에 선다. 그제야 세 판사를 알아본 아래의 죽창부대, 놀라 위를 쳐다본다.

강요한　국민 여러분! 여기는 형산동 긴급 구호 현장입니다. (아래 펼쳐진 주민들을 강제로 끌어내고 무릎 꿇리는 끔찍한 풍경을 보여주며) 이게 진실입니다! 정부는 여러분의 눈을 가리고 있습니다! 이제 눈을 뜨십시오!

S#44. 어느 집 안방 (낮)

TV를 통해 이 모습을 보고 놀라는 부부.
– 저게 뭐야?
– 진짜야?
– 이런 나쁜 놈들!

S#45. 청와대 대통령 집무실 (낮)

허중세, 박두만에게 전화를 걸고 있다.

허중세   박회장 미쳤어?! 지금 뭘 내보내고 있는 거야!

박두만(F)   (당황하며) 아니, 그, 그게 아니라……

허중세   당장 중지시켜! 당장!

S#46. 형산동 빈민 집단거주지/옥상 주차장 (낮)

강요한   국민 여러분, 디케 앱을 열어주십쇼. 그리고 심판해주십시오!
          (아래에서 벌어지는 지옥도를 손으로 죽 가리키며 선동하듯) 여러분
          이웃들이 지금 이 순간에도 죽어나가고 있습니다. 보고만 계실
          겁니까?!

          클로즈업되는 디케 앱 화면. 빨간색 유죄 그래프가 치솟아 올라간다.
          참여자 숫자도 미친듯이 올라간다. 80만, 120만, 180만…… 죽창이
          언덕 위의 강요한을 보고는 이를 간다.

죽창   저 개새끼!

          죽창, 미친듯 강요한이 있는 건물 철문을 향해 뛰어간다. 뒤따르는 부
          하들. 하지만 굳게 잠긴 철문은 아무리 잡아당겨도 미동도 하지 않는
          다. 죽창부대 한 명이 옥상 위를 향해 돌을 집어던진다. 이마를 비껴 맞
          아 순간 휘청하면서도 고통을 참으며 의연히 서 있는 김가온.

오진주   김판사!

강요한   (놀라 김가온을 본다)

김가온	(이마에서 한 줄기 피가 흐른다) 괜찮습니다, 계속하세요.
PD	(분노한 표정이다. 무전기로 옥상 주차장에 있는 조연출에게) 드론 있지?
조연출	네? 네네.
PD	뭐해, 날려!
조연출	네! (중계 차량으로 달려가 드론을 꺼낸다)

드론이 죽창부대 머리 위로 날아올라 현장 상황을 전국에 생중계한다.

S#47. 윤수현의 차 안 (낮)

고가도로를 달리는 윤수현, 드디어 정요셉을 찾아내 기쁨이 가득하다.

윤수현	가온아, 조금만 기다려, 조금만. (그러다 전방의 건물 전광판 화면을 보고 소스라치게 놀란다) 어?!

건물 전광판 화면에 '형산동 방역 현장 LIVE' 자막과 함께 강요한, 김가온, 오진주가 서 있는 건물 옥상이 보인다. 건물 아래 쇠파이프를 휘두르는 죽창부대도 보인다. 죽창부대가 던진 돌에 비껴 맞아 휘청하는 김가온의 이마에서 흘러내리는 피도 보인다.

윤수현	(경악하며) 가온아!

윤수현이 방향을 틀면서 미친듯 가속 페달을 밟아 김가온에게 달려간다.

S#48. 사람미디어 방송국 주조정실 (낮)

경비원들이 달려와 주조정실 문을 쾅쾅쾅 두드리며 열려고 하지만 꿈쩍도 않는다. 주조정실 안에는 두꺼운 문 앞에 소파를 갖다놓고 두 손으로 머리를 받친 채 기대고 앉아, 앞에 놓인 의자에 두 다리를 죽 뻗은 채 유유자적 휘파람을 불고 있는 고인국이 있다.

S#49. 형산동 빈민 집단거주지 (밤)

죽창, 망치로 철문을 부수려 하고 있다. 그사이에 해가 떨어져 저녁이 된다. 죽창부대, 또 옥상을 향해 돌을 던지는데, 이번에는 강요한의 가슴에 맞는다. 피할 수 있었지만 피하지 않고 돌을 맞는 강요한. 현장이 혼란한 틈에 구석으로 숨어서 걱정스레 쳐다보던 주민들, 강요한이 돌을 맞자 놀라 웅성댄다.

–어유, 이를 어째……

–괜찮으신가?

–저러다 죽겠어!

이때, 칠십대 노인(이영민 사건 때의 폐지 수거 노인)이 뛰어나오더니, 뒤에서 죽창을 붙잡는다.

노인　　이 천벌을 받을 놈아!

죽창　　(당황하며) 비켜!

김가온　　(흠칫 놀라며) 저분은! (폐지 노인을 알아본다)

죽창이 세게 뿌리치자 나동그라지던 폐지 노인이 다시 벌떡 일어서서 눈을 번뜩이며 달려든다. 죽창, 뒤로 주춤하더니 쇠파이프를 높이 들어 노인의 머리를 내리친다! 순간 시간이 멈춘 듯 천천히 피를 흘리며 쓰러지는 노인!

김가온   (깜짝 놀라며) 안 돼!

죽창도 당황한 듯 쇠파이프를 떨어뜨린다. 놀란 주민들이 분노한 눈빛으로 숨어 있던 곳에서 밖으로 나온다.

S#50. 청와대 대통령 집무실 (밤)

노인이 피 흘리며 쓰러지는 장면을 보던 허중세, 전화기에 대고 박두만에게 악을 쓴다.

허중세   문을 못 열겠으면 아예 전원을 꺼버려! 당장!

S#51. 사람미디어 방송국 건물 (밤)

온 건물의 불이 탁 꺼진다. 암흑으로 돌변한 방송국 건물.

S#52. 어느 집 안방 (밤)

갑자기 TV 방송이 중단되고 지익~ 회색 화면만 뜬다. 놀라는 부부. 하지만 손에 든 핸드폰 디케 앱에서는 여전히 현장 상황이 중계되고 있다.

S#53. 청와대 대통령 집무실 (밤)

디케 앱 화면으로 중계되는 현장을 보고 있는 허중세.

허중세 (집무실 전화기를 들어) 아예 그 지역 전기를 싹 다 끊어버려! 아무것도 안 보이게 만들라고!

S#54. 형산동 빈민 집단거주지 (밤)

갑자기 집단거주지 전체의 불이 파바박 차례로 꺼진다. 뒤에 있는 아파트 단지도, 건물들도. 삽시간에 암흑으로 변해버린 집단거주지. 강요한이 서 있는 옥상도 어두워진다. 당황하는 주민들. 그 순간, 옥상 위에서 아래로 번쩍 빛이 비친다. 강요한이 높이 치켜든 핸드폰 플래시 불빛이다. 김가온과 오진주도 품에서 핸드폰을 꺼내어 불빛을 비춘다. 주민들도 뭔가에 홀린 듯 핸드폰을 꺼내 플래시를 켜기 시작한다. 옥상 주차장의 방송 중계 차량, 헤드라이트와 조명을 팍, 켜서 강요한을 비춘다.

강요한 어둠은 빛을 이길 수 없습니다, 여러분!

주민들, 드디어 용기를 내 함성을 지르며 죽창부대에게 달려든다! 방역 요원들은 겁을 먹고 옆으로 비킨다. 죽창부대, 하나씩 하나씩 쓰러지거나 겁먹은 표정으로 무릎을 꿇기 시작한다. 김가온도 오진주도 PD도 벅찬 감정에 눈물을 흘리며 이 풍경을 본다. 강요한만 알 수 없는 무표정한 얼굴이다.

S#55. 형산동 빈민 집단거주지, 옥상 주차장 (밤)

옥상 주차장으로 돌아온 세 판사와 PD, 타고 왔던 승합차 쪽으로 가려 한다.

윤수현(E) 가온아!

김가온, 놀라 돌아보는데, 윤수현이 차를 세우고 뛰쳐내려 달려오고 있다. 그런데, 주차장 난간 쪽, 다른 차량 옆에 숨어 있던 험상궂은 인상의 사내가 품에서 권총을 꺼내며 시범재판부 판사들을 노리는 듯 힐끗 쳐다보는 모습이 김가온의 눈에 들어온다!

김가온 (놀라 윤수현을 제지하며) 안 돼, 수현아! 오지 마!

순간 총성이 탕! 하며 밤하늘을 울린다. 시간이 멈춘 듯 김가온 바로 앞까지 달려온 윤수현이 휘청, 흔들리더니 빛나던 눈에서 빛이 사라지며 서서히 쓰러지는 모습이 김가온의 눈에 가득 들어찬다.

김가온   수현아!

필사적으로 쓰러진 윤수현을 끌어안는 김가온. 윤수현이 입고 있던 흰 셔츠 가슴께에서 피가 배어나오고 있다. PD와 조연출, 놀라 총을 쏜 사내 쪽으로 달려간다. 사내, 재빠르게 난간을 뛰어넘어 어둠 속으로 사라진다.

윤수현   (피범벅이 된 손을 온 힘을 다해 들어올려, 돌에 맞은 김가온의 이마 상처를 걱정스레 어루만지며) 괜찮아? 피 나잖아……

김가온, 제정신이 아닌 듯 눈물을 펑펑 흘리며 자신의 이마를 만지는 윤수현의 손을 꼭 붙잡는다.

김가온   (가슴이 미어진다. 울면서) 이 바보야, 넌 왜 나만…… 나만 걱정해…… (눈물이 쏟아진다)

윤수현   (정신이 희미해지는 듯 멍하니, 우는 김가온만 바라보며) 또 우네…… 왜 울고 그래……

김가온   수현아, 수현아…… (통곡한다)

윤수현   (마지막 힘을 다 쥐어짠 듯 희미한 미소를 지으며) 울지 마…… 짜식아…… 사랑한다…… (툭 고개를 떨군다)

김가온   (미친 사람처럼 덜덜 떨며) 안 돼, 안 돼…… (윤수현을 품에 끌어안고 절규한다) 안 돼, 수현아! (눈물을 흘리며 정신 나간 듯) 제발…… 나 두고 가지 마…… 제발……

윤수현을 끌어안고 울부짖는 김가온의 뒤로, 충격받은 오진주와 PD 등

사람들이 모여드는데, 김가온 바로 뒤에는 마치 죽음의 신처럼 온통 검은색인 법복 자락을 휘날리는 강요한이 무표정하게 서 있다. 그 위로 타이틀. **악. 마. 판. 사.**

14부

개구리들의 왕

S#1. 묘지 (낮)

해맑게 웃고 있는 윤수현의 얼굴, 줌아웃되면서 서서히 영정임이 드러
난다. 넋 나간 얼굴로 윤수현의 영정을 들고 걷는 김가온. 그뒤로 윤수
현의 관이 따르고 있다. 외동딸을 잃은 슬픔에 통곡하며 뒤따르는 윤수
현의 부모. 민정호도 침통한 표정으로 따르고 있다.

Cut to

묏자리 앞에 관을 내려놓고 서양식 장례처럼 목사의 주도로 하관식 성
경 봉독(「고린도전서」 15장 51~58절)을 하고 있는 참석자들.
– 보라 내가 너희에게 비밀을 말하노니 우리가 다 잠 잘 것이 아니요 마
지막 나팔에 순식간에 홀연히 다 변화되리니 나팔 소리가 나매 죽은 자
들이 썩지 아니할 것으로 다시 살아나고 우리도 변화되리라……
성경 봉독하는 이들로부터 조금 떨어진 곳에, 멍하니 서서 관 위에 놓인

영정 속 윤수현의 웃는 얼굴만 하염없이 보고 있는 김가온. 민정호, 말 없이 김가온을 끌어안는다. 굵은 눈물을 흘리며 흐느끼는 민정호. 김가온, 고개를 푹 숙인다.

김가온 수현아……

평생 함께했던 윤수현과의 순간순간들이 김가온의 머릿속을 스쳐간다.

S#2. 김가온의 회상, 김가온 부모의 장례식장 (밤)

7부 32신. 김가온의 부모님 영정을 모셔놓은 조촐한 병원 빈소. 넋이 나간 표정으로 부모님 영정 앞에 무릎 꿇고 앉아 있는 김가온. 교복 차림의 윤수현이 조용히 곁에 와서 앉는다. 윤수현, 깊은 눈으로 김가온을 가만히 보며 김가온의 등에 손을 올려 천천히 쓸어준다. 김가온, 그만 왈칵 눈물이 터지고 만다. 흐느끼는 김가온. 함께 눈물 흘리는 윤수현.

S#3. 김가온의 회상, 법원 청사 외곽 (밤)

7부 33신. 포승줄에 묶인 채 유유히 내려와 걷는 도영춘. 경찰들 사이에 빈틈이 생기자 김가온, 눈빛을 번뜩이며 주머니에서 잭나이프를 꺼내들고 도영춘 쪽으로 돌진하는데, 누군가 옆에서 튀어나와 김가온의 앞을 가로막는다. 놀라 쳐다보는 김가온. 윤수현이다. 얼른 밑을 내려다보자 윤수현이 필사적으로 잭나이프 칼날을 두 손으로 움켜쥔 채 남들의 눈에 띄지 않게 온몸으로 막고 있다. 윤수현의 손에서 피가 뚝뚝 떨어진다. 필사적으로 고개를 젓는 윤수현의 간절한 눈빛.

S#4. 김가온의 회상, 신임 법관 임명식장 (낮)

'신임 법관 임명식' 플래카드가 걸려 있다. 기쁘고 가슴 뭉클해서 눈물을 글썽이는 윤수현, 법복을 입고 신임 법관 대표 선서를 하는 김가온을 보고 있다. 김가온 앞에는 법복 입은 지윤식 대법원장이 서 있고, 김가온 뒤에서는 신임 법관 스무 명이 따라서 선서하고 있다. 가족석 왼쪽에 앉은 윤수현 옆에는 민정호(이때는 아직 대법관이 아닌 로스쿨 교수. 캐주얼한 재킷 차림이다)가 흐뭇한 표정으로 앉아 있다. 가족석 맨 앞 열에는 '귀빈석' 표시가 되어 있고 초청 인사들이 보인다.

김가온   본인은 법관으로서 헌법과 법률에 의하여 양심에 따라 공정하게 심판하고, 법관윤리강령을 준수하며, 국민에게 봉사하는 마음가짐으로 직무를 성실히 수행할 것을 엄숙히 선서합니다.

윤수현을 비롯한 임명식 참석자들, 열띤 박수를 보낸다. 윤수현, 감동해서 눈물을 슬쩍 훔친다. 윤수현 옆자리에서 박수를 보내던 민정호, 눈물 훔치는 윤수현을 보며 픽 웃는다. 얼른 태연한 척하는 윤수현.

Cut to

임명식이 끝난 후, 삼삼오오 기념사진을 찍고 있는 신임 법관들과 가족들. 부모님이 안 계신 김가온 좌우에는 윤수현과 민정호가 활짝 웃으며 서 있고, 다른 참석자에게 부탁해 사진을 찍고 있다. 꽃다발을 안고 가운데에서 사진을 찍은 김가온, 갑자기 윤수현 가슴에 꽃다발을 안기더니 억지로 가운데로 밀고는 윤수현을 가운데 놓고 다시 한번 사진을 찍는다. 싫다고 버티다가 어쩔 수 없이 가운데 서서는 활짝 웃는 윤수현.

S#5. 김가온의 회상, 동네 놀이터 (낮)

여섯 살짜리 꼬마 김가온, 윤수현을 비롯한 아이들과 '무궁화 꽃이 피었습니다' 놀이를 하고 있다. 윤수현이 술래다. 그런데 이때는 윤수현이 김가온보다 키가 크다. 윤수현 바로 앞까지 와 있는 김가온, 술래와 포로가 잡은 손가락을 쳐서 끊어주고는 신나게 도망가다가 돌부리에 걸려 넘어진다. 무릎에서 피가 나자 울음을 터뜨리는 김가온. 어린 윤수현, 우는 김가온을 보자 안절부절못하더니 애써서 달래려든다.

윤수현　야, 김가온! 그만 울어. 괜찮아. (그래도 김가온이 계속 울자 어쩔 줄 몰라 하다가 자기가 울 때 엄마가 달래주던 것이 떠오른다. 김가온을 껴안더니 등을 토닥토닥해주며) 괜찮아~ 아무렇지도 않아~ 울지 마~ 사랑해~

S#6. 김가온의 회상, 형산동 빈민 집단거주지 (밤)

총을 맞고 쓰러진 윤수현을 끌어안고 우는 김가온.

윤수현	(정신이 희미해지는 듯 멍하니, 우는 김가온만 쳐다보며) 또 우네……
	왜 울고 그래……
김가온	수현아…… 수현아…… (통곡한다)
윤수현	(마지막 힘을 다 쥐어짠 듯 희미한 미소를 지으며) 울지 마…… 짜식
	아…… 사랑한다…… (툭 고개를 떨군다)

S#7. 묘지 (낮)

울지 말라던 윤수현의 말 때문인지 너무 큰 슬픔에 눈물조차 마른 것인지 눈물을 보이고 있지 않던 김가온의 눈에 눈물이 고인다.

| 민정호 | (노여운 기색으로) 저 인간이 여기 왜…… |

김가온, 고개를 드니 검은색 정장의 강요한이 관 앞에 서 있다. 곁에는 눈물을 흘리는 엘리야가 있다. 강요한, 천천히 관 옆에 준비된 국화꽃을 들어 윤수현의 관 위에 놓는다.

| 엘리야 | (흐느끼며) 언니…… 언니…… |

다른 참석자들도 관 위에 국화꽃을 놓는데, 김가온은 넋이 나간 듯한 표정으로 한 걸음 뒤에 멍하니 서 있기만 한다. 그러다 윤수현의 관을 묏자리 아래로 내리려는 순간, 정신 나간 사람처럼 윤수현의 관으로 달려든다.

김가온	안 돼!

순간 억누르던 모든 감정이 터져나온 김가온, 윤수현의 관을 끌어안고 울부짖는다.

김가온	안 돼! 가지 마! 수현아, 안 돼!
민정호	(김가온을 붙잡고 말리며) 가온아!
김가온	수현아!

말리는 사람들을 뿌리치며 관을 끌어안고 몸부림치다가 그만 혼절하는 김가온. 환하게 웃는 윤수현의 영정이 김가온을 내려다보고 있다. 사람들이 놀라 바라보는 가운데, 성큼성큼 김가온에게 다가가는 강요한, 김가온을 끌어안듯 부축해서 끌고 나온다.

민정호	(강요한 앞을 가로막으며 굳은 표정으로) 가온이를 내버려둬!

강요한, 민정호를 무시하듯 김가온을 끌고 지나간다. 엘리야도 뒤를 따른다.

S#8. 강요한의 저택, 김가온의 방 (밤)

침대에서 정신을 차리는 김가온. 혼절한 김가온을 강요한이 일단 저택으로 데려왔다. 강요한, 침대 옆에 서서 묵묵히 김가온을 보고 있다. 엘리야도 눈물 글썽이며 옆에 있다.

강요한	…정신이 좀 드나?
김가온	(강요한을 놀란 표정으로 보더니 여전히 넋 나간 눈빛으로) 수현아…… 수현아…… (당장 묘지로 돌아가려는 듯 침대에서 내려오려 한다)
강요한	(김가온의 뺨을 때리며 버럭한다) 정신 좀 차려!
엘리야	(강요한의 팔을 잡으며 안타깝게) 그러지 마~
김가온	(강요한을 본다)
강요한	언제까지 그러고 있을 거야! 나약하게 굴지 말고.
김가온	(아무 말도 들리지 않는다. 강요한을 붙잡으며 O.L.) 범인은, 범인은 잡았습니까?!
강요한	(고개를 젓는다)
김가온	(눈빛이 번뜩이며 일어선다) 그놈을, 그놈을 잡아야 됩니다!
강요한	(김가온을 붙잡으며) 어딜 가겠다는 거야!
김가온	놔! (미친듯이 살기를 뿜어내며 강요한을 어깨로 쿵! 강하게 밀쳐낸다)
엘리야	(눈물을 흘리며 김가온 앞을 막아서고는, 김가온의 품에 매달린다) 그만해…… 제발……
김가온	(놀라 엘리야를 내려다본다)
엘리야	(흐느끼며) 그러다 가온까지 죽으면…… 수현 언니는, 수현 언니는 불쌍해서 어떡해…… 길거리에서 총 맞아 죽을 거야? 그걸 수현 언니가 보고 싶을 것 같아?!
김가온	(흠칫한다)
엘리야	(애써 김가온을 설득한다) 일단 여기 있어, 응? 일단 여기 있으면서 요한이랑 상의해서, 어떻게든…… 응? (흐느낀다)
김가온	(눈물을 흘리며 엘리야를 끌어안는다) 엘리야……
강요한	(침통한 표정으로 둘을 바라본다)

S#9. 강요한의 저택, 서재 (밤)

김가온, 무겁게 가라앉은 표정으로 서재에 들어선다.

강요한   …이제 좀 진정이 됐나?

김가온   (분노한 눈빛으로) 대체 누가 수현이를 쏜 겁니까!

강요한   (고개를 젓더니) 윤수현을 쏜 게 아니야. 혼란한 틈에 우리 재판부
          를 제거하려 했던 거야.

김가온   우리 재판부를?

강요한   생각해봐. 재단 놈들이 저지른 짓들을. 방송을 중단하더니, 아예
          그 지역 전체 전기를 끊어버렸다. 앞뒤 가릴 여유도 없을 만큼 다
          급했던 거야. 그래도 안 되니 아예 죽여버리려 한 거겠지.

김가온   (저격범이 시야에 들어왔던 순간을 떠올린다)

플래시백 >

주차장 난간 쪽, 다른 차량 옆에 숨어 있던 험상궂은 인상의 사내가 품
에서 권총을 꺼내며 시범재판부 판사들 쪽을 힐끗 보는 모습이 눈에 들
어온다.

김가온   (새삼 찢어질 듯한 고통이 파고든다) 수현이가…… 저 대신 죽은 겁
          니까?! …저 대신?! (고통으로 표정이 일그러진다. 꽉 쥔 두 주먹이
          떨린다)

강요한   (그런 김가온을 착잡한 표정으로 가만히 보다가) 안다. 지금 네 마음
          이 어떤지.

김가온	……
강요한	지옥 같겠지. 영원히 벗어날 수 없는 무간지옥. 나도 안다. 그 속에서 살고 있으니까.
김가온	(고통스럽게 눈물 흘린다)
강요한	…울 시간이 있다면, (김가온의 어깨에 손을 올리며) 이런 짓을 저지른 놈들도 지옥불 속에서 불타게 만들어. 그게 지옥 속에서 살 수 있는 유일한 방법이다.
김가온	(강요한을 한참 가만히 보다가) 죽창은 잡았습니까?
강요한	(고개를 끄덕인다)
김가온	(증오로 타오르기 시작하는 눈빛으로) 우선 그놈으로부터 시작해야겠군요…… 재단 놈들을 처단하려면.
강요한	(다시 끄덕인다)
김가온	(가만히 강요한을 응시하다가) 시작하시죠.
강요한	(김가온을 바라본다)
김가온	(결연한 눈빛으로) 준비됐습니다.

S#10. 배석판사실 (낮)

처연한 표정으로 판사실로 들어오는 김가온. 오진주, 김가온을 보자 다가와서는 눈물 그렁한 눈으로 말없이 끌어안는다. 오진주의 품에 안긴 채, 고이는 눈물을 애써 참는 김가온.

S#11. 대법원 앞 (낮)

기자들 앞에 선 강요한, 김가온, 오진주.

강요한 정부가 투입한 이른바 긴급 구호 요원들이 무고한 시민들에게 무차별 폭력을 행사하고, 한 노인분을 무참히 살해했습니다. 그리고 정체를 알 수 없는 저격범의 총탄에 한 경찰관이 목숨을 잃었습니다. 그런데도 정부는 진상을 밝히지 않고 있습니다! 저는 이 국가 폭력을 시범재판 법정에 세워, 관련된 모든 자들에게 책임을 물을 것입니다!

기자1 저, 그런데 허중세 대통령은 시범재판부는 해체되고 비상재판부가 신설된다고 발표했는데요.

오진주 이 자리에서 분명히 밝힙니다만.

기자들, 오진주 쪽을 본다.

오진주 (의연한 눈빛으로) 저는 시민들을 억압하고 통제하는 이른바 비상재판부라는 곳에, 참여할 생각이 전혀 없습니다. 저는, (기자들을 둘러보며 결연히) 시범재판부 판삽니다.

김가온 (그런 오진주를 잠시 뭉클한 눈으로 보고는, 기자들을 향해) 재판은 이미 시작됐습니다.

기자들, 이번에는 김가온을 본다.

김가온 (핸드폰 디케 앱 빨간 그래프 화면을 들어올리며) 500만 명이 넘는 국민들이 이미 유죄에 투표했습니다. 이 재판을 멈추려고 하는 자들이 있다면, 그들이 바로 범인입니다. (마치 재단의 권력자들을 노려보듯 분노한 눈빛으로 카메라를 응시한다)

S#12. 재단 회의실 (낮)

스크린으로 김가온의 분노한 눈빛을 지켜보고 있는 허중세, 박두만, 민용식, 정선아.

민용식   어허, 이거 대놓고 공갈 협박하네? 막았다간 난리 날 거라 이거지?! (박두만을 째려보며) 하여튼 인간아, 시청률, 시청률 환장하더니 아주 초대형 사고를 쳤네, 그냥! 이거 어떻게 수습할 거야!

박두만   (허중세 눈치를 보며 쩔쩔맨다) 아니, 오진주 쟤가 이렇게 뒤통수를 칠 줄 어떻게 알겠나 말이야…… 야심만만하던 기집애가 도대체 왜 저러는 거야! 대법원장까지 해먹겠다더니.

정선아   (픽 웃으며) 자기 힘으로 해먹을 모양이죠. (화면에 비친 의연한 눈빛의 오진주를 보며) …본 중에 제일 빛나긴 하네요. 반짝반짝.

박두만   (벌컥 화를 내며) 아, 남의 집 불구경하듯 할 거야?! 이번 일 다 까뒤집히면 폭동 일어나! 우리 다 돌 맞아 죽는다니까!

허중세   (의자를 옆으로 돌려 딴 곳만 쳐다보고 있다가 나지막이) 하라 그래. 재판.

박두만   예에?

민용식   그건 위험합니다. 일단 언론부터 틀어막고 대법원에 압력을 가해서.

허중세 　(O.L.) 온 국민이 쌩 라이브로 지켜봤잖아! 노인네가 쇠파이프로 맞아 죽는 꼴.

입을 다무는 박두만, 민용식.

허중세 　여기서 더 틀어막으면 위험해. 지금은 일단……
정선아 　(생긋 웃으며) 꼬리부터 잘라야죠.
허중세 　(쯧, 혀를 차고는 자리에서 일어선다)

S#13. 청와대 브리핑 룸 (밤)

허중세 　이번 사태는 일부 현장 인력들의 과잉 의욕과 실적 경쟁이 낳은 비극입니다. (침통한 표정으로 고개를 숙이며) 고인과 유족분들에게 정부를 대표하여 사죄드립니다. (다시 고개를 들며) 그렇다고 해서 치명적인 변종 바이러스에 대한 대처를 늦출 수는 없는 일입니다! 현장에서의 일부 일탈 행위에 대해서는 엄정한 재판이 이루어질 것으로 기대합니다. 그러나! 이를 기화로 근거 없는 음모론을 유포하면서 긴급 방역 및 구호 조치를 비방하는 일이 있어서는 안 되겠습니다. 만에 하나, 이번 재판 과정에서 그런 일이 벌어진다면! (위협적으로 카메라를 보며) 그것은, 국가에 대한 반역입니다.

S#14. 청와대 대통령 집무실 (밤)

집무실로 들어오는 허중세. 정선아가 기다리고 있다.

정선아 수고하셨습니다.

허중세 (심각한 표정으로) 노인네 때려죽인 게 문제가 아냐. 핵심은 바이
        러스인데…… 준비 좀 해두는 게 좋겠어.

정선아 (흠칫한다) 준비라고 하시면……

허중세 (씩 웃으며) 바이러스가 있네 없네 정 시비 걸면, 주지 뭐. 좀 나와
        주면 되는 거 아냐. …거렁뱅이들 동네에서.

정선아 (소름이 끼친다) 설마, 바이러스를 유포하실 생각입니까.

허중세 필요하다면 해야지. 지도자란 게 말야, 때로는 대를 위해 소를 희
        생시키는 고독한 결단, 이런 걸 해야 되는 거라고. 왜, 할리우드
        영화 보면 많이 나오잖아. (성호 긋는 흉내내며) 기도하면서 핵폭
        탄 버튼 딱 누르고, 그런 거. (히죽거린다)

정선아 (이 미친 광대 새끼…… 충격받은 표정으로 허중세를 응시한다)

허중세 왜? 뭐 불만 있어?

정선아 …아닙니다. 감동해서요. (차가운 미소를 짓는다)

허중세 (노려보더니) 정이사장, 좀 삐딱해. 이번 일, 영 마음에 안 드는 모
        양인데, 이제 와서 발 빼겠다는 거야 뭐야? 왜? (히죽거린다) 강
        요한한테 뭐 미련이라도 남은 건 아니지?

정선아 (쏘아보다가 싱긋 웃으며) 강요한은 어떻게든 제가 막을 겁니다. 대
        통령님은, 그 친구 입이나 좀 막아주시죠.

허중세 누구 말이야?

정선아 노인네 때려죽여서 이 사단을 만들고 만 대통령님 팬클럽 회장,

죽창 말이에요. (생긋 웃으며) 설마, 미련이라도 남은 건 아니시
죠?

허중세   (말없이 정선아를 노려본다)

S#15. 강요한의 저택, 서재 (밤)

강요한   일단 재판까지는 끌고 왔으니, 어떻게든 법정에서 밝혀야 돼.

김가온   바이러스가 있지도 않았다는 것까지 밝혀내야 될 텐데, 가능하겠
         습니까?

강요한   …고변호사가 비상대책본부 연구원 한 분을 접촉하고 있는데, 이
         따 만나기로 했어. 같이 갈까?

김가온   …네. 그러시죠. (나가는데 안색이 영 초췌하다)

강요한   (망설이다가) 잠깐만.

김가온   (돌아본다)

강요한   (남 걱정해주는 타입이 아니어서 영 어색하다) 어…… 밥은 좀 먹었
         나?

김가온   …생각이 없어서요. (다시 나가려 한다)

강요한   잠깐만!

김가온   네?

강요한   (얼른) 어, 나도 좀 출출해서 라면이라도 하나 끓일까 싶은데. 어
         떻게…… 하나 더 끓일까?

김가온   (미소 지으며) 고맙습니다. 근데 오늘은 말고, 다음에요. (목례하
         고 나간다)

강요한   (가만히 서재에서 나가는 김가온을 본다)

S#16. 강요한의 저택, 테라스 (밤)

블루투스 이어폰을 낀 채 바깥을 멍하니 바라보는 김가온. 엘리야가 들어온다.

김가온   …왔니.

엘리야   뭐 들어?

김가온   (이어폰을 빼며) 그냥. 음악.

엘리야   (김가온의 안색을 살피며 어색하게) 어…… 밝은 걸로 좀 들어! 우중충하게 그러고 있지 말고! (힐끗 보며) 밥은 먹었어? …라면이라도 하나 끓일까 하는데.

김가온   (그제야 픽 웃으며) 둘이 닮았네?

엘리야   (의아해하며) 무슨 소리야? 누구랑?

김가온   니네 삼촌.

엘리야   (발끈하며) 뭐야? 내가 어딜 그런 아저씨랑 닮았어!

김가온   (미소 짓는다) …위로하는 게 서툰 거.

엘리야   (움찔하며) 위로는 무슨. (궁시렁궁시렁한다) 꼴 보기 싫어서 그렇지. 세상 다 산 사람같이…… 재미없어.

김가온   (싱긋 웃으며) 근데 위로가 된다.

엘리야   ……?

김가온   …서툴러서. (미소 지으며) 고마워 엘리야.

엘리야   뭐래. (괜히 부끄러워져 휙 돌아나간다)

김가온, 잠시 희미하게 미소 짓고 있다가 주머니에서 다시 이어폰을 꺼낸다. 다시 어두워지는 표정. 가만히 손 위에 놓은 이어폰을 보고 있다가 귀에 끼우고는 멍하니 바깥 풍경을 보다가, 핸드폰 재생 버튼을 누른다. 귓가에 들려오는 윤수현의 장난스러운 목소리.

– 나랑 결혼할래? 사랑해!

– 나랑 결혼할래? 사랑해!

김가온　(반복해서 재생 버튼을 누르다가, 괴로운 표정으로 고개를 숙인다) 수현아.

윤수현과 장난스럽게 도청기를 시험하던 그 밤처럼 달은 여전히 밝다.

S#17. 정선아의 집 (밤)

혼자 위스키를 마시고 있는 정선아. 허중세가 했던 말을 생각하고 있다.

플래시백 >

허중세　(씩 웃으며 V.O.) 바이러스가 있네 없네 정 시비 걸면, 주지 뭐. 쫌 나와주면 되는 거 아냐. 거렁뱅이들 동네에서.

어디까지 폭주할지 도무지 예측할 수 없는 미친 권력자들. 이들 사이에서 돈을 벌고는 있지만 빈민가 동네 출신의 정선아로서는 왠지 섬찟하고 소름 끼치는 건 어쩔 수 없다. 불안한 표정의 정선아, 위스키를 따라 마시다가 재희에게 전화를 건다.

정선아   재희야.

재희(F)   응, 언니.

정선아   옛날에 나 살던 동네 알지? 거기도 긴급 방역 지역인가?

재희(F)   그럴걸? 거기 완전 빈민 동네잖아.

정선아   그래…… 그렇겠지. (문득 생각난 듯) 아, 그리고 전에 멘토링하러
         갔던 청소년 복지원 있잖아, 혹시 거기도……

재희(F)   에이, 거긴 재단 부속 복지원이잖아. 거긴 뺐을 거야. 확인해봐?
         근데 왜?

정선아   어…… 아냐 그냥. (생각에 잠긴다)

플래시백 > 7부 8신.

정선아   울 엄마는 이게 소원이었나봐요. 그냥 내가 평범하고 착하게 크는
         거. (칠판에 쓴 자기 이름을 잠시 먹먹한 눈빛으로 보다가 독백하듯) 왜
         그랬을까…… 그런 사람이 왜 그렇게 술만 먹으면 날 때렸을까.

원장과 스태프들, 소녀들 모두 당황한다.

정선아   (씩 웃더니) 미안해요. 여러분을 보니까 이상하게 옛날 생각이 나
         고 그러네. 주책없이.

소녀1   (우물쭈물하다가 겨우 용기를 내서 손을 들고는 기어들어가는 목소리
         로) 저희 엄마도 그러셨어요.

정선아   (가만히 본다) 그래요?

소녀1   네…… 평소엔 천사 같으신데, 술만 드시면 울다가 갑자기……

재희(F)	(픽 웃으며) 와, 적응 안 된다. 언니 갱년기야? 남 걱정을 다 하 네?
정선아	얘는, 야, 내가 니 걱정을 얼마나 하는데!
재희(F)	온갖 위험한 일은 다 시키면서 걱정은 무슨…… 언니, 우리 비즈 니스 관계잖아. 위험수당이나 잘 챙겨줘.
정선아	(피식 웃으며) 매정한 년. 끊어.

정선아, 전화를 끊고는 통유리창 앞에 서서 위스키잔을 든 채 도시를 내려다본다. 왠지 쓸쓸한 눈빛이다.

| 정선아 | 어쩌다 여기까지 왔을까. (한숨을 내쉬고는 위스키잔을 들이킨다. 눈 빛이 서서히 매서워진다) …어쩌겠어. 이미 와버렸는데. |

S#18. 건축중인 건물 안 (밤)

안경을 쓴 중년 남성(윤명진 박사) 한 명, 잔뜩 긴장하고는 주변을 살피더니, 공사중인 건물 안으로 들어온다. 주위를 두리번거리는데, 어두운 그림자 속에서 강요한과 김가온이 걸어나온다.

윤명진	강판사님!
강요한	잘 찾아오셨습니다. 윤박사님.
김가온	김가온입니다. (목례한다)
윤명진	반갑습니다. 김판사님. (답례한다)
강요한	단도직입적으로 여쭙겠습니다. 변종 바이러스가 발견된 게 맞습

니까?

윤명진　(군은 표정으로 고개를 저으며) 최소한 저는 아무런 과학적 증거도 보지 못했습니다.

강요한　3년째 전염병 대응팀 연구원으로 계시지 않습니까. 그런 박사님이 아무것도 보지 못하셨단 말입니까?

윤명진　한 달 전부터 갑자기 청와대가 연구원들을 바꿔버렸습니다. 핵심 자료는 전부 극비로 분류해놓고 보여주지도 않습니다. (분한 표정으로) 비상대책본부, 지금 완전 공포 분위기입니다. 무장한 군인들이 모든 걸 통제하고 있어요.

김가온　검출됐다는 바이러스 샘플도 보지 못하셨단 말이죠.

윤명진　네. 겨우 사망자 부검 데이터만 훔쳐봤는데, 증상에 유의미한 공통점이 없어요. 단일 바이러스로 그렇게 다양한 증상이 생기기는 어렵습니다. 유일한 공통점이 있다면……

강요한　그게 뭡니까.

윤명진　(군은 표정으로) …영양실조입니다.

김가온　(놀라며) 영양실조?

윤명진　(참담한 어조로) 사망자들은 거의 다 노숙자, 걸인, 방치된 노인들입니다. 지금 바이러스가 발견됐다고 난리치는 곳들은 전부 극빈층 집단거주지역이고, 이들을 죽인 것은 바이러스가 아니라, 가난입니다.

강요한　(군은 표정이다)

윤명진　영양실조와 위생 불량 상태에서 각종 만성 질병에 시달리던 분들이 다양한 이유로 사망하고 있는 겁니다. 그걸 특정 지역에 치명적인 바이러스가 돌고 있는 걸로 둔갑시켜서 인간 청소를 하고 있는 것, 그게 이번 사태의 본질입니다.

강요한	(굳은 표정으로 윤명진을 응시하다가) ···박사님, 지금 말씀해주신
	내용을, 법정에서 증언해주실 수 있겠습니까.
윤명진	(결연한 눈빛으로) 네, 판사님.
강요한	···위험한 일이라는 거, 알고 계시지요.
윤명진	···각오하고 있습니다.

강요한, 윤명진을 응시하다가 손을 내밀어 악수를 청한다. 손을 굳게 마주 잡는 두 사람. 감동한 표정으로 윤명진을 바라보는 김가온.

S#19. 대법원 정문 앞 (낮)

무장한 경비대원들이 서 있는 가운데, 방송기자가 카메라 앞에서 리포트중이다.

기자	감염병 확산 방지를 이유로 일반인 출입이 금지된 가운데 방청객
	없이 재판이 열리게 되었습니다. 이번 사건의 변호인으로 현역
	대령인 대통령 직속의 비상대책본부 법무실장이 선임되어 관심
	을 모으고 있는데요. 온 국민의 관심이 집중된 이번 사건의 진상
	이 밝혀질지, 귀추가 주목되고 있습니다.

리포트 화면 아래에 '긴급 구호 현장 사망 사건 재판 곧 시작' '변호인 은 현역 대령인 비상대책본부 법무실장'이라는 자막이 뜬다.

S#20. 대법정 (낮)

애써 의연한 척하지만 불안으로 눈빛이 흔들리는 죽창, 다리를 덜덜 떨고 있다. 군복 차림에 권총까지 차고 법정에 선 날카로운 인상의 대령, 죽창을 변호하는 중이다. 강요한, 검은 법복을 입고 재판장석에 앉아 있다.

변호인 이번 일은 어디까지나 불행한 사고입니다!

강요한 …방금 사고라고 했습니까? 변호인? (노트북 버튼을 누른다)

법정 스크린에 사건 당시 화면이 재생된다.

인서트 > 13부 49신.

죽창, 망치로 철문을 부수려 하고 있다. 그사이에 해가 떨어져 저녁이 된다. 죽창부대, 또 옥상을 향해 돌을 던지는데, 이번에는 강요한의 가슴에 맞는다. 피할 수 있었지만 피하지 않고 돌을 맞는 강요한. 현장이 혼란한 틈에 구석으로 숨어서 걱정스레 쳐다보던 주민들, 강요한이 돌을 맞자 놀라 웅성댄다.

–어유, 이를 어째……

–괜찮으신가?

–저러다 죽겠어!

이때, 칠십대 노인(이영민 사건 때의 폐지 수거 노인)이 뛰어나오더니, 뒤에서 죽창을 붙잡는다.

노인	이 천벌을 받을 놈아!
죽창	(당황하며) 비켜!

죽창이 세게 뿌리치자 나동그라지던 폐지 노인이 다시 벌떡 일어서서 눈을 번뜩이며 달려든다. 죽창, 뒤로 주춤하더니 쇠파이프를 높이 들어 노인의 머리를 내리친다! 순간 시간이 멈춘 듯 천천히 피를 흘리며 쓰러지는 노인!

강요한	(싸늘하게) 다시 한번 대답해보세요. 이게 사고입니까? 변호인?
변호인	물론입니다! 사건 전후 맥락을 다 따져봐야 되는 것 아닙니까?
강요한	(피식 웃으며) 그래, 도대체 무슨 맥락에서 칠십대 노인을 쇠파이프로 내리쳐 살해한 건지, 한번 얘기해보시죠. 변호인.
변호인	(강요한을 노려보고는 카메라를 향해 위압적으로) 지금 대한민국은 전시 상황이나 마찬가지입니다! 치명적인 변종 바이러스의 확산을 막기 위해 현장 요원들이 목숨을 걸고 위험한 현장으로 투입되고 있습니다. 이런 상황에서 현장 요원들의 정상적인 공무집행을 방해하는 행위는, 그 자체로 범죄입니다! 이 사건은, 주민들이 긴급대피명령에 순응하지 않고 반발하는 상황에서, 우발적으로 벌어진 사고에 불과합니다.

강요한이 다시 노트북을 누르자 현장 상황(13부 42신)이 재생된다. 노인, 여성 할 것 없이 집에서 질질 끌려나오고, 두들겨 맞으면서 포로처럼 줄줄이 무릎 꿇고 있는 모습이 보인다.

강요한	이게, 방금 말씀하신 '정상적인 공무집행'입니까? 변호인?

변호인	반복하지만, 지금은 전시 상황입니다. 한가하게 인권이니, 절차니 따지다가 전국으로 바이러스가 퍼지면 그 책임은 누가 집니까? 재판장님이 지실 겁니까? (강요한을 위협적으로 노려본다)
강요한	(변호인을 빤히 쳐다보다가) 좋습니다. 그럼 먼저, 변호인께서 그렇게 강조하시는 '전시 상황'이 맞는지부터 확인하기로 하죠. 이번에 발견되었다는 그 '변종 바이러스'에 대해 재판부 직권으로 증인을 불러 확인해보겠습니다.
변호인	(태연하게 차가운 미소를 짓는다) 그러시죠.
강요한	(흠칫하며 이상한 낌새를 챈다) 윤명진 증인? (법정 출입문을 바라보며) 윤명진 증인?
변호인	혹시 저희 비상대책본부 소속 윤명진 박사를 찾으시는 거라면.
강요한	……!
변호인	…유감스럽게도 오늘 오전에 돌아가셨습니다. 변종 바이러스 환자를 치료하시다가 감염된 지 열두 시간 만에.

김가온, 충격받은 채 변호인을 본다.

변호인	윤박사님의 숭고한 희생이 바로, 지금이 어떤 상황인지 단적으로 보여주는 증거입니다. 존경하는 재판장님. (강요한을 차갑게 쳐다본다)
강요한	(표정이 굳는다)

S#21. 비상대책본부, 영안실 (낮)

윤명진의 시신, 사체포에 담겨 있다. 윤명진의 얼굴 위로 지퍼를 죽 올리는 군복 차림의 사내. 무표정하다.

S#22. 재단 회의실 (낮)

허중세, 박두만, 민용식, 정선아, TV로 재판을 지켜보고 있다.

허중세 (과자를 우적거리며 재판을 지켜보다가 킬킬대며) 법정 영화라는 게 역시 반전이 있어야 재밌어. 안 그래?

정선아 (픽 웃더니 강요한의 굳은 표정을 보며) 주연 배우 마스크가 괜찮으니 볼 만하네요.

허중세 (정선아를 째려본다)

S#23. 대법정 밖 대기 공간 (낮)

충격받은 표정의 김가온과 오진주, 굳은 표정의 강요한 앞에 서 있다.

김가온 (충격과 분노에 휩싸여) 수현이를 죽인 놈들이 윤박사님도 죽인 겁니다!

오진주 (안타깝게 김가온을 보며) 진정해, 김판사. (강요한을 보며) 어떡해요, 부장님. 이렇게 되면 죽창이 입을 열기 전에는 방법이 없는데……

강요한   (골똘히 생각하다가 무표정하게) 열게 만들어야지. 어떻게든. (김가
         온과 오진주를 보며) 내가 준비한 게 좀 있어. 지켜보기만 해. 아무
         말 말고.

오진주   네?

강요한, 말없이 휙 대법정으로 향한다. 그런 강요한을 바라보는 김가
온.

S#24. 대법정 (낮)

강요한   (차갑게 가라앉은 표정으로) 좋습니다. 그래서 변호인은 어떤 처벌
         이 적절하다는 겁니까?

변호인   (씩 웃더니) 긴박한 상황에서 발생한 우발적 범행인 점, 피고인이
         일자리도 없이 어려운 환경에서 힘들게 생활하던 청년인 점, 잘
         못을 깊이 반성하고 있는 점을 참작하여, 최대한 관대한 형에 처
         해주시기 바랍니다.

강요한   검찰측 의견은요?

이도진   (굳은 표정으로 일어서서는 상부 지시대로) 제반 정상을 참작하여,
         징역 7년을 구형합니다.

강요한   (차가운 미소를 지으며) 그렇군요. 양측 의견은 잘 들었습니다. 이
         제, 피고인에게 묻겠습니다. 피고인?

죽창   …예.

강요한이 노트북을 누른다. 스크린에 과거 허중세 유튜브 영상(10부 2
신)이 뜬다.

Cut to

허중세 유튜브 영상 속.

허중세   아, 이 짜식, 보는 눈은 있어갖고. 야, 쟤 좀 잡아봐라.

카메라가 허중세 옆을 비추니, 어리숙한 표정의 청년이 쑥스럽게 웃는
데, 죽창이다!

죽창   ……!
강요한   허중세 대통령이 정치 유튜버 하던 시절에 스태프였죠? 팬클럽
회장도 했고.

S#25. 재단 회의실 (낮)

과자를 집어먹다가 깜짝 놀라 콜록대는 허중세, 순간 놀라며 긴장하는
재단 인사들.

S#26. 대법정 (낮)

변호인　판사님! 그게 이 재판과 무슨 상관이!

강요한　(무시하며) 대선 때 비공식 선거운동원도 했었죠, 맞습니까?

죽창　(당황한다) 모, 모릅니다!

강요한　(피식 웃는다) 본인 일인데 모릅니까? 재밌네요. 그때도 쇠파이프 깨나 휘두른 적 있죠? 동료들과 함께 평화 시위 현장에 끼어들어서 폭력을 행사하고 상점을 약탈하지 않았습니까?

　　　　　강요한이 노트북을 누르자 법정 스크린에 '긴박한 상황에서 발생한 우발적 범행인 점, 어려운 처지의 청년이고 잘못을 반성하는 점 등을 참작하여 기소를 유예한다'는 당시 불기소 이유서가 뜬다.

강요한　강력한 법질서로 사회를 안정시키겠다는 허중세 대통령 당선에 나름 기여한 것 같은데, 아닙니까?

S#27. 재단 회의실 (낮)

박두만　(충격받은 표정으로) 판을 키우겠다는 건데요. 이건?

민용식　노인네 죽은 건 핑계고, 정권을 뒤엎자는 겁니다!

정선아　(굳은 표정으로 화면을 지켜보고만 있다)

S#28. 대법정 (낮)

죽창   아닙니다! 그냥 술김에 실수했던 겁니다!

강요한   그래요? 그럼 이번에 긴급 구호 현장에 쇠파이프를 소지하고 간
         것도 우연한 실숩니까? …아니면, (매섭게 노려보며) 누군가 지시
         했습니까? 닥치는 대로 끌어내라고?

죽창   (진땀을 흘리며) 지시받은 적 없습니다! 그냥 제가, 제 판단으로
         한 일입니다!

강요한   피고인도 인기 유튜버였죠? 피고인 팬 중에 일자리 없고 가난한
         청년들을 모아 이번 현장에 투입했는데, 그건 누구 지시였습니
         까?

죽창   지시받은 적 없습니다! 그냥 제가, 그 친구들 처지가 어려워 보여
         서 알바라도 하라고……

강요한이 다시 노트북을 재생한다. 8부 49신, 허중세 유튜브 영상이다.

허중세(E) 자, 우리 애국자 여러분! 안전한 대한민국 만드는 게 남의 일이
         야? 경찰만 나선다고 되겠어? 놀면 뭐해! 주인이 되라고! 이 나
         라의 주인!

강요한   허중세 대통령이 이 방송을 한 직후부터 피고인이 일자리 없는 청
         년들을 모아 외국인 노동자들에 대한 폭력을 시작했습니다. 같은
         청년들이 이번 현장에도 투입됐고요. 그런데도 아무 지시받은 바
         없다?

죽창   (강요한을 노려보며) 저는 어디까지나 한 명의 시민으로서! 대통
         령님의 국정 철학에 깊이 공감하여 떨쳐 일어선 것뿐입니다! 애

국한 게 죄가 됩니까?!

강요한　(차가운 미소를 지으며) 그래요, 모두 본인이 한 일이다. 본인 판단이고, 본인 책임이다. 좋습니다. (변호인을 보며) 변호인께서도 피고인처럼 대통령의 국정 철학에 찬성하십니까?

변호인　물론입니다! 위기일수록 지도자에게 힘을 실어드려야 합니다!

강요한　(고개를 끄덕이며) 그렇다면, 답은 나왔네요. 피고인에 대한 적절한 처벌, 대통령님이 이미 답을 가지고 계십니다.

　　　　강요한이 노트북을 누르자 유튜버 시절 〈허중세의 개사이다〉 방송 중 하나가 재생된다. 주먹을 불끈 쥔 채 이야기하는 허중세의 모습이 보인다.

허중세(E)　우리나라가 제대로 된 나라로 다시 서려면 뭐부터 해야 되는지 알아? 사형 집행이야!

죽창　(얼굴이 새파랗게 질린다)

강요한　(차갑게 웃는다)

　　　　사형까지는 예상하지 못했던 김가온, 오진주, 놀라 강요한을 본다.

허중세(E)　인간쓰레기 같은 범죄자 놈들한테 왜 국민의 혈세로 재워주고 먹여주냐고! 이게 다 인권이다 뭐다 떠드는 위선자 놈들 때문이야! 사람 죽인 놈이 달랑 징역 10년, 20년, 이게 말이 돼? 목숨값은 목숨으로 갚아야지! 눈에는 눈! 이에는 이! 몰라? 어려운 환경에서 자랐다, 학대받고 자란 트라우마 때문이다, 싸구려 감성팔이나 하는 변호사 놈들, 아예 공범으로 처넣어야 돼!

변호인　(당황해서 인상이 구겨진다)

허중세(E) 강력한 법질서! 강력한 대한민국! 대한민국을 바꾸자, 허중세의
개사이다! (주먹을 불끈 쥐어 올리는 데서 화면이 멈춘다)

S#29. 재단 회의실 (낮)

충격받은 표정의 허중세, 멍하니 화면만 쳐다본다.

정선아 (혼잣말로) 적의 칼로, 적을 친다. 강요한이 진짜 노리는 건……
(굳은 표정이다)

S#30. 대법정 (낮)

강요한, 검은 법복 자락을 펄럭이며 법대에서 내려와 죽창 앞에 선다.

강요한 (죽창을 노려보며) 모든 게 다 본인 판단이다, 지시받은 바 없다.
혼자 책임지는 게 소원이라면, 그렇게 하십쇼. 다만.

법정 스크린이 쇠파이프로 노인의 머리를 내리치는 죽창 클로즈업으로
바뀐다.

강요한 (방청석을 둘러보더니 주먹을 불끈 쥐어 올리며) 목숨값은 목숨으로!
저는 이 사건에 가장 적절한 형벌로 사형을 제안합니다!

죽창, 공포에 질려 주저앉는다. 김가온과 오진주, 당황한 채 강요한을 본다.

변호인 (벌떡 일어서며) 말도 안 됩니다! 관행상 한 명 죽은 사건으로 사형을 선고한 적은……

강요한 (차갑게 웃으며) 한 명으로 부족합니까? 피고인이 두 명, 세 명, 네 명 죽일 때까지 기다려야 됩니까? 피해자 목숨값보다 (죽창을 가리키며) 살인자 목숨값이 훨씬 비싼 겁니까?

변호인 피, 피고인은 어려운 환경에서……

강요한 (O.L.) 싸구려 감성팔이라면 그만두시죠. 환경이 어렵다고 다 죄 짓지 않습니다. (무대 한가운데서 마치 죽음의 사제처럼 서서 엄숙하게 선언하듯) 이 법정은 모든 죄인들을 평등하게 대할 것입니다. 인간은 책임을 지기에 존엄한 것입니다. 값싼 동정은 인간에 대한 모욕입니다. (카메라를 보며 선동하듯) 국민 여러분, 살인자에 대한 제대로 된 처벌이 무엇입니까! 피해자가 흘린 피는, 무엇으로 갚아야 됩니까!

그 순간, 미친듯이 올라가기 시작하는 빨간색 찬성 그래프! 순식간에 투표수가 100만, 200만을 넘어가고 찬성률이 40%, 50%, 60%, 70%를 넘어간다.

김가온 (충격받은 표정이다)

S#31. 대법정 (낮)

무대 한가운데 선 강요한, 차가운 미소를 띤 채 스크린을 본다. 75.7%, 700만 표가 넘는 찬성 투표수. 죽창은 공포에 질려 있다.

강요한   (미소 지으며) 잘 봤습니다. 국민 여러분의 정의에 대한 열망. 정의는 말에 그쳐서는 안 됩니다. 집행되지 않는 형벌은 정의가 아니라 사기입니다. 저는 정의의 실현을 요구합니다!

강요한이 손을 뻗자, 스크린에 전기의자에 앉은 사형수의 그래픽이 떠오른다. 사형수의 손목과 발목 위치에 가죽띠와 금속 전극이 달려 있는 전기의자다. 소스라치게 놀라는 김가온. 방청석도 술렁인다.

강요한   지금으로부터 24시간 후, (죽창을 차갑게 바라보며) 사형이 집행될 것입니다. 바로 이 자리에서. (법정 무대 한가운데를 가리킨다)

공포에 질려 부들부들 떠는 죽창.

강요한   국민 여러분의 손으로 직접, 정의를 실현해주십시오. (화면에 디케 앱 버튼이 떠오른다) 여러분이 버튼을 더 많이 누를수록, 사형수의 몸에 더 많은 전류가 흐를 겁니다. 백만 명 이상이 버튼을 눌러야 사형수는 사망합니다.

김가온, 충격 속에 자리에서 벌떡 일어선다! 오진주, 놀라 김가온을 본다.

| 강요한 | (김가온을 힐끗 보지만 아랑곳 않은 채) 내일 뵙겠습니다. (휙 돌아 법복 자락을 날리며 법정 밖으로 나간다) |

패닉에 빠져 어쩔 줄 몰라 하는 죽창과 충격받은 변호인. 방청객들도 놀라 웅성댄다.

S#32. 재단 회의실 (낮)

마찬가지로 패닉에 빠진 재단 인사들.

박두만	이거 뭐야! 지금 뭐하자는 거야!
민용식	강요한 이거 완전 미쳤구만! 법정을 도살장으로 만들겠다고?
정선아	강요한이 노리는 건 저겁니다. (손으로 겁에 질린 죽창 얼굴을 가리킨다)

화면 속 죽창을 바라보는 재단 인사들.

정선아	공포. 24시간을 준 것도 그것 때문이고요. 저 친구가 겁에 질려 모든 걸 불게 만들려는 겁니다. 전 국민 앞에서.
박두만	(질렸다는 듯) 잔인한 인간……! 어떻게 인두겁을 쓰고 저런 짓을……
정선아	(내로남불에 어이없다는 듯 박두만을 보며 픽 웃더니 굳은 표정의 허중세를 향해) 어쩌시겠습니까. 저 친구 입을 막으셔야 할 텐데요.
박두만	(바로 태세전환하며) 당장 없애버려야 됩니다! 구치소에 사람을

보내서.

민용식   (박두만 등을 퍽 치며 O.L.) 인간아! 아예 우리가 지시했다고 광고
         를 하지 그래!

박두만   (움찔하며) 너무 티나나? 아이씨 어쩌지?

허중세   …입은 내가 막을게.

박두만   네? 어떻게……

허중세   …저런 새끼들은 내가 잘 알아. 걱정 마. (입꼬리를 올리며 묘하게
         웃는다)

S#33. 대법정 뒤 (낮)

충격받은 표정의 오진주, 강요한에게 따져 묻듯 이야기하고 있고, 김가
온은 굳은 표정으로 서 있다.

오진주   부장님, 이건 아닙니다! 아무리 그래도 이건 아니에요, 부장님!

강요한   (차갑게 가라앉은 눈빛으로) 그럼 어떻게 하자는 거지? 대안이라도
         있나?

오진주   이렇게 해서 죽창 입을 열자고요? 전기의자에 앉혀서? 국민을 이
         용해서?

강요한   난 질문을 했을 뿐이고, 대답은 국민이 했다. 압도적 다수가 찬성
         한 거, 봤잖아? 그게 민주주의 아닌가?

오진주   이런 식이면 부장님이 허중세와 뭐가 달라요!

강요한   (오진주를 응시하다가) 정 반대하고 싶다면, 재판부에서 나가.

오진주   부장님! (김가온을 돌아보며) 김판사도 뭐라고 얘기 좀 해봐!

김가온   (충격받은 표정으로 침묵하기만 한다. 윤수현을 죽인 권력자들에 대한
         복수심과 오진주의 말이 맞다는 이성 사이에서 괴로워한다)
강요한   (김가온을 힐끗 보고는 휙 돌아 자리를 떠난다)

S#34. 배석판사실 (낮)

자리에 앉아 고민하고 있는 김가온.

오진주   김판사, 이거 봐봐! 민대법관님이!

놀라 바라보는 김가온. 뉴스 속보 화면이다.

아나운서(E) 강요한 판사가 예고한 전 국민 사형 집행에 강력히 반대하면서,
         민정호 대법관이 방금 사의를 표명했습니다.
민정호(E)   (대법정 문 앞에서 기자들 앞에 서서) 이건 형벌이 아니라, 야만입니
         다. 저는 미친 선동꾼에 의해 더럽혀진 이곳, 대법원을 떠나겠습
         니다.
김가온   (놀라 일어서며) 교수님. (뛰쳐나간다)

S#35. 민정호 대법관실 (낮)

급히 대법관실로 들어오는 김가온. 민정호는 책장을 정리하고 있다.

김가온	교수님!
민정호	(눈에 핏발이 서 있다) 가온아. (다짜고짜 김가온의 손을 붙잡더니) 막아야 된다! 이런 짓을 용납해서는 안 돼! 강요한 그 인간은 악마야, 온 국민을 살인자로 만들겠다고?!
김가온	(굳은 표정으로) 강요한은 아마도, 죽창의 입을 열게 만들려고 일부러……
민정호	(O.L.) 그건 뭐가 다르냐? 국민 손으로 전기 고문을 하겠다? 신성한 대법원에서?
김가온	……
민정호	그자의 말을 믿지 마라. 그 뱀 같은 자는 사람 마음의 가장 약한 구석을 이용해서 세상을 희롱하고 있어.
김가온	하지만 교수님, 권력자들이 무고한 사람들을 해치고 있습니다. 수현이도 그놈들 손에……
민정호	(O.L.) 그게 확실하냐?
김가온	네?
민정호	수현이를 죽인 게 누구인지, 확실하냐 말이다.
김가온	저희 재판부를 저격하려던 게 누구겠습니까? 당시 상황을 생각해보면.
민정호	(O.L.) 나도 처음엔 그렇게 생각했다. 그런데 말이다, 계속 마음에 걸리는 일이 하나 있다.
김가온	(민정호를 바라본다)
민정호	얼마 전에 수현이가 날 찾아온 적이 있어. 그때 수현이는……

플래시백 > 12부 11신, 커피숍.

민정호	(윤수현의 얼굴을 보자마자 눈빛 깊어지며) 너, 무슨 일이 있는 게로 구나.
윤수현	(빙 둘러가며 김가온 일을 상의하려 했는데 덜컥 속내를 들켜 말문이 막혀버린다)
민정호	(안쓰러운 듯 보며) 혹시, 가온이 일이냐.
윤수현	(참으려 해도 그만 눈물이 맺히고 만다. 고개를 떨군다)
민정호	(가만히 윤수현을 본다)

민정호	네가, 강요한한테 속고 있는 것 같다고 했다.
김가온	수현이는 전부터 강요한을 좋아하지 않았습니다.
민정호	(고개를 저으며) 그 정도가 아니야. 수현이는 강요한의 과거를 추적하고 있었다. 그 성당 화재 사건에 대해서.
김가온	(흠칫 놀라며) 그 사건을요?
민정호	너도 수현이 끈질긴 거, 잘 알지 않냐. 틈날 때마다 그 동네를 찾아가서 성당과 관련된 사람들을 수소문했다더라. 그런데, 딱 한 사람, 요셉이라는 사람을 찾을 수가 없다는 거야. 마치 누군가가, 작정하고 빼돌린 것처럼.
김가온	(굳은 표정으로) …어떤 사람입니까.
민정호	성당에서 먹고 자면서 온갖 잡일을 다 하던 사람. 그 사람 일 중에는 CCTV 관리도 있었단다.
김가온	……!
민정호	수현이는 그 사람을 쫓고 있었다. 만약에, 수현이가 그 사람을 결국 찾아냈다면, 그리고 강요한이 그 사실을 알았다면!
김가온	그건 가정일 뿐이지 않습니까! 강요한이 자기 친형을 죽였다고요? 그 일 때문에 강요한이 얼마나 고통받고 있는지 아십니까?

그건 절대로 꾸며낼 수 없는, 그런 끔찍한 고통이었습니다!

민정호 …그 고통이, 죄책감 때문이라면?

김가온 ……!

민정호 그래서 필사적으로 과거를 덮으려 하고 있다면, 그런데 수현이가 그걸 파고들고 있었다면……

김가온 (O.L.) 그만하십쇼! (민정호를 굳은 표정으로 보다가) 그만 가보겠습니다. (자리에서 일어선다)

민정호 …한 가지만 묻자.

김가온 (민정호를 본다)

민정호 강요한 옆에서 사람을 전기로 지져 죽이고 있는 널 수현이가 본다면, 뭐라고 할 것 같냐.

김가온 (충격받은 표정으로 민정호를 보다가, 말없이 나간다)

S#36. 대법원 내부 계단 (낮)

건물 내부 구석진 계단에 충격받은 표정으로 주저앉아 있는 김가온.

플래시백 > 12부 1신, 차경희가 자살한 현장에서 마주친 김가온과 윤수현.

김가온, 서서히 일어나 참담한 표정으로 돌아서는데, 손에 차경희 옷을 뒤질 때 묻은 피가 묻어 있다. 윤수현, 경악한다!

윤수현 가온아! (충격으로 무너지는 표정이다) 너 지금 뭐하는 거야?

김가온 (말이 제대로 안 나온다) 어, 그게……

윤수현	(미쳐버릴 것만 같다) 뭐하는 거야…… 니가 여기 왜 있냐고!
김가온	(넋이 나간 듯) 수현아, 그게, 그게……

권총을 겨눈 채 망연자실한 윤수현과 멍하니 서 있는 김가온. 윤수현, 고통스러운 표정으로 김가온을 바라보다가 강요한의 가슴에 겨누었던 총구를 내리더니 고개를 떨군다.

윤수현	(고개를 떨군 채 나지막이) 가버려.
김가온	(괴로워하며) 수현아.
윤수현	(고개를 드는데, 깊은 눈에 눈물이 맺혀 있다. 억장이 무너지는 고통스러운 목소리로 감정을 억누르며) 가라고.

강요한 곁에서 손에 피를 묻힌 채 같이 악마가 되어가는 자신을 보며 절망하던 윤수현 생각을 하자 고통스러워지는 김가온. 자기 두 손을 가만히 본다. 나는 강요한 곁에서 또 손에 피를 묻히고 있는 건 아닐까. 아니, 정의라는 이름으로 사실은 복수를 위해 온 국민의 손에 피를 묻히는 건 아닐까.

민정호	(V.O.) 수현이가 본다면, 뭐라고 할 것 같냐.

단순하고 우직하게 경찰로서의 소명과 원칙에 충실했던 윤수현을 생각하는 김가온.

플래시백 > 2부 43신.

김가온	(고민스러운 표정으로) 너무들 좋아하시더라. 힘든 분들이.
윤수현	무슨 소리야? 그렇다고 판사가 이상한 짓 하면 안 되지! 니가 듣고 본 것들만 해도 충분히 이상해.
김가온	……
윤수현	(너무나 당연하다는 듯) 반칙은 반칙이야. 그것도 범죄라구.

김가온, 머리를 감싼 채 괴로워한다.

S#37. 구치소 (밤)

독방에 갇혀 있는 죽창. 몸을 잔뜩 웅크린 채 두려워하는 표정이다. 묘하게 방금 전 김가온의 모습과 겹친다.

죽창	아닐 거야…… 설마, 그분께서 막아주실 거야…… 이대로 내버려두시지 않을 거야……

그때 갑자기 철컹 하며 문이 열린다. 죽창, 놀라 바라보는데, 교도관 두 명이 들어와 다짜고짜 죽창을 붙잡고 머리에 자루를 뒤집어씌운다.

죽창	니네 뭐야! 뭐하는 짓이야!

무표정하게 전기충격기를 갖다대는 교도관. 죽창, 축 늘어진다.

S#38. 강요한의 저택, 서재 (밤)

강요한이 니체의 『선악의 저편』을 읽고 있다. 김가온이 들어온다.

김가온 …정말 강행하실 겁니까?

강요한 (책을 덮으며) 멈춰야 될 이유가 있나?

김가온 왜 굳이 죄 없는 시민들한테 자기 손으로 사람을 죽이게 만드는
겁니까!

강요한 남의 손으로 죽이면 괜찮은 건가?

김가온 (흠칫한다)

강요한 방구석에 편안히 앉아, 말로만 외치는 싸구려 정의 따위, 난 믿지
않는다. 손에 피 한 방울 안 묻히고 누군가 나 대신 악과 싸워달
라? 그건 공범일 뿐이야. 세상에 죄 없는 인간 따위는 없다.

김가온 아니에요, 아닙니다! 힘들어도 남 해치지 않고 열심히 사는 사람
들이 세상엔 훨씬 많고, 그 세상을 지키기 위해 누군가 목숨을 거
는 겁니다. 윤명진 박사님 같은 분이, (울컥하지만 참으며) …수현
이 같은 경찰이.

강요한 ……

김가온 모두의 손에 피를 묻히는 세상은 지옥일 뿐입니다. 부장님은 세
상을 지옥으로 만들려고 하고 있어요!

강요한 …내가 태어난 이 세상은 언제나, 지옥이었다.

김가온 (안타깝게) 제발…… 멈춰주시면 안 되겠습니까? 전 부장님이
돌이킬 수 없는 곳까지 가는 걸 보고 싶지 않습니다. 부장님, 제
발……

강요한 …나한테는 다른 선택지가 없어.

김가온   (깊은 한숨을 쉬며 돌아서다가 멈추더니) 하나만 여쭤봐도 되겠습니까.

강요한   …뭐지?

김가온   (강요한을 깊게 응시하며) 강제 이주 현장으로 나갈 때, 주민들이 죽창부대와 충돌하면 희생자가 나올 수도 있다는 거, 알고 계셨지요.

강요한   …그래.

김가온   (망설이다가 결심한 듯) 사실은, 그걸 계획하셨던 건 아닙니까?

강요한   (무표정이다)

김가온   사람들을 싸우게 만들려면, 희생자의 피가 필요해서?

인서트 > 13부 46신, 49신.

옥상 위에서 검은 법복을 휘날리며 선동하는 강요한.

강요한   (아래에서 벌어지는 지옥도를 손으로 주욱 가리키며 선동하듯) 여러분 이웃들이 지금 이 순간에도 죽어나가고 있습니다. 보고만 계실 겁니까?!

죽창부대, 또 옥상을 향해 돌을 던지는데, 이번에는 강요한의 가슴에 맞는다. 피할 수 있었지만 피하지 않고 맞는 강요한. 현장이 혼란한 틈에 구석으로 숨어서 걱정스레 쳐다보고 있던 주민들, 강요한이 돌을 맞자 놀라 웅성댄다.
–어유, 이를 어쩌……
–괜찮으신가?

—저러다 죽겠어!

이때, 칠십대 노인(이영민 사건 때의 폐지 수거 노인)이 뛰어나오더니,
뒤에서 죽창을 붙잡는다.

노인   이 천벌을 받을 놈아!

강요한   (차가운 눈초리로 말없이 김가온을 본다)

김가온   (눈빛 흔들리며) 그런 겁니까? 진짜로?

강요한   (자리에서 일어서며) 질문할 시간이 있으면, (김가온 앞에 서서) 행
동이나 해.

김가온의 어깨를 밀치며 지나 뚜벅뚜벅 서재를 나가는 강요한. 김가온,
괴로운 표정으로 고개를 숙인다.

S#39. 청와대 대통령 집무실 (밤)

누군가 죽창의 머리에 씌운 자루를 벗긴다. 허억, 숨을 들이쉬는 죽창
의 시야에 집무실 의자에 앉아 있는 허중세가 보인다.

죽창   (놀라 벌떡 일어서며) 가, 각하!

허중세   (입꼬리를 올리며 묘하게 씨익 웃는다)

S#40. 도심 (낮)

행인들, 빌딩 전광판을 보고 있다. 전광판에 비친 영상은 대법정 무대 한가운데에 놓인 전기의자와 거기 묶여 있는 죽창의 모습이다. 그리고 그 앞에 검은 법복 차림의 강요한이 서 있다. 김가온과 오진주 없이 혼자 법정에 선 강요한.

S#41. 대법정 (낮)

강요한   이제 예고한 시간이 되었습니다. (죽창에게) 정말 혼자 모든 책임을 지겠습니까? 누구 지시도 받지 않은 게 맞습니까?

죽창   (이를 악물며) 맞다니까 왜 자꾸 물어! 죽일 거면 빨리 죽여!

강요한   (미소 짓는다) 좋습니다. (카메라를 보며) 국민 여러분, 형을 집행하여주십시오!

그러나 빨간 그래프와 숫자, 쉽게 오르지 않는다. 1100, 1200······ 곳곳의 시민들이 불편한 표정으로 디케 앱 영상을 힐끔거리기만 할 뿐 버튼은 누르지 않고 있다. 김가온, 대법정 맨 뒤쪽에서 제발 멈추길 바라는 마음으로 강요한을 간절히 쳐다보며 고개를 젓는다. 하지만 강요한, 김가온을 보고서도 외면한다. 김가온, 참담한 표정으로 서 있다가 대법정 문을 열고 밖으로 나간다. 죽창, 씩 웃는다.

S#42. 청와대 대통령 집무실 (전날 밤)

허중세 (자리에서 일어서서 죽창 앞으로 오더니 어깨를 툭툭 쳐주며) 야, 너 고생 많다, 진짜. 앉아, 앉아. (소파에 앉으라고 자리를 권한다)

죽창 (울컥하며) 각하!

허중세 (씨익 웃는다) 아, 새끼, 울긴 뭘 울어. 내가 너 버릴 줄 알았어? 이 허중세가? 응?

죽창 아닙니다! 전 철석같이 믿고 있었습니다!

허중세 그래, 너 나 믿지?

죽창 (눈물을 흘리며) 네! 각하!

허중세 (고개를 끄덕이며) 그래, 그럼 한번 끝까지 믿어줘야겠다. 너, 내일 그 의자에 좀 앉아 있어봐.

죽창 (경악한다) 네?!

허중세 허, 짜식…… 믿음이 부족하네. 너 나 믿는다며!

죽창 그, 그래도 각하…… 저보고 죽으라시면……

허중세 누가 죽으래?! 생각해봐. 지 두 눈으로 뻔히 보면서 생사람 전기구이 통닭 만들 놈이 백만 명이나 있을 거 같애? 강요한 이 새끼, 너 겁줄라고 쇼하는 거야. 알아? 니 입에서 내 이름이 나올 때까지 협박하는 거라고!

죽창 그, 그래도……

허중세 쫄면 지는 게임이야! 버티기만 하면 돼. 그럴 리는 없지만 정말 만에 하나, 이러다 정말 위험하겠다, 싶을 땐 내가 멈춰줄게. 내가 대법원 전기를 끊어서라도 구해줄 테니 걱정 마!

죽창 (눈빛이 흔들린다)

허중세 (픽 웃으며) 너 지금 어디 와 있냐? 청와대지? 내일 죽을 사형수를 교도소에서 아무렇지도 않게 데려왔어. 이게 권력이야. (어깨를 죽 펴며 씨익 웃는다) 내가, 권력이라고.

죽창   (고개를 숙이며) 믿습니다, 각하! (눈물을 흘린다)

허중세   (어깨를 어루만져주며) 당장 빼줄 수도 있는데, 그럼 좀 시끄러워서 그래…… 니가 그 의자에서 조금만 버티고 있어주면, 여론이 우리 편이 될 거야. 누가 봐도 끔찍하거든.

죽창   (고개를 끄덕이며) 네, 네, 각하.

허중세   (대견한 듯 보며) 이게 다 나라를 위하는 일이다. 이번에 니가 잘만 버텨주면, 니 평생 소원 이뤄줄게.

죽창   (놀라며) 저, 정말입니까, 각하?!

허중세   (히죽 웃으며) 그래. 니가 그렇게 꿈꾸던 그거, 한강 뷰 아파트 그리고 공기업 정규직.

죽창   각하! (감격의 눈물을 펑펑 흘린다)

S#43. 대법정 (낮)

죽창의 눈빛이 헛된 희망으로 빛난다. 비웃듯 강요한을 바라보는 죽창.

죽창   (혼잣말로) 난 잘못한 게 없어…… 난 안 죽어…… 니들이 뭔데 날 죽여……

S#44. 도심 (낮)

빌딩 대형 전광판 가득히 강요한의 얼굴이 비친다.

강요한(E) 국민 여러분, 여러분이 이 나라의 주인입니다. 주인은 스스로 책임을 지는 존재입니다. 스스로 책임을 지기 때문에 주인인 것입니다. 주인이 되어주십시오.

멍하니 강요한을 보다가 손에 든 핸드폰을 보며 망설이는 몇몇 시민들.

S#45. 주택가 골목 (낮)

1부 주일도 재판 때 아이 둘과 함께 재판을 지켜보며 박수를 보냈던 젊은 주부1이 이웃 주부 두 명과 함께 집 앞 골목에서 이야기중이다.

주부1 아, 저런 놈을 가만 내버려둘 거야?

주부2 아무리 그래도 너무 끔찍하잖아……

주부3 어떻게 내 손으로 생사람을……

주부1 한번 사람 죽인 놈이 또 안 죽이겠어? 전부터 온갖 나쁜 짓은 다 하고 다니던 놈이잖아. 눌러야 돼. 누릅시다, 다들.

S#46. 도심 (낮)

양복 차림을 한 얌전한 인상의 직장인1, 망설이다가 옆 사람 눈에 안 띄게 디케 앱 버튼을 슬쩍 눌러본다. 그런데 그 순간, 조금씩 올라가던 숫자가 마침 1만에 도달하고, 죽창의 몸에 찌릿, 전류가 흐른다. 움찔하는 죽창.

직장인1　(자기도 모르게) 어? 진짜 되네?

직장인2　(호기심에 차서) 돼요? 아저씨가 눌러서 방금 된 거예요?

직장인1　네. 이게 진짜 되네요. 설마했는데……

직장인2　그래요? 나도 한번 해볼까? 나쁜 놈의 시키…… (버튼을 누른다)

숫자가 점점 올라가고 죽창이 반응하자 자기도 모르게 홀린 듯 핸드폰을 보며 버튼을 누르기 시작하는 사람들.

- 그래, 법은 법이지.

- 눌러야 맞아.

- 이게 되긴 되네. 신기해……

S#47. 대법정 (낮)

2만, 3만, 5만, 10만, 한번 늘어나기 시작하자 봇물 터지듯 늘어나는 숫자와 치솟는 그래프. 이에 비례하듯 죽창, 한 번씩 몸을 뒤튼다.

죽창　(정신 나간 듯 혼잣말로) 아냐, 아직 견딜 만해…… 으윽! 버텨야 돼. 조금만…… 조금만 더……

죽창이 입을 열기를 기다리듯 빤히 응시하는 강요한. 그래프가 치솟는다. 20만, 30만, 40만!

S#48. 재단 회의실 (낮)

차가운 눈초리로 죽창을 보고만 있는 허중세. 그리고 미소 짓고 있는 박두만과 민용식.

허중세　…잘 버티네. 기특한 새끼. (히죽거린다)

S#49. 주부1의 집 (낮)

이웃들을 설득하고는 뿌듯한 표정으로 집안으로 들어오던 주부1, 소스라치게 놀란다. 초등학생 딸이 TV를 보며 게임하듯 신나게 주부1의 핸드폰으로 디케 앱 버튼을 눌러대고 있고 남동생은 옆에서 신나서 뛰고 있다.

주부1　안 돼!

미친듯 달려들어 아이 손에서 핸드폰을 빼앗는 주부1. 아이들은 의아한 듯 엄마를 처다본다. 소름이 끼쳐 TV를 꺼버리는 주부1.

S#50. 대법정 (낮)

어느새 숫자는 백만을 향해 간다. 50만, 65만, 74만, 82만, 90만! 공포에 질려 두리번거리는 죽창.

죽창   이럴 리가 없어…… 구해주신다고 했는데…… 구해주신다고……

강요한, 차가운 표정으로 죽창을 내려다본다. 숫자는 90만을 넘더니 망설이듯 91만, 92만, 93만…… 조금씩 올라가고 90만이 넘자 전류가 훨씬 강해진다. 비명을 지르는 죽창!

죽창   으아아아아악!

그런데 숫자가 95만에 이르는 순간, 갑자기 전류가 멈추고 법정 스크린 전체에 큼직한 글씨로 '형집행정지' 문구가 뜬다! 놀라 뒤돌아보는 강요한. 시범재판 아나운서가 황급히 무대로 올라와 알린다.

아나운서 방금 법무부에서 긴급 형집행정지 명령이 떨어졌습니다!
강요한   이유가 뭡니까!
아나운서 김가온 판사님이 조금 전에 기자회견을 하셨는데.

그 순간, 법정 스크린에 김가온 얼굴이 크게 비친다. 비장한 표정의 김가온, 기자들 앞에 서 있고, 그 옆에는 민정호가 있다.

김가온   (힘겹게 입을 연다) 시범재판은…… (한숨을 토하듯) 조작되어왔습니다.

강요한   ······!

충격받은 강요한, 스크린 가득히 비치는 김가온의 고통스러워하는 얼굴을 쳐다본다. 그 위로 타이틀. **악. 마. 판. 사.**

15부

메데이아

S#1. 대법원 앞 (낮)

기자들 앞에 선 김가온. 카메라 플래시가 마구 터진다.

김가온   (괴로운 표정이다)

기자1   구체적으로 말씀해주십시오!

기자2   강요한 판사가 재판을 조작해왔다는 말씀입니까?!

김가온   (선뜻 입을 열지 못하고 괴로워한다)

민정호   (그런 김가온을 힐끗 보고는 끼어들며) 제가 대신 말씀드리겠습니
              다. 네, 강요한 판사가 재판을 조작해온 게 맞습니다. 미리 결론
              을 정해놓고 그에 맞춰서 증거를 만들어내고, 심지어 변호인까지
              사전에 포섭해서 말을 맞추었습니다.

기자들, 놀라 웅성댄다.

기자1	그게 사실입니까?
민정호	김가온 판사가 이미 대법원에 관련 내용을 진술했고, 진상조사위 원회가 곧 열릴 예정입니다.
기자2	그럼 시범재판은 어떻게 되는 겁니까?
민정호	진상이 모두 밝혀지면, (기자들을 스윽 둘러본 후 단호한 표정으로) 강요한 판사가 한 모든 재판은 재심을 거쳐 무효화될 겁니다.

S#2. 대법정 (낮)

민정호(E)	…무효화될 겁니다.

죽창, 이럴 줄 알았다는 듯 환희에 찬 표정을 짓는다. 법정 스크린에 단호한 민정호의 얼굴이 떠 있는 가운데, 강요한의 표정이 굳는다. 그동안 재단에 맞선 싸움에서 같은 편이 되고, 형을 잃은 후 처음 가족의 온기를 느끼게 해주었던 김가온이 직접 강요한의 등에 칼을 꽂은 상황이다. 아무리 강요한이지만 전략적 계산에 앞서 우선 감정적 충격에 멍해진다. 강요한, 그래도 애써 내색 않으며 마음을 추스르고 카메라 쪽으로 돌아선다.

강요한	…보셨다시피 형집행은 일단 정지되었습니다. 이에 대한 제 입장 은 별도로 밝히도록 하겠습니다. 국민 여러분, 고맙습니다. (고개 를 숙이고는 교도관들을 향해) 피고인을 풀어주세요.
교도관들	네, 판사님!

교도관들, 얼른 무대로 올라와 전기의자에서 죽창을 풀어준 후 다시 구치소로 데려가기 위해 무대를 내려간다. 죽창, 무대에서 내려가기 전에 걸음을 멈추더니, 강요한을 돌아본다.

죽창   (비웃는 표정으로) 수고 많으셨습니다. 재판장님.

강요한   (죽창을 본다)

죽창   (강요한을 위협하듯 쳐다보며) 또 뵈어야죠. 우리? 기대하고 있겠습니다. (히죽 웃는다)

강요한   (차가운 미소를 지으며) …행운을 빕니다. 피고인.

죽창, 강요한을 노려보며 교도관들에게 이끌려 내려간다.

S#3. 재단 회의실 (낮)

만면에 웃음을 띤 허중세, 박두만, 민용식.

박두만   아이고, 이게 웬일입니까! 지들끼리 자중지란이 일어났네요!

민용식   손 안 대고 코 풀게 생겼습니다, 대통령님. 허허허허.

허중세   (씨익 웃기만 한다) 죽창 저놈, 명줄이 꽤 기네.

박두만   네? 진짜 죽기 직전까지 가면 전기 끊어서 멈춰주기로 하신 거 아니었습니까?

허중세   (히죽 웃는다) 박회장 생각보다 순진하네?

박두만   그럼 전기의자에 손써두신 게 아니었습니까?

허중세   손을 쓰기야 썼지.

박두만   ……?

허중세   혹시 죽창, 쟤가 끝내 못 견디고 입을 열려고 하면, 그 순간, (차갑게 웃으며) 팡! 전압 최대로! (불꽃이 날리는 손 모양을 취한다)

박두만, 민용식, 순간 소름이 끼쳐 서로를 본다. 뒷수습은 어떻게 하려고? 계속 극단적인 방향으로만 폭주하는 허중세에 대한 일말의 불안감이 든다. 하지만 곧 노회하게 표정 관리하며 말한다.

박두만   역시 대단하십니다! 허허허허.

민용식   그래서 그렇게 여유만만하셨던 거군요! 감탄했습니다, 대통령님.

박두만   그렇게 되기 전에 상황이 끝나서 정말 잘됐습니다. 허허허. (민용식과 시선을 교환한다)

허중세   (TV 화면의 민정호를 보며) 정의로운 척하는 인간들은 저게 문제야. 지들끼리 발목 잡다가 스스로 무너진다니까. (씨익 웃는다)

S#4. 대법원 진상조사위원회 조사실 (낮)

'진상조사위원회 조사실'이라고 급히 종이로 출력한 명패가 붙은 썰렁한 구석방. 김가온 혼자 펜과 종이가 놓인 작은 책상 앞에 앉아 있다. 종이에는, '자필 진술서' '소속: 대법원 시범재판부' '진술자: 김가온'이라고 쓰여 있다. 김가온, '제가 강요한 판사를 처음 만난 것은'까지 쓰고는 깊은 한숨을 쉬며 펜을 내려놓는다. 걷잡을 수 없이 밀려드는 그동안의 기억들.

플래시백 > 1부 12신.

김가온   처음 뵙겠습니다.

생각에 빠진 듯 뒤돌아서 있던 강요한이 문 쪽으로 몸을 돌리자, 어두운
방의 강요한과 대비되듯 문을 활짝 열고 들어온 김가온 뒤로 빛이 환하
게 쏟아진다. 눈부신 듯 살짝 찡그리는 강요한, 김가온의 얼굴이 서서
히 눈에 들어오자 순간 흠칫 놀란다. 잠시 흐르는 정적.

김가온   (의아해하며) 왜 그러십니까?
강요한   (표정을 얼른 감추며) 아니야, 미안. 김가온 판사지?
김가온   잘 부탁드립니다. 부장님. (허리를 굽혀 정중하게 인사한다)
강요한   (천천히 손을 내밀며) 환영해. …전쟁터에 온 걸.

강요한이 내민 손을 잡는 김가온. 지지 않으려는 듯 애써 당당하게 강요
한을 본다. 알 수 없는 미소를 짓는 강요한.

플래시백 > 1부 38신, 40신.

김가온이 불 꺼진 강요한 판사실 책상 밑에 도청기를 붙이고 있는데 강
요한이 들어온다.

김가온   (긴장한 채 손에 든 책을 들어 보인다. 『환경범죄론』이다) 도서실이 잠
         겨 있어서요.
강요한   (묘한 미소를 띠며) 불도 안 켜고?

김가온   …제가 밤눈이 밝아서요.

강요한   흐음……

김가온   (당황하여 얼버무리며) 죄송합니다. 그럼.

김가온, 꾸벅 목례하고는 후다닥 문 쪽으로 가는데 강요한, 갑자기 길을 막고 김가온을 벽으로 밀어붙인다. 강요한, 눈도 깜빡이지 않은 채 김가온을 응시하는데, 순간 가슴이 쿵 내려앉는 김가온.

플래시백 > 2부 19신.

강요한   (착잡한 표정으로) 김판사, 슬프지만 현실에 정의 따윈 없어. 게임만 있을 뿐이야. 지독하게 불공정한.

묘하게 착잡해 보이던 강요한의 얼굴을 생각하는 김가온. 결국 이렇게 되고 말았구나. 자기 손으로 강요한의 게임을 끝내게 된 지금의 상황이 고통스럽다. 김가온, 첫 줄만을 쓴, 텅 빈 진술서를 앞에 놓고 한숨 쉬며 멍하니 창밖을 바라본다.

S#5. 배석판사실 (낮)

시간이 흘러 저녁 무렵. 길고 긴 조사를 겨우 마치고 배석판사실로 돌아온 김가온. 충격받은 채 기다리던 오진주가 김가온을 맞는다.

오진주   김판사!

김가온	…죄송합니다.
오진주	그게 다 진짜야?! 진짜로 부장님이 그랬어?
김가온	(참담한 표정으로) 네. 죄송합니다. 진작 말씀드리지 못해서.
오진주	(충격으로 주저앉으며) 그랬구나…… 난 아무것도 모르고…… (문득 이전 일이 떠올라) 그럼 전에 장기현 증인 매수, 그것도 사실이었던 거야? 부장님이 해명한 게 거짓이고?
김가온	(굳은 표정으로 고개를 끄덕인다)
오진주	(충격과 자괴감이 몰려온다) 난 정말 들러리였구나.
김가온	(미안함에 마음이 무겁다. 고개를 숙이며) 오판사님……
오진주	(괴로워하며) 아니, 들러리였건 뭐건 그런 건 상관없어. 나도 바보같이 재단에 이용당하고 그랬잖아. 그래도 부장님만은 믿었는데. (책상 위 강요한의 사진을 보며) 나랑은 다른, …진짜 훌륭한 판사라고.
김가온	(안타까워하며 오진주를 바라본다. 대중이 느낄 실망감도 같을 거라 생각하며)

S#6. 강요한 부장판사실 (낮)

고풍스럽게 꾸며진 판사실, 방안이 어둡다. 묵직한 커튼이 드리워진 어두운 창가, 강요한이 의자에 깊숙이 앉아 상념에 빠져 있다.

플래시백 > 2부 58신.

낡은 옷에 어두운 표정으로 교단에 멀거니 서 있는 어린 강요한(6학년).

선생님   (무신경하게 강요한을 보며) 자기소개 할 것 없니? 친구들이 너에

        대해 알고 싶을 텐데.

강요한   (고개 숙인 채 묵묵부답이다)

선생님   그래…… 그럼 됐고. (반 아이들을 보며) 요한이랑 짝할 사람?

질색을 하며 외면하는 아이들. 곤란해하던 선생님은 아이들을 살피다
가 밝은 표정의 여학생 한 명을 바라본다.

선생님   세인아, 니가 짝해줄래?

윤세인   (활짝 웃으며) 네, 좋아요. 선생님.

Cut to

수학 시간. 선생님이 칠판에 수식을 쓰고 있다. 이때, 열린 창문으로 새
한 마리가 날아들어와 퍼덕거리며 여기저기 부딪힌다. 비명을 지르며
이리저리 피하는 학생들. 이리저리 날아다니던 새가 윤세인의 책상 위
에 앉는다. 질색하며 비명을 지르는 윤세인. 그 순간 강요한, 윤세인을
힐끔 보더니 아무 망설임 없이 철제 자를 세로로 집어들더니 새의 머리
쪽을 향해 내리친다.

윤세인   꺄아악!

공포에 질린 윤세인의 얼굴. 책상 위에서 퍼덕거리다 점점 잦아드는 새
의 날개. 강요한을 괴물 쳐다보듯 하는 아이들의 시선.

플래시백 > 9부 10신.

정원 구석 나무 밑에 선 16세 강이삭과 12세 강요한.

강이삭 (화난 얼굴로) 이게 무슨 짓이니!

강요한 (고집스러운 표정으로 발밑만 쳐다본다)

강이삭 그 여자애, 하마터면 큰일날 뻔했대. 어쩌면 다시 못 걸을지도 몰라.

강요한 ……

강이삭 (걱정이 가득한 표정으로) 요한아, 나 정말 니가 걱정돼. 지난번 학교에서도 그렇고. 너, 그러다가 정말 큰일나. 자꾸 이런 일이 생기면 아버지가 널 어쩌실지……

강요한 ……

강이삭 (생각하다가) 요한아, 나랑 약속 한 가지만 해줄래?

강요한 (고개를 들어 강이삭을 본다)

강이삭 (간절한 표정으로) 죄 없는 사람을 해치지 않겠다고. 응? 약속해주라.

강요한 (할말이 많은 눈으로 강이삭을 가만히 보다가 체념한 듯 고개를 끄덕인다)

강이삭 (눈물까지 글썽이며) 약속하는 거지? 고마워. (잠시 생각하더니) 잠깐만.

강이삭, 셔츠 소매를 걷더니 팔목에서 작은 십자가가 달린 팔찌를 풀어 강요한의 팔목에 채워준다.

강이삭	이거, 우리 엄마 유품이야. 이걸 볼 때마다 나하고 한 약속을 생각해. 알았지?
강요한	(강이삭을 가만히 보다가 고개를 끄덕인다)
강이삭	고마워, 요한아. (강요한을 끌어안는다)
강요한	(안긴 채 손목을 들어 팔찌를 가만히 본다)

강요한, 멍하니 이제 십자가 팔찌가 사라진 자신의 손목을 쳐다본다.

강요한(N)	…난 가장 빠른 방법을 택했을 뿐인데. 그들을 위해.

이때, 천천히 부장판사실 문이 열린다. 강요한, 고개를 들어 문 쪽을 보는데 김가온을 처음 대면한 그날처럼 어두운 판사실 안에 앉아 있는 강요한과 대비되듯, 문을 활짝 열고 들어온 김가온 뒤로 빛이 쏟아진다. 눈부신 듯 살짝 찡그리며 김가온을 보는 강요한. 묵묵히 강요한 앞에 와 서는 김가온.

강요한	(차갑게 툭) 왜 왔지?
김가온	(깊은 눈빛으로 말없이 강요한을 바라보기만 한다)

강요한, 천천히 김가온을 마주보고 서더니, 강렬한 눈빛으로 김가온을 노려본다. 분노와 배신감, 서운함이 섞인 상처받은 짐승 같은 눈빛이다.

강요한	(김가온을 노려보며) 내 등에 칼을 꽂아놓고, 새삼 무슨 용건이 남은 거지?
김가온	……

강요한	(김가온이 침착하게 침묵하고 있자 감정이 격해진다) 왜 왔냐고!
김가온	(강요한을 가만히 보다가 툭) 작별 인사 하러 왔습니다.
강요한	……!
김가온	말씀드렸지요. 부장님이 돌이킬 수 없는 곳까지 가는 걸 보고 싶지 않다고.
강요한	……
김가온	법정에 선 부장님을 보며 깨달았습니다. 죽창 입을 연다는 것도 핑계구나. 입을 열든 말든, 그저 사람들 손에 피를 묻히려는 거구나. 그리고 나면 부장님 편에 설 수밖에 없게 될 테니까.
강요한	(냉소적으로) 그래. 자기 선택이 옳았다는 데 집착하는 게 인간이니까.
김가온	(강요한을 노려보며) 인간의 나약함을 이용하는 건!
강요한	(김가온을 본다)
김가온	…악마나 하는 짓입니다.
강요한	(순간 죽여버릴 듯 노려보며 김가온의 멱살을 잡고 서가에 쿵! 밀어붙이고는) 다시 말해봐!
김가온	(지지 않고 필사적으로 강요한을 노려본다)
강요한	먼저 물어뜯지 않으면 물어뜯기는 게 세상이야. 싸움중에도 선은 넘지 말자? 순진해빠진 소리! 난 가장 빠른 방법을 택할 뿐이야!
김가온	망설이는 게 인간이니까요!
강요한	(흠칫한다)
김가온	(강요한을 응시하며) 비록 나약하지만 망설일 줄 알고 멈출 줄 아는 게 인간입니다.
강요한	(김가온을 노려본다)

김가온	안 그러면 똑같은 괴물들만 남으니까요. …자기연민에 빠진, 괴물들.
강요한	(얼굴을 일그러뜨리며 자조적으로 웃는다) 그래, 결국은 그 얘기네. 내가 평생 듣던 얘기. 너도 그래? 내가 무섭나? 나 같은 괴물 따위 되고 싶지 않아? 응?! (김가온의 목을 누른다)
김가온	(숨이 막혀온다. 묘하게 연민을 담은 눈으로) 죽이고 싶으면, 죽이십쇼. (조용히 눈을 감는다)
강요한	(강이삭을 닮은 눈에 가슴이 쿵! 내려앉는다. 김가온을 서가에 퍽 밀쳐버리며) 나약한 패배자 새끼. (노려보며) 꺼져버려!
김가온	(강요한을 안타깝게 보며) 전 진심으로 부장님이 멈춰주길 바랐습니다.
강요한	(말없이 노려본다)
김가온	(고개를 숙여 인사하고는 조용히 돌아서 판사실을 나간다)

김가온의 뒷모습을 바라보는 강요한의 독기 어린 눈빛이 서서히 무너진다. 고통스러운 눈빛으로 김가온을 보는 강요한. 성당 화재 당시 죽어가던 강이삭의 마지막 모습이 김가온의 뒷모습에 겹쳐진다. 김가온이 나가자 무너져내리듯 의자에 주저앉는다. 결국 또 홀로 남은 강요한.

S#7. 청와대 내실 (밤)

뉴스를 보며 도연정과 희희낙락하고 있는 허중세.

아나운서(E) 시범재판이 조작되어왔다는 충격적인 폭로 이후, 강요한 판사는 아무 입장을 발표하지 않은 채 침묵만 지키고 있습니다. 국민들은 충격 속에 실망감에 빠져……(F.O.)

허중세　봤지? 내 실력. 당신 남편이 얼마나 위대한지 이제 알겠냐고!

도연정　(마지못해서) 알지, 알지.

허중세　민정호 대법관 말야, 지가 강요한 지지자한테 테러당한 줄 알고 열받은 거 같은데.

인서트 > 12부 36신.

민정호, 황급히 집 쪽으로 달려가며 통화중이다.

민정호　경찰은 아직입니까? 급하다니까!

이때 갑자기 옆 골목에서 튀어나온 마스크를 쓴 괴한이 쇠파이프로 민정호를 내리친다! 쓰러지는 민정호. 괴한, 마스크를 내리더니 씨익 웃는데, 죽창이다!

허중세　그거 죽창이었잖아! 아 진짜 대박! (고소해 죽겠다는 듯 낄낄대며) 다 씨앗을 미리미리 뿌려두니까 결실이 있는 거라고.

도연정　그럼그럼~ 우리 자기 최고! 천재! (손으로 하트 모양을 만든다)

허중세　(씨익 웃으며 브이 포즈를 취하더니) 아이씨, 아쉽네. 이왕 이렇게 된 거 피를 봤어야 되는데. 말 많은 놈들 땡크로 싹, 밀어버리고 애국자들만 남겨서 위대한 대한민국! 건설하는 건데 말야. (말하면서 점점 자기도취로 광기가 번뜩인다)

도연정　(걱정스레 보다가) 자기야, 역사에 남는 것도 좋은데, 우리 초심은 잃지 말자.

허중세   초심?

도연정   위대한 대한민국, 민족 순수 혈통, 이거 정치 유튜버 시작할 때 컨셉 잡은 거였잖아. 자기 지금 배역에 너무 몰입한 거 같애. 걱정돼.

허중세   (시큰둥하게) 흐음……

도연정   솔직히 우리 여기 돈 벌러 들어왔잖아. 그거 잊지 않아줬음 좋겠어. 남는 건 돈밖에 없어.

허중세   (히죽거리며) 하긴, 국가를 수익 모델로 삼는 최초의 대통령이 되어보자, 그랬었지? (갸우뚱하며) 아, 최초는 아닌가?

도연정   (미소 짓는다)

허중세   …근데 말야, 허니? 세상엔 돈보다 중요한 게 있는 거야.

도연정   (불안한 표정으로) 그게 뭔데?

허중세   역사에 이름을 남기는 거. 영원히 주연으로 남는 거라고. 알아? (눈빛에 환희와 광기가 차오른다)

S#8. 강요한의 저택 (밤)

지친 표정으로 저택으로 들어오는 강요한. 엘리야가 기다리고 있다. 침착한 척하지만 흔들리는 눈빛의 엘리야.

엘리야   …뉴스 봤어.

강요한   (쓸쓸한 표정으로) 그래?

엘리야   (쭈뼛대다가) 괜찮은 거야?

강요한	(미소 지으며) 걱정해주는 거니?
엘리야	걱정은 무슨! (외면한다) 요한이 잡혀가면 이 집은 내 거다?
강요한	(엘리야를 가만히 보다가 나지막이) 원래 니 거야. 처음부터.
엘리야	(의외의 반응에 흘깃 강요한을 보다가) …근데 가온은.
강요한	(엘리야를 본다)
엘리야	(우울한 표정으로) 이제 안 오겠네? (이제 돌이킬 수 없음을 안다)
강요한	(흠칫했다가 쓸쓸하게 미소 지으며) …원래대로 돌아가는 것뿐이야. 원래 우리 둘뿐이었잖니.
엘리야	(휠체어에 기대어 몸을 웅크린다)

강요한, 엘리야의 휠체어를 천천히 밀며 어두운 집안으로 들어간다.

S#9. 김가온의 집 (밤)

집에 돌아온 김가온, 계단을 올라 옥상에 오른다. 윤수현과의 추억이 가득한 집. 이제 윤수현도 이 세상에 없고, 강요한, 엘리야와도 다시 볼 수 없다. 혼자 덩그러니 앉아 있는 김가온. 이때 민정호에게 전화가 걸려온다.

민정호(F)	가온아, 난 아무리 생각해도 수현이 죽음과 강요한 사이에 관련이 있는 것 같다.
김가온	(찡그리며) 교수님, 아무리 그래도 그건 아니라니까요! 재산 때문에 자기 형을 죽이고, 그걸 덮기 위해 수현이를 죽이고…… 아니에요. 그 사람, 그런 괴물은 아닙니다. (괴로운 표정으로) 세상이 그

사람을 어떻게 보든, 전 압니다. 그 사람, …불쌍한 사람이에요.

비록 강요한에게는 매몰차게 대하고 나왔지만, 마음속 깊이 강요한에 대한 연민이 쌓여 강요한을 이해하는 김가온. 강요한을 괴물로 보지 않는 유일한 사람인지 모른다.

민정호(F)　안 믿는 게 아니라……믿고 싶지 않은 거구나.

김가온　교수님.

민정호(F)　(다 이해한다는 듯) 쉬어라. 힘든 하루였지? (전화를 끊는다)

김가온, 전화를 끊고 깊은 한숨을 쉰다. 그러고는 일어나 먼 곳을 멍하니 본다.

S#10. 청와대 대통령 집무실 (낮)

소파 양쪽에 박두만, 민용식, 정선아가 앉아 있다. 허중세가 상석에 앉아 싱글거리고 있다.

정선아　강요한은 더이상 위협이 안 됩니다. 국가비상사태는 이제 해제하시고 민심을 수습하시는 것이……

허중세　(히죽 웃으며) 에이, 그건 아니지.

정선아　네?

허중세　이왕 시작한 거, 끝을 봐야지. 바이러스 발견된 지역 더 추가하고, 강제 이주 인원 좀 팍팍 늘리고.

정선아   …대통령님, 그건 당초 계획하고는 다릅니다. 인원이 너무 늘어
　　　　 나면 수용 시설 감당이……

허중세   (소파 팔걸이를 팍! 내리치며) 계획은 얼어죽을 계획!

순간, 정적이 흐르고, 좌중 허중세를 응시한다.

허중세   (광기 어린 눈빛으로) 이제부터는 대통령의 시간이야. 나, 허중세
　　　　 가 역사 앞에 고독하게 결단하면, 니네들은 순종하면 되는 거야.
　　　　 알아? (정선아를 노려보며) 어디서 기집애가 시건방지게 입을 털
　　　　 어?!

박두만, 민용식, 굳은 표정으로 슬쩍 시선을 교환한다.

정선아   (차갑게 허중세를 응시한다)

허중세   (자기도취에 빠져 흥분하며) 이 기회에 싹 쓸어버려야 돼! 나라에
　　　　 기여하는 거 하나 없이 복지 예산만 축내는 늙은이들! 거렁뱅이
　　　　 들! 데모나 일삼는 불평분자들! 싹 청소해버리고 새 나라를 만들
　　　　 어야 돼! 젊은 대한민국, 강력한 대한민국! 이건 혁명이야! 나라
　　　　 를 바로 세우는 혁명!

정선아   (묘한 미소를 띤 채 허중세의 장광설을 듣고 있다가) 네, 감동적인 연
　　　　 설이네요, 대통령님. …그런데, 그 뒷감당은 생각해보셨나요?

허중세   (째려보며) 뭔 개소리야?

정선아   (싱긋 웃으며) 일이 커질수록 저항도 커집니다. 시민들이 길거리
　　　　 로 쏟아져나와 데모하고 난리 치면 어쩌실 거죠?

허중세   어쩌긴 뭘 어째! 나 군통수권자야! 땡크로 싹 밀어버리면 돼! 광

화문에 전차부대를 풀어서……

정선아   (들어주기도 지쳤다는 듯 한숨을 쉬더니 자리에서 일어선다)

허중세   (의아해하며 정선아를 쳐다본다)

정선아   (또각또각 걸어오더니, 느닷없이 허중세의 뺨을 후려갈긴다!)

허중세   (휙 고개가 돌아갔다가 경악한 표정으로 쳐다보며) 야이씨, 너……
너 미쳤어?! 이 미친년이 어딜 감히!

그런데 박두만, 민용식, 놀라지도 않은 채 태연하다. 그들을 보며 이상
한 낌새를 느낀 허중세.

허중세   뭐…… 뭐야, 니네 짰어? 뭐하자는 거야!

정선아   (허중세를 내려다보며) 참아주는 데도 한계가 있어. 넌 그냥 허수
아비로 앉혀놓은 어릿광대야. 진짜 니가 위대한 지도자라도 된
거 같니?

허중세   (급히 전화기를 들며) 경호실장! 빨리 들어와! 이거 쿠데타야! 이
머전시!

경호실장이 들어온다.

허중세   (반색하며) 어, 김실장! 얘네들 다 쏴버려! (정선아를 가리키며) 우
선 이 여자부터!

경호실장, 정선아를 향해 깊숙이 허리를 굽힌다.

경호실장   이사장님. (권총을 꺼내 허중세를 겨눈다)

허중세	(경악하며) 기, 김실장!
정선아	(경호실장 어깨를 두드리며 생긋 웃으며) 아냐 됐어. 괜찮으니까 나가봐요.
경호실장	네. (총을 집어넣고는 나간다)
정선아	(입을 떡 벌리고 있는 허중세에게) 뭐해? 안 일어나고?
허중세	(정선아에게 압도되어 얼떨결에 주춤주춤 일어선다)
정선아	(상석에 턱 앉아 다리를 꼬면서 허중세에게) 저 뒤에 가서 좀 서 있어. 걸리적거리지 말고.
허중세	(넋 나간 표정으로 정선아 맞은편에 가서 선다)
정선아	(한심하다는 듯 허중세를 보며) 이거 봐요, 위대한 대통령 각하. 이거 다 비즈니스야. 혁명은 돈이 안 된다구. 역사도 돈이 안 돼. 재단이 왜 그런 짓을 밀어주겠어. (싱긋 웃는다)

박두만, 민용식, 재미있다는 표정으로 싱글거린다. 허중세, 분한 표정으로 둘을 노려본다. 미소 짓는 정선아.

S#11. 과거 회상, 일식집 룸 (밤)

박두만, 민용식과 마주 앉은 정선아.

정선아	오늘 이렇게 따로 뵙자고 한 이유, 짐작하시지요?
박두만	(씨익 웃는다) 뭐 따로 보는 이유란 게 어차피……
민용식	자리에 없는 사람 얘기를 하려는 거 아니겠어. …우리 위대하신 대통령 각하라든지. (의미심장한 미소를 띤다)

정선아	역시. (미소 짓는다) 그래, 두 분 생각은 어떠신가요.
민용식	(냉소하며) 뭐, 좀 신이 나셨더구만.
박두만	(히죽이며) 평생 조연만 하다가 이제 원톱 주연이다, 뭐 이해는 가는데, 그러다 오버하면 한 방에 가는데 말이야……
정선아	(싱긋 웃는다) 이번에도 죽창 입 열면 무조건 죽여버리려고 하셨다면서요. 전 국민 보는 앞에서.
민용식	(불만스레) 그러게 말야. 뒷수습은 생각을 않어. 현실은 영화가 아닌데 말야.
박두만	국민들이 난리 치면 어쩔 거냐, 물었더니 (어처구니없다는 듯) 탱크로 밀어버리면 된다는 거야. 허, 참 나……
민용식	서울 깨끗이 재개발해서 외국 자본에 팔자는 사업인데, 탱크? 이 글로벌 시대에? 경제를 몰라도 너무 몰라, 하여튼. 쯧.
정선아	…더 놀라실 만한 얘기를 해드릴까요?
민용식	뭔데?
정선아	우리 대통령 각하, 진짜 바이러스를 유포할 생각이었더라고요. 서울에.
박두만	(소스라치게 놀라 민용식과 시선을 교환한다) 와, 이런 또라이 쉑……!
민용식	미친 거 아냐?! 오염된 상품을 어따 팔라고?!
정선아	비즈니스 마인드가 부족하신가봐요. 예술가시라. (생긋 웃는다)
박두만	(심각한 표정으로) 흐음…… 위태위태하네, 이거.
정선아	플랜비를 생각해둬야겠어요. 좀더 안정적인 엘리트로. (미소 짓는다)

S#12. 청와대 대통령 집무실 (낮)

허중세를 세워둔 채 킬킬대는 민용식과 박두만.

민용식　대통령이고 대법원장이고 할 거 없이 다, 우리가 세운 비정규직
　　　　들인데, 착각들을 한단 말야.

박두만　영원히 바뀌지 않는 주연은 따로 있다는 걸 아직도 모르시나봐?
　　　　우리 대통령님은. (히죽거린다)

허중세　(굴욕감으로 이를 악문다)

상석에 앉은 정선아, 생긋 웃는다.

S#13. 강요한 부장판사실 (낮)

노타이에 셔츠 차림으로 앉아 멍하니 창밖을 보고 있는 강요한. 노크 소
리가 들린다.

강요한　네.

문이 열리고, 들어오는 사람은 뜻밖에도 정선아다! 강요한, 차갑게 정
선아를 바라본다.

정선아　(생긋 웃으며) …이제 좀 외로워 보이네? 도련님.

강요한　(차갑게 보다가) 용기가 대단하네. 제 발로 찾아오다니.

정선아	왜? 죽은 그 친구 복수라도 하게? 에이, 설마. 그런 멍청이 아니잖아. (미소 짓는다) 이미 벌어진 일 갖고 이익 될 것도 없이, 감정적으로.
강요한	(차가운 표정으로 빤히 정선아를 본다)
정선아	(강요한 앞까지 다가와서) 마지막 기회를 줄게.
강요한	……
정선아	(오만한 표정으로 강요한을 내려다보며) 지금이라도 굽히면 기회는 있어. 재단은 관대하거든. (손을 내밀어 강요한의 턱을 어루만지며) 쓸모 있는 자들한테는.
강요한	(피식 웃더니 툭. 정선아의 손을 밀어낸다)
정선아	허세 부리지 말고. 난 지금 일생일대의 기회를 주는 거야. 감옥에 가는 대신, 청와대로 갈 기회.
강요한	왜? 새 허수아비가 필요한가? 허중세는 취향이 아니야?
정선아	(답답하다는 듯) 재판 조작으로 감옥 갈 거야? 죄수복 입고, 도련님이 잡아넣은 쓰레기들 사이에서? 견딜 수 있겠어?
강요한	(피식 웃으며) 열심이네.
정선아	(의외의 반응에 흠칫한다) 뭐?
강요한	(천천히 자리에서 일어서더니) …넌 참 대견해. 언제나 열심히, 발버둥치거든. 채워지지 않는 허기를 채우려고. 가질 수 없는 걸 감히 가져보려고.
정선아	(강요한에 대한 미련, 집착, 채워지지 않던 내면의 고독과 불안을 꿰뚫어보는 듯한 강요한의 말에 흠칫한다)
강요한	(악마처럼 차갑게 조소하는 눈빛으로 정선아를 보다가 천천히 정선아의 얼굴 가까이 자신의 얼굴을 가져가더니, 속삭이듯) …너 정말, 불쌍한 애였구나?

| 정선아 | (순간 움찔하며 강요한의 뺨을 세게 때린다) |
| 강요한 | (뺨을 맞고도 천천히 고개를 돌려 차가운 눈빛으로 정선아를 본다) |

불쌍하다는 강요한의 한마디, 비웃는 시선에 내면의 상처받은 아이가 소환된 듯 무너지는 정선아, 부들부들 분노로 떨며 강요한을 매섭게 노려보다가, 휙 돌아나간다.

S#14. 대법원 복도 (낮)

텅 빈 복도를 또각또각 걸어가는 정선아. 아이처럼 상처받은 표정에서, 분노로 서서히 악귀처럼 얼굴이 일그러진다.

S#15. 강요한 부장판사실 (낮)

의자에 깊숙이 앉아 머리 뒤로 손깍지를 낀 채 뒤로 기대어 눈을 감고 있는 강요한(마치 2부 66신의 어린 강요한 같은 모습).

플래시백 > 2부 62신.

맨 뒷줄에 혼자 앉아 책을 읽고 있는 강요한. 반 아이들, 키득대며 강요한을 힐끗거린다. 김동준(윗동네), 장난감 총을 서랍에서 슬며시 꺼내 책을 읽고 있는 강요한의 머리에 쏜다. 통, 소리가 나고 강요한, 얼굴을 찡그리며 이마를 만진다. 작은 상처가 났다. 김동준 쪽을 매섭게 쏘아보는 강요한. 하지만 김동준은 얼른 앞을 보며 모른 척한다. 옆에서 킬 킬대는 짝 한석우(아랫동네)와 주먹 인사를 나눈다. 다른 아이들도 모른 척 앞만 보며 소리 죽여 키득댄다. 그런 반 아이들을 가만히 보다가 다시 고개 숙여 책을 보는 강요한.

눈을 번쩍 뜨는 강요한. 세상에 지지 않겠다는 듯 투지에 찬 눈빛으로 일어나 거울 앞에 선다. 마치 전투에 나가기 전 갑옷을 입듯이, 넥타이를 단정하게 매고, 머리를 매만지고, 슈트 재킷을 걸친다. 흠 하나라도 있는지 꼼꼼히 거울 속의 자신을 살피고는, 뚜벅뚜벅 걸어나가는 강요한.

S#16. 대법정 (낮)

다시 대법정 무대 한가운데 카메라 앞에 선 강요한.

강요한   국민 여러분.

S#17. 거리 곳곳 (낮)

영상 속 강요한을 지켜보는 시민들.

S#18. 재단 회의실 (낮)

박두만, 민용식, 정선아가 TV 속 강요한을 지켜보고 있다.

박두만   하, 이 새끼, 이번엔 또 무슨 사기를 칠려나?

S#19. 대법정 (낮)

강요한   (비통한 표정으로 눈을 질끈 감으며) ⋯저는 죄인입니다.

S#20. 재단 회의실 (낮)

민용식   (예상 밖의 말에 놀라며) 뭐야? 이건 또 무슨 전개야?
정선아   (차갑게 TV를 지켜본다)

S#21. 대법정 (낮)

강요한   저에 대해 제기된 모든 의혹, 모두 사실입니다. 저는 여러분의 믿음을 배신했습니다. 저는 그동안 법을 악용하여, 죄인들을 처단해왔습니다. (점점 감정이 고조되는 듯한 표정으로) 제가 법관으로 일하며 뼈저리게 느낀 것은, 법은 힘 앞에 무력하다는 것이었습니다. (분노한 눈빛으로) 돈과 권력을 가진 자들이 죄를 짓고도 이리저리 빠져나가는 꼴을 제 눈으로 보며! (한 맺힌 심정을 토로하 듯) …저는 무슨 수를 써서라도 그들에게 죗값을 치르게 하고 싶 었습니다. (비통한 눈빛으로) 그렇습니다. 저는 정의가 실현되지 않는 현실에 대한 분노를 핑계로, 넘어서는 안 될 선을 넘었습니 다. 저는 더이상 법관의 자격이 없습니다. 오늘부로 저는 법관직 을 사임하고, 어떠한 처벌이든 달게 받겠습니다. 국민 여러분, 저 는 죄인입니다. 제게 돌을 던지십시오. (깊이 허리를 숙이고는 무대 를 내려간다)

S#22. 방송 중계실(또는 대법정 무대 아래) (낮)

카메라 옆에서 헤드셋을 끼고 강요한 고별 회견 중계를 지휘하던 PD, 울컥하며 헤드셋을 벗더니, 목에 걸고 있던 사람미디어 방송국 사원증 을 휙 벗어 바닥에 패대기쳐버린다.

PD   (눈물을 흘리며) 판사님…… (강요한을 따라가듯 뛰쳐나간다)

S#23. 대법원 앞 (낮)

비통한 표정으로 대법원 건물에서 걸어나오는 강요한. 건물 밖에는 검 은색 차량이 대기중이다. 강요한 지지자들이 대법원 건물 앞에서 강요 한을 기다리다가 강요한이 나오자 울부짖는다.
– 판사님!

- 안 됩니다!

- 판사님이 무슨 죄가 있습니까!

- 저희를 버리지 마십쇼. 판사님!

- 이렇게 가시면 안 됩니다!

오진주(E)   부장님!

강요한, 돌아보니, 오진주가 눈물 글썽이며 따라 나와 있다. PD도 오진주 옆에서 주먹으로 눈물을 닦고 있다. 강요한, 오진주에게 다가가 손을 내밀어 악수를 청한다.

강요한   고생 많았습니다. 오판사. 미안합니다.

오진주   부장님…… (강요한의 손을 잡고 울먹인다)

강요한   감독님도요. (PD의 손을 꼭 잡아주고는 다시 대기하고 있는 차량으로 향한다)

PD   판사님! 안 됩니다. 판사님! (강요한을 쫓아간다)

강요한, 울부짖는 사람들 사이를 걸어 대기 차량 뒷좌석에 오른다. 비통한 표정으로 차 안에 앉은 강요한을 한 번이라도 더 보려 창문에 달라붙은 사람들. 한 사내가 주먹을 불끈 쥐더니 외친다.

- 강요한을 대통령으로!

그 말이 도화선이라도 된 듯 지지자들, 열광적으로 "강요한! 강요한!"을 외쳐댄다. PD도 같이 외쳐대고 있다. 이들을 뒤로하며 강요한이 탄 차량이 서서히 출발한다. 그리고 비통하던 강요한의 표정이 서서히 무표정하게 변한다.

S#24. 재단 회의실 (낮)

열광적으로 "강요한! 강요한!"을 외치는 지지자들을 TV로 지켜보는 박두만, 민용식. 소름이 끼친 듯한 표정이다. 반면, 차갑게 피식, 웃는 정선아.

박두만　　하! …무서운 새끼.

민용식　　(정선아를 보며) 정이사장, 이거 어떻게 해야 될지?

정선아　　(싱긋 웃으며) 운도 좋아, 우리 허중세 아저씨. 일단 청와대에 좀 더 있어줘야겠네? (전화기를 들어 재희에게 차갑게) 야당 움직임 체크해. 빨리.

S#25. 강요한의 저택, 서재 (밤)

의자에 깊이 앉아 뒤로 기대어 있는 강요한. 무표정한 얼굴로 뉴스를 보며 전화를 받고 있다.

아나운서(E)　(강요한 지지자들의 외침을 배경으로) 오늘 대국민 사과문 발표 이후 오히려 전국적으로 강요한 판사에 대한 지지 여론이 폭발적으로 증가하고 있습니다. 긴급 여론조사 결과, 강요한 판사가 대선에 출마하면 지지하겠다는 응답이 무려 57.6퍼센트에 달했습니다. 뚜렷한 대권 후보가 없던 야당들 사이에 강요한 판사를 발 빠르게 영입하려는 경쟁이 시작되어…… (F.O.)

강요한　　총재님, 제안은 고맙습니다만, 아직은 시기가 아닌 것 같습니다.

죄송합니다.

전화를 끊고 귀찮다는 듯 전원을 꺼버리는 강요한. 책상 위에 두 다리를 올리고 머리 뒤로 손깍지를 낀 채 뒤로 기대더니, 피식 웃는다.

플래시백 > 2부 66신.

맨 뒷줄에 혼자 앉은 12세 강요한. 의자를 등으로 밀어 여유 있게 벽에 기대고 머리 뒤에 손깍지를 낀 채 즐거운 공연이라도 보듯 아이들의 패싸움 난장판을 감상하고 있다. 이를 드러내며 씩 웃는 강요한.

S#26. 윤수현의 묘지 (낮)

'언제나 모두에게 사랑을 주던 사람, 윤수현. 이제 주님의 사랑 안에 영원히 잠들다.' 윤수현의 묘비 앞에 꽃을 올리는 김가온과 민정호. 김가온, 가슴속 깊은 곳에서 끓어오르는 통곡을 애써 참으며 눈물을 닦는다. 민정호, 침통한 표정으로 그런 김가온을 바라본다.

민정호   ···가온아.
김가온   (민정호를 본다)
민정호   (품에서 피 묻은 수첩을 꺼내며) 이걸 봐라.
김가온   (놀라며) 교수님, 이건?
민정호   ···수현이 유품이다.
김가온   ······!

김가온, 충격받은 표정으로 피 묻은 수첩을 받아든다. 한 장 넘기니 속지에 쓰여 있는 '윤수현'. 윤수현의 필체다. 손이 부들부들 떨리며 걷잡을 수 없이 눈물이 터져나오는 김가온. 그런 김가온을 안타깝게 보는 민정호. 김가온, 가까스로 정신을 부여잡으며 수첩을 넘긴다. 사람 이름 여럿에 죽죽 좌우로 줄을 그어 지워놓았는데, '정요셉'이라는 이름은 지우지 않은 채 동그라미가 여러 개 쳐 있다. 수첩 첫 줄엔 '성당 마을 가게 할머니'라고 적혀 있고 옆에 전화번호가 있다. 그리고 '오래된 단독주택, 파란 지붕, 오르막길 끝 쪽'이라고 끄적이듯 급히 메모해놓은 것도 맨 아래쪽 구석에 보인다. 수첩 사이에 삼십대 중반의 평범한 남자의 사진 한 장도 끼워 있다. 고개를 들어 민정호를 보는 김가온.

민정호   (윤수현의 묘비를 보며) 수현이는 마지막 죽는 순간까지도 성당 화재 사건을 쫓고 있었다. 그날도 너한테 할말이 있어서 왔을 게다. (괴로운 표정으로) 그 자리에.

김가온   (고통스러운 표정으로 수첩을 응시한다. 손을 불끈 쥔다)

S#27. 도로 (낮)

오토바이를 타고 달리는 김가온.

S#28. 성당 인근 마을 구멍가게 (낮)

김가온, 가게 할머니와 얘기중이다.

할머니	그 형사 아가씨 진짜 끈질기더라고. 이 동네를 몇 번이나 찾아왔는지 몰라.
김가온	…마지막으로 온 게 언제쯤인가요?
할머니	얼마 안 됐어요. 한 보름 됐나? 딴 사람은 다 찾았는데, 정요셉이라고, 성당에서 잡일하던 사람을 못 찾겠다던데……

정요셉의 이름이 나오자 눈빛이 번쩍하는 김가온.

김가온	(수첩에서 꺼내두었던 사진을 보여주며) 혹시 이분인가요?
할머니	(사진을 들어서 보며) 어! 맞네. 요셉이. 그러잖아도, 그 아가씨 왔다 간 다음에, 마침 누가 요셉을 서울 어느 동네에서 봤다고 그러더라구.
김가온	(바싹 다가가며) 그래서요? 할머니.
할머니	그래서 내가 전화해줬지. 그 형사 아가씨한테.
김가온	(급히 수첩을 꺼내 펼친 후 '오래된 단독주택, 파란 지붕, 오르막길 끝쪽'이라고 적힌 것을 보여주며) 할머니, 혹시 이게……
할머니	어, 맞네. 맞어. 내가 얘기해준 거.
김가온	동네 이름 좀 알려주시겠어요?
할머니	어, 그래. 내가 어따 적어놨는데…… (책상 서랍을 열다가 돌아보며) 근데, 그 형사 아가씨한테 무슨 일이라도 생긴 거유?
김가온	(순간 표정 굳다가 애써 웃으며) 아니에요. 그냥 확인할 게 좀 있어서요.
할머니	(갸우뚱한다)

S#29. 주택가 (낮)

플래시백 > 13부 33신.

소박한 서민 동네. 오르막길을 오르는 윤수현. 한숨 돌리며 '오래된 단독주택, 파란 지붕, 오르막길 끝 쪽'이라고 적힌 수첩을 힐끗 본다. 고개를 들어 주위를 보는데, 온통 파란 지붕에 오래되어 보이는 집들이 죽 있다. 한숨을 내쉬고는 다시 주먹을 불끈 쥐고 걷기 시작한다. 동네를 무작정 뒤질 결심이다. 집들을 살피며 묵묵히 걷는다.

(이하 시퀀스, 같은 공간에서 윤수현이 걷던 길을 똑같이 김가온이 따라가면서 애타게 윤수현의 발자취를 좇는 듯한 느낌) 소박한 서민 동네. 오르막길을 오르는 김가온, 충혈된 눈으로 애타게 메모와 비슷한 집을 두리번거리며 찾고 있다.

S#30. 주택가 (낮)

플래시백 > 13부 35신.

윤수현이 작은 단독주택 현관에 서서 집주인과 얘기중이다.

집주인　(잔뜩 경계하며) 아 그런 사람 안 산다니까요!

윤수현　그럼 혹시 이런 분 이 동네에서 보신 적은 없으세요? (수첩에서 삼십대 중반 평범한 남성의 사진을 꺼내 내민다)

집주인	(보는 둥 마는 둥 힐끗하며) 없어요, 없어! (문을 닫으며 투덜거린다)
	시국이 어떤 시국인데……
윤수현	(깊은 한숨을 내쉬고는 다시 다음 집의 초인종을 누른다)

같은 단독주택 현관에서 초인종을 누르는 김가온. 정요셉의 사진을 손에 들고 있다.

S#31. 주택가, 정요셉의 집 앞 (낮)

초인종이 없는 정요셉의 집. 윤수현이 그랬듯 문을 두들기고 있는 김가온. 아무 답이 없다. 답답한 듯 안을 기웃거리는 김가온.

정요셉(E)	(겁먹은 듯한 목소리로) 누, 누구세요?

돌아보는 김가온. 머리에 붕대를 감은 온통 상처투성이의 정요셉, 병원에 다녀온 듯 약봉지를 들고 있다.

김가온	정요셉씨 맞으시죠? 저는……

정요셉, 김가온을 알아보고는 갑자기 표정이 얼어붙는다.

정요셉	(공포에 떨며) 가…… 강요한 판사랑 일하는……?!

정요셉, 갑자기 봉투를 집어던지고 도망간다. 놀라 쫓아가는 김가온.

김가온   정요셉씨!

S#32. 주택가 골목 (낮)

잔뜩 겁먹은 얼굴로 도망가는 정요셉과 뒤를 쫓는 김가온. 정요셉, 다쳐서 몸이 성치 않은 듯 얼마 가지 못해 바로 김가온에게 잡힌다.

김가온   (정요셉의 어깨를 붙잡으며) 정요셉씨!

정요셉, 절망한 듯 바닥에 주저앉더니, 김가온에게 머리를 조아리며 빈다.

정요셉   살려주십쇼! 제발, 제발 목숨만 살려주세요…… <u>흐흐흐흑.</u> (흐느낀다)

김가온   (당황하며) 왜 이러십니까! 일어나세요. (정요셉을 부축하여 일으키려 한다)

정요셉   (공포에 찬 눈빛으로) 강판사님이 저 죽이라고 하신 거죠?! 그렇지요?!

김가온   (강요한이 죽이러 보냈다? 정요셉의 말에 충격을 받으면서도 일단 정요셉을 안심시키려고 애쓰며) 아닙니다, 절대 아니에요. 저, 강요한이 보내서 온 게 아닙니다. (핸드폰을 꺼내 급히 뉴스 영상을 검색해서는 정요셉에게 보여준다)

핸드폰에서 김가온의 기자회견 영상이 재생된다.

김가온(E)	시범재판은…… (한숨을 토하듯) 조작되어왔습니다.
기자1(E)	구체적으로 말씀해주십시오!
기자2(E)	강요한 판사가 재판을 조작해왔다는 말씀입니까?!
김가온(E)	(선뜻 입을 열지 못하고 괴로워한다)
민정호(E)	제가 대신 말씀드리겠습니다. 네, 강요한 판사가 재판을 조작해 온 게 맞습니다. 미리 결론을 정해놓고 그에 맞춰서 증거를 만들어내고, 심지어 변호인까지 사전에 포섭해서 말을 맞추었습니다.
정요셉	(놀라 김가온을 본다. 이런 일을 모르고 있었다)
김가온	전, 강요한을 고발한 사람입니다. 지금도 그래서 온 거고요.
정요셉	(조금은 진정되지만 여전히 불안한 눈빛으로 김가온을 본다)

S#33. 정요셉의 집안 (낮)

방에 앉아 있는 정요셉과 김가온.

정요셉	…정말 판사님을 믿어도 되는 겁니까? 저 정말 강요한 손에 죽습니다!
김가온	제가 강요한 지시로 왔다면 왜 굳이 이러고 있겠습니까. 정 불안하시면, 오늘 바로 거처를 옮겨드리겠습니다. 민정호 대법관님이 도와주실 겁니다.
정요셉	절 확실히 숨겨주기로 약속하시는 겁니까?
김가온	네. 원하신다면 민대법관님과 통화시켜드리겠습니다.
정요셉	(고민하더니 드디어 결심한 듯 심호흡을 하고는) CCTV 영상 파일이 하나 있습니다.

김가온	(기다렸다는 듯) 네.
정요셉	그 성당 화재 사건 때 찍힌 겁니다. 제가 관리자였고요.
김가온	(조용히 듣는다)
정요셉	화재 사건 있고 얼마 후에, 강요한 판사님이 절 찾아오셨습니다. 그 파일을 넘겨라. 그리고 죽을 때까지 비밀을 지켜라. 그러면 새 집도 구해주고, 먹고살 수 있을 만큼 돈도 주겠다.
김가온	(그럼 진짜 강요한이 화재를? 내심 충격받지만 내색 않으려 애쓴다)
정요셉	그래서 그렇게 했지요. 그런데 부끄럽습니다만, 제 어리석은 욕심에 사본을 하나 만들어놓은 겁니다.
김가온	……!
정요셉	혹시나 이게 또 돈이 되지 않을까…… (고개를 숙이며) 부끄럽습니다.
김가온	…그 파일에, 도대체 뭐가 찍혀 있는 겁니까.
정요셉	(다시 공포에 질린 표정으로) 그것만은 말씀 못 드립니다! 제발 그 것만은 묻지 마십쇼. 그걸 말하면 지옥 끝까지 쫓아가서라도 절 죽인다고, 강판사님이 그러셨습니다. 그분은…… 진짜로 그럴 분입니다. (부르르 떤다)
김가온	…알겠습니다. 말씀 계속하십쇼.
정요셉	몇 달 전에, 강요한 판사님이 보낸 사람이 찾아왔습니다. 혹시 사 본 만들어놓은 게 아니냐, 진짜 없냐, 물으면서 (찡그리며) 절 고 문하는데, 정말 이러다 죽을 것 같아서 결국 실토하고 사본을 드 렸습니다.
김가온	(놀람의 연속이다) 그럼, 지금 상처는 왜 그런 거죠?
정요셉	며칠 전에 형사가 한 명 찾아왔었습니다. 여자더라고요.

인서트 > 윤수현이 정요셉을 찾아왔던 당시 모습.

정요셉   전 그냥 아무것도 모른다, 문제 있으면 영장 갖고 와라, 이렇게
        버티며 돌려보냈는데, 어젯밤 강판사님 부하가 또 찾아와서 형사
        한테 진짜 아무 말 안 한 거 맞냐, 혹시 다른 사본을 준 거 아니냐,
        그러면서 절 또 이렇게……

김가온   (믿고 싶지 않은 현실 앞에 하늘이 무너지는 것 같다. 한참을 멍하니 있
        다가) 그 찾아왔던 사람, 전화번호든 뭐든 단서가 될 게 없습니
        까?

정요셉   아뇨. 직접 찾아오기만 해서, (말하다가 뭔가 떠오른 듯) 아! 어젯
        밤 그 사람 차를 이 앞에 세웠었는데.

김가온   (놀라며) 이 근처에 보안 카메라나 블랙박스 같은 거 있나요?

S#34. 정요셉의 집 앞 (낮)

정요셉 집 앞 바로 근처에 이웃집 차가 주차되어 있다. 그 앞에서 이웃
집 주민, 자기 차 블랙박스를 김가온에게 넘겨주고 있다.

김가온   (이웃에게) 정말 고맙습니다.

정요셉   고마워요, 진짜.

이웃   에이 뭘요.

김가온, 블랙박스 영상을 재생한다. 검은색 차가 정요셉 집 앞에 주차
하고, 웬 사내 한 명이 내리는데 얼굴은 잘 보이지 않는다. 집으로 들어

가는 사내. 그런데 검은색 차의 번호판은 식별 가능하다. 09가23598.
눈빛이 번쩍하는 김가온.

Cut to

민정호와 통화중인 김가온.

민정호(F) 우선 강요한 부하 그놈부터 무조건 잡아야 된다! 그놈이 수현이
를 죽인 놈이라면, 강요한이 그놈까지 죽여서 증거를 없애려들
수 있어!

김가온 (다급히) 차량 번호 조회, 지금 바로 할 수 있을까요?

민정호(F) 내 제자 한 놈이 경찰청에 있다. 차량 등록 주소 확인해서 전화하
마!

김가온 네! 교수님.

전화를 끊은 김가온, 강요한에 대한 충격과 분노로 눈빛이 이글거린다.

S#35. 도로 (낮)

흐린 하늘. 분노한 눈빛으로 오토바이를 타고 달려가는 김가온.

S#36. 주택가 (낮)

어느 집 앞에 검은색 차량이 서 있다. 그 앞에서 번호판을 확인하는 김가온. 09가23598 맞다. 집 문 앞으로 다가가는 김가온. 그런데 문이 조금 열려 있다! 조심스레 밀어보니 열리는 문. 김가온, 긴장한 표정으로 안으로 들어간다.

S#37. 집안 (낮)

어두운 집안. 주위를 경계하며 거실로 들어가는 김가온, 순간 놀란다! 한 사내가 엎어져 있고 그 위에 모자를 눌러쓰고 마스크로 얼굴을 가린 호리호리한 몸매의 누군가가 쭈그리고 앉았다가, 김가온이 부스럭 소리를 내며 들어오자 번개같이 밖으로 달아난다. 김가온, 배에 칼이 꽂힌 채 죽은 사내를 뒤집어 얼굴을 확인하는데, 윤수현을 죽인 바로 그놈이다!

플래시백 > 13부 55신.

험상궂은 인상의 사내가 품에서 권총을 꺼내며 시범재판부 판사들을 노리듯 힐끗 쳐다보는 모습이 눈에 들어온다!

충격받은 표정의 김가온, 이를 악문 채 사내의 주머니를 뒤져 핸드폰을 꺼낸다. 피 묻은 핸드폰을 열어 최근 통화 목록을 보는데, 같은 번호가 연이어 떠 있다. 눈을 질끈 감는 김가온. 낯익은 번호다. 그래도 마지막까지 강요한이 아닐 거야. 아니었으면, 하는 실낱같은 희망을 마음 한 구석에 품고 있던 김가온, 머리가 어지럽다. 부들부들 떨리는 손가락으로 발신 버튼을 누르는 김가온. 핸드폰을 귀에 댄다. 1초, 2초, 3초 지나 연결되는 통화.

Cut to

강요한의 저택, 서재. 전화를 받는 강요한.

김가온   (무표정하게) 여보세요.

Cut to

김가온   (강요한의 목소리를 직접 듣는 순간 온몸에 소름이 끼치며 눈앞이 아득해진다! 자기도 모르게 반사적으로 전화를 끊고는 다리에 힘이 풀려 주저앉는다)

김가온, 하늘이 무너지는 듯한 절망감과 분노, 충격 속에 넋이 나간 표정이다. 눈물이 쏟아지고야 만다. 수현이를, 수현이를, 죽인 게 강요한이라니. 난 그것도 모르고 강요한 곁에서! 절망한다.

김가온   으아아아아아! (무릎을 꿇은 채 미칠 듯한 분노로 짐승처럼 소리지른다)

S#38. 집밖 (밤)

비가 쏟아지는 어두운 골목길. 민정호와 함께 경찰이 와 있다. 시신을 들것에 실어 바깥으로 옮기고 있는 경찰들. 김가온, 넋 나간 표정으로 무릎을 세워 벽에 기대앉은 채 무방비로 비를 맞고 있다.

민정호　(걱정스레) 가온아.

김가온　(눈빛에 광기가 번뜩하더니 갑자기 벌떡 일어서 골목에 세워놓은 오토바이 쪽으로 뛰어간다)

민정호　(놀라 쫓아가며) 가온아! 가온아!

오토바이에 올라탄 채 비 오는 골목길을 달려나가는 김가온!

S#39. 강요한의 저택, 서재 (밤)

밖에서 쿠르릉 쾅쾅, 천둥소리가 들린다. 강요한, 서가 앞에 서서 도스토옙스키의 『악령』을 읽다가, 거칠게 서재 문이 열리는 소리에 시선을 돌린다. 강요한, 비에 젖은 김가온을 보고 흠칫한다. 그런데, 전에 본 적 없던 김가온의 모습. 뭔가에 씌기라도 한 듯 광기와 분노로 눈이 희번덕거린다. 강요한을 무섭게 노려보던 김가온, 주머니에서 뭔가를 꺼내는데, 칼이다! 굳은 표정으로 김가온을 응시하는 강요한. 다시 한번 쿠르릉 쾅! 천둥소리가 저택을 울린다.

김가온　(절규한다) 왜 그랬어!

강요한, 정신이 나간 듯한 김가온을 가만히 보다가 입을 연다.

강요한   (침착하게 내리누르듯) 김가온.

김가온   수현이를 왜 죽였냐고!

김가온, 성큼성큼 강요한에게 다가와 다짜고짜 칼로 강요한의 심장을 찌르려 한다! 묘하게 슬픈 눈빛으로 김가온을 바라보는 강요한, 가만히 선 채 손으로 김가온의 칼날을 부여잡는다. 흠칫 놀라는 김가온. 강요한의 손에서 뚝뚝 떨어지는 핏방울.

강요한   …후회하지 않을 자신 있나?

김가온   (강요한의 차분한 태도에 눈빛이 흔들린다. 과거 윤수현의 기억을 떠올린다)

플래시백 > 7부 33신.

도영춘을 찔러 죽이려던 김가온. 윤수현이 필사적으로 잭나이프 칼날을 두 손으로 움켜쥔 채 남들의 눈에 띄지 않게 온몸으로 막고 있다. 윤수현의 손에서 피가 뚝뚝 떨어진다. '안 돼!'라고 외치는 듯한 윤수현의 눈빛.

강요한   난 네가 원한다면, 죽어줄 수 있다. (김가온을 가만히 보며) 그런데 아마 넌, 후회하게 될 거다. 평생을. (눈빛 깊어진다) …난, 그걸 보고 싶지가 않아.

김가온, 괴로워하며 차마 강요한을 찌르지 못하고 칼을 놓고 만다. 바닥에 떨어지는 칼.

김가온   (차마 강요한을 찌르지 못하는 자신을 저주하며) 당신은 수현이를 죽였어!

강요한   (나지막하게) …가온아.

김가온   (처음으로 이름을 부르는 강요한의 다정한 어투에 흠칫한다)

강요한   (연민의 눈빛으로) 넌 지금 아픈 거야. 너무 아파서, 누군가를 탓하고 싶은 거다.

김가온   (예상하지 못한 강요한의 태도에 혼란스럽다. 뱀의 혀처럼 나를 꾀는 건가, 싶어 자기도 모르게 귀를 막으며) 닥쳐! 내 눈으로 다 봤어! 당신이 범인이라는 증거!

강요한   …뭘 봤는지는 모르겠지만, 너도 이젠 알 텐데. 증거라는 게 얼마나 허망한지. 인간은 얼마나 쉽게 속는지.

김가온   (강요한을 노려보며) 당신 형도 당신이 죽였지?!

강요한   (흠칫하며) 뭐?

김가온   정요셉한테서 뺏은 영상! 거기 뭐가 있었지?! 성당에 불을 지르는 당신 모습?!

강요한   (순간 등의 십자가 흉터에 고통을 느껴 얼굴을 찡그리며, 악귀처럼 무시무시한 표정으로 김가온의 멱살을 잡는다) 요셉을 만난 건가?!

민정호(E) 물러서!

S#40. 강요한의 저택, 서재 (밤)

돌아보는 강요한. 민정호가 서재 입구에 서 있고, 경찰관 두 명이 강요한에게 총을 겨누며 서재로 들어온다.

민정호 당장 가온이한테서 떨어져!

경찰1 (O.L.) 강요한씨! 당신을 윤수현 경위 살인교사 혐의로, 긴급체포합니다! 당신은 변호인을 선임할 권리가 있으며, 변명의 기회가 있고, 체포구속적부심을 법원에 청구할 권리가 있습니다!

경찰들, 총을 겨눈 채 강요한에게 다가가 강요한의 두 손을 뒤로 돌려 수갑을 채운다. 두 손에서 피가 떨어진다.

강요한 (아랑곳 않은 채 김가온만을 바라보며) 넌 정말 그렇게 믿는 건가? 내가 내 형을 죽이고, 윤수현을 죽이고, 널 이용했다고? (안타까운 눈빛으로) 내가, 네게 말한 모든 것이 거짓이었다고?

김가온 (눈빛이 흔들린다. 말도 안 되지만 강요한의 눈빛이 너무나 진실되고 간절해 보인다. 자기도 모르게 뒤로 주춤 물러선다)

갑자기 짝, 박수 소리가 들리더니, 기묘한 승리감에 젖은 표정의 정선아가 재희와 함께 들어온다. 짝짝짝, 박수를 치며 강요한과 김가온을 비웃듯 바라보는 정선아.

정선아 와, 진짜 눈물겹다. 도련님, 그런 눈빛 처음 보는데? (생긋 웃는다)

강요한 ……!

김가온	(소스라치게 놀란다) 당신이 왜 여기?!

그런데 민정호, 너무나 당연하다는 듯 태연하게 정선아에게 고개 숙여 인사한다.

민정호	오셨습니까, 이사장님.
김가온	(온몸에 소름이 끼친다!) 교수님! 설마…… (태연한 민정호를 보며 몸이 부들부들 떨린다)
강요한	(순간 모든 것을 알아차리고는 정선아를 노려본다) 너……!
정선아	(강요한을 보며 싱긋 웃더니 김가온을 보며) 세상에 반복되는 우연 따위, 없어. 네가 강이삭을 닮은 건 우연이지만, 그런 네가 강요한과 같이 일하게 된다? …그건 우연일 수가 없지. (미소 짓는다)

S#41. 과거 회상, 신임 법관 임명식장 (낮)

단상 위에서 대표 선서를 하는 김가온. 그리고 14부에서는 보이지 않았던 귀빈석 다른 쪽 자리에 서정학이 앉아 있고, 그 옆에서 정선아가 김가온을 유심히 보고 있다.

정선아	(혼잣말로) 많이 닮았네. (박수를 치면서 좋은 계획이 떠오른 듯 씨익, 차갑게 웃는다)

Cut to

임명식이 끝나고 민정호, 윤수현과 기념사진을 찍고 있는 김가온. 갑자기 윤수현 가슴에 꽃다발을 안기더니 억지로 가운데로 밀고는 윤수현을 가운데에 놓고 다시 한번 사진을 찍는다. 싫다고 버티다가 어쩔 수 없이 가운데 서서는 활짝 웃는 윤수현. 그리고 팔짱 낀 채 한쪽 구석에 서서, 민정호와 김가온을 유심히 보고 있는 정선아.

S#42. 강요한의 저택, 서재 (밤)

정선아 (생긋 웃으며) 누가 민교수님을 대법관으로 만들었을까?

김가온 (민정호를 보며) 교수님!

민정호 …어쩔 수 없었다. 더 큰 정의를 위한 일이야. 너도 언젠가는 이해할 거다. (자기확신에 찬 눈빛이다. 미안해하지조차 않는다. 정선아에게 정중히 인사하고는 돌아 성큼성큼 서재를 나간다)

김가온 (사라지는 민정호를 보며 절망한다) 교수님……!

정선아 (김가온을 보며) 넌 도련님한테 내가 심어놓은 약점이야. (강요한을 보며 싱긋 웃는다) 이 남자, 너무 위험하거든. (강요한에게 한발다가서며) 도련님? 외롭게 만들어주겠다고 했잖아. 내가.

강요한 (두 손이 뒤로 수갑에 채워진 채 살기를 번뜩이며 정선아에게 달려들려 하는데, 두 경찰이 좌우에서 가까스로 붙잡는다. 재희도 총을 꺼내 정선아 앞을 막아선다)

김가온 당신은! (재희의 옷차림과 호리호리한 실루엣을 그제야 알아챈다)

플래시백 > 15부 37신.

한 사내가 엎어져 있고 그 위에 모자를 눌러쓰고 마스크로 얼굴을 가린 호리호리한 몸매의 누군가가 쭈그리고 앉았다가 김가온이 부스럭 소리를 내며 들어오자 번개같이 밖으로 달아난다.

재희   (강요한에게 총을 겨눈 채 김가온을 향해 차갑게 웃어 보인다)

김가온   (강요한을 잡고 있는 경찰들을 보며) 다 조작입니다! 그 사람 짓이 아니에요!

로봇처럼 표정 변화조차 없이 강요한만 붙잡고 있는 경찰들.

강요한   (김가온을 향해) …소용없어. 저 여자한테 포섭된 자들이야.

정선아   (미소 짓는다)

김가온   (다리에 힘이 풀려 벽에 쿵, 기대며 정선아에게) 다 당신 짓이었어……
         정요섭 있는 곳을 가게 할머니한테 흘린 것도, 정요섭한테 거짓
         말을 하게 만든 것도……

정선아   (고개를 저으며) 아니. 요섭이 한 말은 다 사실이야.

김가온   ……!

정선아   도련님은 필사적으로 진실을 숨겼어. 단지, 요섭을 고문해서
         CCTV 영상을 빼앗은 그 남자, 도련님 부하가 아니었어. 사실 내
         가 보낸 자였지.

강요한   ……!

정선아   (재희에게 손을 내민다. 재희에게 핸드폰을 넘겨받아 영상을 재생시키
         더니 김가온의 손에 들려주며) 자. 이게 도련님이 숨기려던 거야.

강요한   안 돼!

강요한, 순간 미친 사람처럼 필사적으로 두 경찰을 뿌리치며 김가온 손
에 든 핸드폰을 뺏으러 달려든다. 그 순간, 탕! 총소리 울리며 강요한이
턱, 무릎이 꺾여 주저앉는다. 재희가 강요한의 허벅지에 총을 쏜 것이
다. 얼른 달려들어 다시 강요한을 붙잡는 두 경찰.

김가온   (강요한을 놀란 눈으로 보고는 다시 손에 든 핸드폰 속 영상을 본다)

재생되고 있는 핸드폰 영상. 화재가 나기 직전의 성당 내부 모습이다!
어린 엘리야가 천진난만하게 지루한 어른들을 피해 총총총 구석을 뛰
어가고 있는데, 모퉁이를 돌다가 자기도 모르게 선반을 툭 건드리고 지
나간다. 선반이 흔들리는 순간, 위에 있던 촛불이 넘어지며 커튼에 옮
겨붙는다. 커튼을 따라 타고 올라가는 불길!

김가온   (그제야 강요한이 그렇게 온 인생을 걸고 숨기려 했던 진실을 깨닫고 만
         다. 절망적인 눈으로 강요한을 본다)
강요한   (고통스러운 눈빛이다)

         인서트 >

온통 불길이 옮겨붙은 성당. 놀라는 강이삭과 그의 아내. 비명 지르며
뛰쳐나가는 사람들. 무너지는 기둥과 기둥에 깔려 죽어가는 강이삭. 강
요한을 바라보던 강이삭의 마지막 눈빛.

정선아	(묘하게 슬픈 눈빛으로 강요한을 보며) 도련님도 참 가엾은 사람이 더라. 그 아이를 위해서 이걸 숨기려고…… 부모를 죽게 만든 게 자기 자신인 걸, 그 아이가 알게 될까봐 평생을……

이때, 서재 입구 쪽에서 끼이익 소리 들리더니, 한참 깊은 잠을 자다가 총소리에 놀라 내려온 엘리야가 눈을 비비며 들어온다.

엘리야	방금 무슨 소리였어? 천둥? (시야에 들어온 믿을 수 없는 광경을 보며 소스라치게 놀란다) 요한! (휠체어를 급히 밀어 강요한에게 가려 한다)
정선아	(뒤에서 엘리야의 휠체어를 턱 붙잡으며) 유감이네. 아가씨.
엘리야	(매섭게 정선아를 노려보며 발버둥친다) 놔!
강요한	(경찰들에게 붙잡힌 채 몸부림치며 안타깝게) 엘리야! 엘리야!
정선아	(묘하게 슬픈 눈으로 강요한을 가만히 보며) 내가 바란 건 딱 하나. 도련님이 그런 눈으로 날 봐주는 건데.
강요한	(매섭게 정선아를 노려본다)
정선아	(쓸쓸하게) 데려가.
경찰들	네.

경찰들, 양쪽에서 강요한을 붙잡은 채 질질 끌고 나간다. 마치 예수처럼, 수갑으로 묶인 손바닥에서 피가 흐른다. 총에 맞은 허벅지에서도 계속 피가 난다. 강요한, 애타게 정선아에게 붙잡혀 있는 엘리야를 바라본다.

강요한	엘리야! 엘리야!
엘리야	(정선아에게서 벗어나려 발버둥치며) 요한! 요한!

절망과 충격으로 넋이 나가 있던 김가온, 눈물을 흘리며 경찰들에게 달려드는데, 재희가 막아서며 권총으로 김가온의 머리를 내리친다. 헉! 휘청하며 한쪽 무릎을 꿇으며 김가온, 주저앉는다. 피를 흘리며 눈을 부릅뜬 채 끌려가는 강요한과 울부짖는 엘리야, 자기가 만들어버린 이 끔찍한 지옥도를 응시하는 김가온. 순간, 모든 것이 정지되며 화면이 흑백으로 전환된다.

김가온(N)   나는 그 순간, 죽기로 마음먹었다.

그 위로 타이틀, **악. 마. 판. 사.**

16부

악마판사?

S#1. 강요한의 저택, 서재 (밤)

엘리야   (김가온에게) 경찰이 요한을 왜 잡아가?! 도대체 무슨 일이야?!
               응?!

김가온   (차마 입을 열지 못한 채 눈물만 흘린다)

엘리야   왜 말을 못해! 대체 뭐길래! (순간 뭔가 떠올라 소스라치며) 설마!
               진짜로……? 진짜 요한이 그런 거였어? (눈빛이 흔들린다. 부르르
               떨며) …그 성당? 요한이 우리 엄마 아빠 죽인 거야? 그래서 잡으
               러 온 거야?! (충격과 공포로 패닉 상태다)

김가온   아니야! 엘리야, (놀라 엘리야의 어깨를 붙잡으며) 그게 아니야……
               그게 아니라, 다 내 잘못이야…… (괴로워하며) 내가 바보같이 저
               놈들한테 속아서, 요한이 수현을 죽였다고 경찰에 신고했어.

엘리야   뭐야! (충격받는다)

김가온   (눈물 흘리며) 다 내 잘못이야. 어떻게든 내가 바로잡을게! 내가
               요한을 다시 데려올게. 내 목숨과 바꿔서라도 그렇게 할게……

엘리야   (분노하며) 왜 그랬어!

김가온   (안타깝게) 엘리야……

엘리야   (김가온의 가슴을 퍽퍽 치며) 왜 그랬냐구! 왜! 왜…… (흐느낀다)

S#2. 강요한의 저택, 엘리야의 방 (밤)

울다 지쳐 혼절하듯 겨우 잠든 엘리야. 그 곁을 지키는 김가온과 지영
옥.

김가온   …아주머니, 계속 엘리야 곁에 있어주세요. 부탁합니다.

지영옥   (안타깝게 김가온을 보며) 가온 도련님은요……

김가온   (각오한 표정으로) 제가 저지른 짓, 제가 돌려놓아야죠. (자리에서
           일어선다)

S#3. 경찰서 조사실 (밤)

스탠드를 켜놓은 어둑한 조사실. 김가온, 형사와 마주앉아 있다.

형사   야밤에 급하게 찾아와서는 이게 무슨…… (한숨짓는다) 그러니까
           판사님 말씀은, 강요한 판사는 윤수현 경위 죽음과 아무 상관이
           없다, 모두 사회적책임재단 정선아 이사장의 짓이다.

김가온   네.

형사   (묘하게 비꼬는 듯한 표정으로) 어쩌나…… 강판사를 살인교사범

으로 고발한 것도, 완벽한 증거들을 직접 수집해서 제출하신 것
도 판사님이신데…… 이제 와서 왜 이러시는지……

김가온 네, 다 제 잘못입니다. 제가 어리석게 함정에 빠져서 속은 겁니다.

형사 (무시하듯) 네네, 말씀 잘 들었고요. 재밌는 얘기이긴 한데, 아시
다시피 저희는 증거 없이는 움직일 수가 없어서 말이죠. (자리에
서 일어나려 한다)

김가온 (다급히 붙잡으며) 잠시만요! (필사적으로) 사실을 말씀드리겠습
니다. 제가 강요한을 무고한 겁니다!

형사 (어이없다는 듯) 허위 고발이라고요?

김가온 네. 제가 강요한을 악의적으로 무고했습니다. 재판 조작 건을 여
론 조작으로 무마해버리는 걸 보고, 무슨 수를 써서라도 그 사람
을 잡아야 된다고 생각했습니다. 그래서 제 손으로 증거를 조작
하고, 허위 고발을 한 겁니다. 절 체포하십시오. (두 손을 내민다)

형사 (안쓰럽다는 듯 보더니) 판사님, 너무 흥분하신 것 같습니다. 돌아
가서 푹 주무시고 잘 생각해보시죠. (비웃듯 한마디 던진다) 어차
피 끝난 일 가지고 이러지 마시고.

김가온 (매섭게 노려보며) 윗선에서 벌써 지시를 받으신 모양인데, 이러
시면 전 형사님을 직무유기로 고발할 겁니다! 언론에 폭로하고
요.

형사 (김가온을 노려보더니 피식 웃으며) 뭐, 그러시든가요. 참고로, 지
금 국가 비상사태중인 거 아시죠? 정부 허락 없이 아무거나 보도
하면 긴급조치 위반입니다. 한번 자~ 알 찾아보십죠. 정신 나간
언론사가 있는지.

나가버리는 형사. 참담한 표정의 김가온, 고통스럽게 두 주먹을 불끈

쥔다.

S#4. 중부구치소, 복도 (밤)

죄수복으로 갈아입고 교도관을 따라 긴 복도를 걷는 강요한. 손에는 붕대를 감고 있고, 총을 맞은 허벅지에도 붕대가 감겨 있다. 갑자기 독방 한 곳에서 죽창이 벌떡 일어서서 쇠창살로 된 창문을 붙잡고 복도를 지나는 강요한에게 소리친다.

죽창　　그래! 내가 말했지?! 또 볼 거라고! 잘 왔다. 이 새끼야!

힐끗 차갑게 죽창을 보고는 무시하며 계속 걸어가는 강요한. 뒤에서 계속 소리치는 죽창.

죽창　　니 발로 걸어서 못 나갈 거다! 여기가 니 무덤이야 인마! (킬킬댄다)

S#5. 중부구치소, 독방 (밤)

독방에 수감되는 강요한. 강요한이 들어가자 독방 문이 철컹, 닫힌다. 쇠창살 달린 창 너머로 보이는 강요한의 굳은 표정.

S#6. 배석판사실 (낮)

아나운서(E) 충격적인 소식입니다. 강요한 판사가 살인교사 혐의로 지난밤 긴
　　　　　급체포되어 현재 중부구치소에 수감중입니다. 강요한 판사의 사
　　　　　주로 살해당한 피해자는, 경찰청 소속 윤수현 경위로 알려졌습
　　　　　니다.

오진주 (충격에 두 손으로 얼굴을 가리며) 말도 안 돼…… 부장님!

S#7. 대법원장실 (낮)

민정호 (차갑게) 강요한을 시범재판부 재판장에 앉힌 건 대법원장님입니
　　　　다. 재판 조작범에, 살인교사범을 말이지요.

지윤식 (잔뜩 긴장한 채 이마의 땀을 닦으며) 아니 민대법관, 그걸 내가 어떻
　　　　게 알 수 있었겠나. 그리고 강요한을 앉힌 건 내 뜻이라기보다……

민정호 (O.L.) 책임 회피까지 하시겠다는 겁니까.

지윤식 (애원하듯) 이보게. 민대법관!

민정호 사법부를 더 부끄럽게 만들지 마시고, (일어서며) 결단하시지요.

지윤식 민대법관! (민정호의 양복 자락을 붙잡으며 매달리려 하지만 민정호가
　　　　뿌리치며 나가버린다. 괴로운 표정으로 깊은 한숨을 쉰다)

S#8. 민정호 대법관실 (낮)

　　　　방으로 들어오던 민정호, 방안에 서 있는 김가온을 보고 흠칫하지만 이

내 태연한 표정을 짓는다.

민정호   왔냐.

김가온   (차갑게 노려보며) 대법관, 사퇴하신 거 아니었습니까?

민정호   누군가는 수습해야 하니까. 난 책임을 회피하는 사람이 아니다.

김가온   (분노로 일그러지며 다가선다) 정말 어디까지 뻔뻔해지실 겁니까!

민정호   (굳은 표정이다)

김가온   (민정호를 노려본다. 몸이 분노로 부들부들 떨려온다) 수현이를……
         수현이를 죽게 만든 겁니까? 강요한을 함정에 빠뜨리려고? 그러
         고도 당신이 사람입니까!

민정호   그건 아니야!

김가온   (노려본다)

민정호   (굳은 표정으로) 수현이가 죽을 줄은, 정선아 이사장이 그렇게까
         지 할 줄은, 나도 미처 몰랐다. 난 단지 세상을 망치는 강요한을,
         그자를 멈추고 싶었을 뿐인데……

S#9. 민정호의 회상, 교수실 (낮)

김가온의 신임 법관 임명식 후 로스쿨로 민정호를 찾아온 정선아.

민정호   (놀란 표정으로) 저를 대법관 자리에요?

정선아   자리에 연연하는 분이 아니신 거, 잘 알고 있습니다. 하지만 지금
         시대에는 교수님 같은 분이 필요합니다. 허중세 대통령 같은 사람
         이 정치를 하고, 강요한 판사 같은 사람이 재판을 하는 시대예요.

민정호   (굳은 표정으로) 똑같은 놈들이죠. 대중을 선동하는 사기꾼들. 그
        자들이 추진하는 시범재판이라는 거, 그거 정말 위험한 겁니다.
        재판을 길바닥 쇼로 전락시키는 짓이에요.

정선아   교수님, 저는 비록 서정학 선생님을 모시고 있지만, 어떻게든 지
        금의 이 움직임, 막아야 한다고 생각합니다. 저는 재단에서, 교수
        님은 대법원에서, 조용히 뭔가를 할 수는 없을까요.

민정호   (싱긋 웃으며) 용감한 분이시네요.

정선아   (미소 짓는다) 누군가는 해야 될 일이니까요. (다시 진지한 표정으
        로) 대법관이 되시면 먼저, 감시자부터 강요한한테 붙여놓으셔야
        합니다.

민정호   감시자?

정선아   무슨 짓을 저지를지 알 수 없는 자이니까요. 혹시 교수님이 정말
        신뢰하시는, 그런 제자가 있으실까요? (묘한 미소를 띤다)

S#10. 민정호의 회상, 병실 (낮)

강요한 지지자로 위장한 죽창에 의해 테러당해 입원중인 민정호. 꽃을
들고 찾아온 정선아, 흥분해서 떠드는 민정호를 무표정하게 보고 있다.

민정호   강요한 지지자들이 절 테러하고, 제 가족들 신상을 털고 있습니
        다! 이제 더는 못 참습니다! 무슨 수를 써서라도 그자를 끌어내야
        됩니다!

정선아   (가만히 듣고 있다가) …정말 무슨 수든 다 쓰시겠습니까?

민정호   (흠칫하며 정선아를 본다)

S#11. 민정호의 회상, 재단 이사장실 (낮)

문을 쾅 열고 들어오는 민정호.

민정호   (잔뜩 흥분한 채) 수현이를 죽인 겁니까?! 그런 얘기까지는 없
         었잖습니까! 어떻게 그 아이를…… 저한테도 딸 같은 아이인
         데……

정선아   (차갑게 지켜보다 일어서며) 그래서, 이제 다 그만두시겠다? 이제
         와서? 어떻게든 강요한을 멈추고 싶다고 하셨을 텐데요. 무슨 수
         를 써서라도.

민정호   (굳은 표정이다)

정선아   (유혹하듯 미소 지으며) 어차피 돌이킬 수 없는 일입니다. 이제 겨
         우 한 걸음 남았어요. 이 미친 광풍의 시대를 끝낸 위대한 대법원
         장으로 역사에 길이 남고 싶지 않으세요? (똑바로 응시하며) 네?
         대법관님?

민정호   (눈빛이 흔들린다)

S#12. 민정호 대법관실 (낮)

민정호   (김가온을 노려보며) 누군가는 괴물이 되어서라도 강요한을 막아
         야 했어. 나한테 침을 뱉어도 좋다. 역사가 나를 평가할 거니까.

김가온   (더이상 참지 못하고 달려들어 목을 조르며) 이 더러운 위선자!

민정호   경비원! 경비원!

경비원들이 뛰어들어와 김가온의 팔을 뒤로 비튼 채 방에서 끌고 나간다. 발버둥치며 끌려나가는 김가온.

민정호   (끝까지 자기연민에 빠져 소리친다) 시대가 날 이렇게 만든 거다! 나도 희생자야! 나도 희생자라고!

S#13. 대법원 복도 (낮)

경비원들에게 끌려나온 김가온. 성난 표정으로 경비원들에게 붙잡힌 팔을 빼낸다. 복도에서 오진주가 기다리고 있다.

오진주   김판사! 아니지? 부장님이 그런 거 아니지? 응? 김판사!
김가온   (굳은 표정으로) 네, 아닙니다. 재단이 판 함정이에요.
오진주   (표정 밝아지며) 그렇지?! 그래, 그럴 줄 알았어! 어떻게 해야 돼?! 나도 도울게! 우리 부장님, 구해야지!
김가온   (오진주를 진정시키며) 조금만, 조금만 제게 시간을 주세요. 오판사님.
오진주   (안타깝게) 김판사……

S#14. 재단 회의실 (낮)

정선아, 문을 열고 들어오는데, 허중세와 박두만, 민용식, 일어서서 박수를 친다.

민용식   여~ 우리 이사장님 역시 대단해!

박두만   민정호는 또 언제 포섭하셨어? 최고! 최고! (손으로 하트 모양을 만들어 보인다)

정선아, 피식 웃으며 상석에 앉는다.

허중세   (자리에 앉다가 벌떡 일어서며) 죄송합니다! 아직 버릇이 남아서…… (소파 뒤로 가며) 뒤에 서 있을까요?

정선아   됐어. 앉아.

허중세   예예. (얼른 착석하더니 바로 아부 모드다) 역시 우리 이사장님, 천재셔. 지니어스! 스토리텔링을 아신다니까? 원래 예수님이 제일 사랑한 제자가 유다였다며. 근데 걔한테 눈탱이 맞잖아. 강요한도 지금 깜방에서 멘탈 나갔을걸?

민용식   경찰관 살인교사, (감탄하며) 이젠 강요한, 확실히 아웃이네.

박두만   관뚜껑에 못박은 거지 뭐. 허허허허.

정선아, 말없이 시가 박스에서 시가를 꺼내 끝을 커팅하는데, 허중세, 얼른 달려와 불을 붙여주며 히죽 웃는다. 어이없다는 듯 허중세를 힐끔 보는 정선아.

허중세   근데 강요한 말이에요, 재판까지 꼭 가야 되나요?

정선아   (차갑게 보며) 무슨 소리지?

허중세   아니 뭐, 그런 생각을 좀 해봤어요~ 이왕 무대에서 내려온 김에 조용히, 좀 빨리 사라져주면 다들 해피할 텐데, 뭐 그런. (여왕 앞의 궁정 광대처럼 속 없이 헤에~ 웃는다)

정선아	(시가를 천천히 재떨이에 털며 생긋 웃는다) 우리 대통령님, 생각이 너무 많다? 잡생각이 많이 들면 갈 날이 멀지 않은 거라던데.
허중세	(소스라치게 놀라며 고개를 푹 숙인다) 죄송합니다! 다 알아서 하실 텐데 제가 쓸데없이 또 설레발을……
박두만	(씨익 웃으며) 그래, 어련히 알아서 할까. 허허허.
민용식	우리 정이사장이 어디 보통 분인가? 허허허.
정선아	(미소 지으며 허중세, 박두만, 민용식을 천천히 바라본다)

S#15. 중부구치소, 소장실 (낮)

강요한을 노려보고 있는 구치소장. 도영춘을 바꿔치기해줬던 경기남부 교도소장이다.

구치소장	원수는 외나무다리에서 만난다더니…… 내가 너 땜에 얼마나 고초를 겪은 줄 알아?

플래시백 > 11부 42신.

강요한	(K에게) 교도소장 쪽은 잘 처리된 거지?
K	네. 제대로 겁을 먹었으니, 시킨 대로 움직일 겁니다.

플래시백 > 11부 44신.

아나운서(E) 어제 폭로된 다단계 사기범 바꿔치기 의혹에 관해서, 방금 경기

남부 교도소장이 기자들 앞에서 양심선언을 시작했습니다. 현장,
연결하겠습니다.

교도소장(E) (침통한 표정으로) 차경희 장관 지시가 맞습니다.

차경희 (놀라 벌떡 일어선다)

교도소장(E) 죄송합니다…… 제가 끝까지 버텼어야 하는데, 장관님의 협박에
도저히 견딜 수가 없었습니다…… 받지도 않은 뇌물로 저를 엮어
서 구속하고 제 아버지가 운영하는 사업체도 망하게 만들겠다고
협박을……

차경희 (경악하며) 저 자식, 저거, 승진만 시켜주면 무슨 일이라도 하겠
다고 나섰던 놈이!

구치소장 네놈 때문에 나 강등되고 이리로 쫓겨왔어!

강요한 (피식 웃으며) 중요 사건 피의자 전담하는 여기로 왔으면, 불행 중
다행 아닙니까?

구치소장 (책상을 쾅! 내리치며) 이게 어디서 건방지게!

강요한 (차가운 미소를 짓는다)

구치소장 (무섭게 노려보며) 야 인마, 니가 아직도 판사인 줄 알아? 이제 내
손안에 든 쥐새끼야. 언제든 모가지를 눌러버릴 수 있다고! 알
아? (섬뜩하게 씨익 웃는다)

S#16. 재단 이사장실 (낮)

재희, 생각에 잠긴 정선아 앞에 서 있다.

재희	(피식 웃으며) 허중세 아저씨, 역시 적응이 빠르네. 배역이 바뀌니까 바로 사람이 달라져.
정선아	그래. 그렇지. (날카로운 눈빛으로) 근데 좀 지나치게 빠르단 말야……
재희	응?
정선아	게다가 돈만 밝히는 능구렁이 아재들이 다 끝난 허중세한테 장단까지 맞춰준다…… (고개를 번쩍 들며) 내가 허중세를 너무 우습게 봤을지도 몰라. 빨리 알아봐. 분명 뭔가 있어.
재희	(당황하며) 뭐를?
정선아	(머릿속으로 조각 그림을 맞추며) 허중세 그 인간, 강제 이주 인원 늘리는 데 자꾸 집착했어…… (재희를 보며) 꿈터전 마을 수용시설 체크해봐. 인원 비는 곳이 있는지. 어딘가로 빼돌리고 있지는 않은지.
재희	알았어, 언니. (이사장실에서 나간다)
정선아	(불길한 예감에 혼잣말로) 과대망상증에 빠진 바보라고만 생각했는데……

S#17. 청와대 별실 (낮)

수상한 밀담을 나누는 여사들.

도연정	이번에 우리 남편 계획, 밀어줘서 고마워요.
피향미	(의미심장한 미소를 짓는다) 그 '주말 농장'?
도연정	응. 언니들이 회장님들 설득 잘해줬어. 아슬아슬했는데.
김삼숙	(씨익 웃으며) 고맙긴. 솔직히, 우리야 돈 되는 쪽으로 움직이는

거지 뭐.

도연정   (미소 짓는다) 말 난 김에, 우리, '주말 농장'이나 한번 보러 갈까
         요?

피향미   좋죠! 우리 농작물 무럭무럭 잘 자라나 궁금하네. 호호호호.

도연정   알았어. 내가 세팅할게. (미소 짓는다)

S#18. 강요한의 저택, 서재 (밤)

김가온   (고개를 깊이 숙이며) 죄송합니다. 다 제 잘못입니다.

고인국   (굳은 표정으로) 아무리 함정에 빠진 거라도 그렇지, 어떻게 강판
         사님을 살인범으로 몰 수가 있습니까.

김가온   (참담한 표정으로) 제가 어리석었습니다…… (고개를 들며) 뻔뻔하
         고 염치없지만, 도와주십쇼! 부장님을 구해야 됩니다. 조력자분
         들 도움 없이는 불가능합니다.

고인국   (냉담하게) 글쎄요. 저희가 더이상 김판사님을 믿을 수 있을지……

김가온   시간이 없습니다! 부장님에 대한 재판이 열릴 때까지 그놈들이
         부장님을 가만 놔둘까요? 무슨 짓을 벌일지 모릅니다.

고인국   (의심을 거두지 않은 채 살피듯 김가온을 본다)

김가온   유일한 방법은 큰 걸 폭로해서 그놈들의 손발을 묶는 겁니다. 국
         민들의 관심이 집중되면 일단 몸을 사릴 테니까요.

고인국   큰 거라고 하시면……

김가온   꿈터전 마을 내부.

고인국   (놀라 김가온을 쳐다본다)

김가온   강제수용소같이 비참할 게 뻔합니다. 그걸 폭로해야 됩니다.

고인국	그건 불가능합니다. 군인들이 지키고 있어요.
김가온	저 혼자 가겠습니다. 제일 경계가 심한 곳이 어딥니까? 거기가 제일 숨기고 싶은 데일 겁니다.
고인국	그렇다면, 꿈터전 병원인데…… (생각하다가) 어떻게, 들어갈 방법은 있어도, 솔직히 나올 방법은 없습니다. 그래도 하실 겁니까?
김가온	…네. 들여보내만 주십쇼.
고인국	…운 좋게 뭔가 찍어서 나온다고 해도, 터뜨릴 방법이 없습니다. 언론은 정권 눈치만 보고, 동영상 플랫폼, 소셜 미디어, 전부 차단됐습니다. 이 나라, 이제 자유국가 아니에요.
김가온	(결심한 눈빛으로) 그건, 제가 생각해둔 게 있습니다.
고인국	생각해둔 거라고 하시면?
김가온	…뭐 하나만 구해주십쇼.
고인국	……?

Cut to

고인국	(소스라치게 놀라며) 그건 안 됩니다! 그런 말도 안 되는!
김가온	(단호한 표정으로) 부탁드립니다. 전 이미 결심했습니다.
고인국	(안타깝게) 아무리 그래도 그건…… 김판사님!
김가온	(이미 죽음을 각오한 처연한 눈빛이다) 제 잘못입니다. 제 손으로 마무리하게 해주십쇼.
고인국	(흔들리는 눈빛으로) 판사님……

S#19. 강요한의 저택, 엘리야의 방밖 (밤)

김가온   (걱정스레) 오늘도 아무것도 안 먹었나요?

지영옥   네, 종일 울고만 계세요. (한숨짓는다)

열린 문틈으로 침대에 누워 뒤척이는 엘리야가 보인다.

S#20. 강요한의 저택, 엘리야의 방 (밤)

악몽에 시달리다가 설핏 잠이 깬 엘리야. 머리맡에 죽과 간단한 반찬이 놓여 있다.

엘리야   (지영옥이 놓은 줄 알고, 혼잣말로) …아줌마는 참. 안 먹는다니까.

그런데 편지도 같이 있다. 펼쳐보는 엘리야. 흠칫 놀란다. 김가온의 편지다.

김가온(N)   엘리야, 꼭 해주고 싶은 말이 있어. 얼마 전에 그 성당에서 일했던 분을 만났어. 그 화재, 그냥 전기 배선이 너무 낡아서 배전판에서 불이 난 거였어. 누구 잘못도 아닌, 단순 사고. 그런데 요한은 일부러, 네가 요한을 의심하도록 만들었던 거야. 너 보라고 일부러 기부 약정 취소 신청서를 만들어놓고, 자꾸 널 자극하는 말들을 하고. 왜냐면, 네가 부모님을 잃고 너무나 힘들어했거든. 밥도 안 먹고 잠도 안 자고, 매일매일 야위어가고 그래서 요한은 자길 미워하는 힘으로라도 네가 살아주길 바랐던 거야.

편지를 읽던 엘리야, 눈물이 터지고야 만다.

플래시백 > 3부 14신.

엘리야   (휙 돌아서 강요한을 노려보며) 빨리 안 내보내면 내가 죽여버린다!

강요한   (팔짱을 끼며) 그 다리로?

엘리야   (입술을 깨물며 강요한을 노려본다)

강요한   니 다리로 걷게 되면 나부터 죽인다며. 한 가지씩 하지 그래. 차
         근차근.

김가온(N) 하지만 엘리야, 네가 요한을 오해했더라도, 그건 네 잘못이 아냐.
         요한이 스스로 원해서 그런 거거든. 넌 잘못한 거 없어, 엘리야.
         그저, 앞으로 다시 만나면 잘해주면 돼. 요한, 네 곁으로 꼭 돌아
         올 거야. 오래 걸리지 않을 거야. 약속할게. 그러니 조금이라도
         먹어. 요한이 돌아왔을 때, 네가 많이 아프면 어떻겠니?

흐느끼던 엘리야, 편지를 내려놓고는 눈물을 닦고 천천히 죽을 한술 뜬다.

S#21. 강요한의 저택, 현관 (밤)

모두 잠든 깊은 밤. 소리 나지 않게 조심조심 현관문을 열고 나가는 김
가온. 어두운 집안을 슬쩍 돌아보고는, 문을 열고 나간다.

S#22. 냉동 트럭 (낮)

식자재 박스들이 실린 냉동 트럭, 새벽 산길을 달리고 있다. 트럭 운전사, 조수, 간호복 차림의 김가온이 운전석에 타고 있다.

운전사   (김가온을 보며) 정말 괜찮으시겠습니까?

김가온   네.

운전사   주변이 조용해질 때까지 기다렸다가 나가셔야 됩니다.

김가온   알겠습니다.

S#23. 꿈터전 병원, 식자재 창고 안 (낮)

이른 아침, 냉동 트럭 운전사와 조수가 '냉동육'이라고 쓰인 큰 박스를 꿈터전 병원 식자재 냉동 창고 안으로 옮기고 있다. 박스를 구석에 내려 놓고는 걱정스레 힐끔 둘러본 후 냉동 창고 문을 닫고 나가는 운전사.

Cut to

박스 위쪽이 천천히 열리더니 김가온이 힘겹게 일어나 밖으로 나온다. 추워서 몸을 잔뜩 웅크린 채 손을 비비는 김가온. 하아, 숨을 내쉬니 추위로 인해 하얗게 김이 되어 나온다. 남자 간호사 복장의 김가온, 윗옷 주머니 안에 든 마이크 달린 초소형 카메라의 전원을 눌러 켠다. 바지 주머니에서 마스크와 헤어 캡을 꺼내 쓰고는 냉동고 문 앞에서 바깥 소리를 살피다가 조심스레 문을 여는 김가온.

S#24. 꿈터전 병원, 복도 (낮)

주위를 살피며 빠른 걸음으로 복도를 걸어 병실 쪽으로 향하는 김가온. 무장한 군인들이 각 병실 앞을 지키고 있다. 병실 문에 '임상시험 3상 진행중' 'sector 120-1'이라는 팻말이 보인다. 조심스레 문을 열고 들어가는 김가온.

S#25. 꿈터전 병원, 병실 (낮)

김가온   ······!

김가온, 충격받아 자기도 모르게 주춤, 뒷걸음질치며 벽을 손으로 짚는다. 병상에 주욱 누워 있는 사람들은 한눈에 봐도 노숙자, 빈민, 외국인 노동자 들이다. 침대에 결박된 그들의 팔에는 정체를 알 수 없는 액체가 주입되고 있다. 마치 인간 농장 같은 충격적인 광경에 경악한다! 한 젊은 여성 간호사가 이상하다는 듯 김가온을 힐끗 보자, 김가온, 얼른 정신을 차리고 태연한 척 천천히 걸어가며 호주머니 속 카메라로 병상에 누운 사람들을 찬찬히 담는다. 질질 침을 흘리는 사람도 있고, 괴로워하며 몸을 비트는 사람도 있다. 고통스러운 표정으로 사람들을 살피던 김가온, 소스라치게 놀라 걸음을 멈춘다. 한소윤이다! 핼쑥해진 한소윤이 괴로운 듯 신음하고 있다. 충격받은 표정으로 한소윤을 내려다보는 김가온. 그런데 한소윤이 무심코 김가온 쪽을 보다가 놀라 눈이 커진다! 김가온, 얼른 한소윤의 입에 손가락을 갖다댄다. 그때 갑자기 병실 문이 덜커덩 열린다. 놀라 돌아보는 김가온. 놀랍게도, 즐거워 죽겠다는 표정으로 들어오는 사람은 허중세다!

허중세   어, 수고들 많아요.

그리고 뒤를 따라 도연정, 박두만, 피향미, 민용식, 김삼숙이 산업 시찰 나온 귀빈들처럼 의기양양하게 들어온다. 충격받은 채 그들을 응시하는 김가온!

S#26. 꿈터전 병원, 병실 (낮)

간호사들, 허중세가 들어오자 열중쉬어 자세로 벽 쪽에 붙어서고 김가온도 얼른 따라 한다. 허중세 앞에서 브리핑하는 병원장.

병원장   유럽연합이 의뢰한 신종 백신 임상시험 진행중입니다. 실험 대상자는 총 3,620명, 현재 부작용으로 인한 사망자가 182명입니다.

허중세   어, 그래요? 나쁘지 않네. (히죽거린다) 결과 그쪽에 통보해주고, 잔금 보내라고 해. 근데 러시아하고 일본에서도 의뢰가 들어왔어. 농장을 좀 확대해야겠는데?

병원장   각국이 경쟁적으로 백신 개발중이라, 임상시험 수요가 아주 폭발적입니다. 대통령님.

민용식   서울로 부족하면 부산, 대구, 광주에서도 좀 데려와야겠는데요?

박두만   역시, 석유 한 방울 안 나는 우리나라, 인적 자원 하나로 먹고삽니다. 허허허허.

허중세   사람이 제일 귀한 거야. 알아? (병상들을 가리키며) 이거 이거, 이

게 다 돈이거든. 임상시험, 두당 얼마씩 받는 줄 알어? 거기다,
사망하잖아? 쓸 수 있는 건 다 적출하고, 두발, 혈액에 뭐 온갖 부
산물까지 다 수거해서 수출하거덩. (섬뜩하게 히죽 웃으며) 사람이
제~ 일 귀한 거야. 버릴 게 없다니까!

웃음을 터뜨리며 박수를 치는 재단 인사들. 믿어지지 않는 끔찍한 광경
에 분노와 충격으로 치를 떠는 김가온!

S#27. 꿈터전 병원, 복도 (낮)

재단 인사들, 싱글거리며 복도를 걸어간다.

민용식 (감탄하며) 알고 보니 우리 대통령님, 사업 천재셨네. (허중세를 째
려보며) 아, 그러면서 아닌 척~
박두만 이런 꿀단지를 혼자 해먹을라고 숨겨놓은 거예요? 너무했다. 너
무했어.
허중세 에이, 나중에 다 공유하려고 그랬지~ 근데, (눈치를 살피며) 정선
아, 그 여자까지 끼워줄 필요는 없지 않어?

순간 싸해지는 분위기. 박두만과 민용식이 서로 시선을 교환한다.

허중세 (얼른) 아니 뭐 꼭 정이사장을 제끼자는 게 아니라……
민용식 (씨익 웃으며) 입 하나 줄면 나쁠 건 없지. 이제 별 쓸모도 없고~
박두만 차경희도 그렇고, 그 여자도 그렇고, 난 기 센 여자는 영 별루드

라. 그 레이저 눈빛, 그거, 어우~ (진저리를 친다)

민용식   쓸데없이 너무 똑똑해. 하녀 주제에.

허중세   (신나서) 그치? 그치? 걔도 이제 정리하자. (씨익 웃는다) 아 그리
고 말야, 구치소에도 사람 좀 보낼게. 강요한, 걔 또 이상한 짓 하
기 전에 정리하자.

박두만   (픽 웃더니 장난스레) 네, 각하! (고개를 깍듯이 숙인다)

허중세   (어깨를 툭 치며) 에이, 왜 그래, 각하는 무슨. …근데 듣기에 나쁘
지 않다 그거? (씨익 웃는다)

S#28. 꿈터전 병원, 병실 (낮)

충격받은 표정으로 서 있던 김가온, 한소윤 곁으로 오더니, 조심스레
이동식 침대를 밀어 문 쪽으로 향한다. 맞은편에 있던 아까 그 여성 간
호사가 쳐다본다.

간호사   뭐하시는 거예요?

김가온   (태연하게) 바이털 체크하라는 오더를 받아서요.

간호사   (무심히) 네에.

김가온, 얼른 문밖으로 밀고 나간다.

S#29. 꿈터전 병원, 복도 (낮)

힐끔 쳐다보는 군인들을 지나쳐, 잔뜩 긴장한 채 한소윤을 밀고 가는 김가온. 모퉁이를 돌아 초조한 표정으로 엘리베이터 버튼을 누르곤, 띵, 소리를 내며 열리는 엘리베이터에 얼른 올라탄다. 김가온, 휴우, 안도하고 엘리베이터 문, 겨우 닫히는데, 갑자기 누군가의 손이 문을 붙잡는다!

S#30. 꿈터전 병원, 빈 방 (낮)

팔짱을 낀 채 김가온을 바라보는 여성 간호사. 아까부터 유심히 김가온을 쳐다보던 그 간호사다.

간호사   (다짜고짜) 간호사 아니죠?

김가온   (진땀을 흘리며) 네? 무슨 말씀이신지……

간호사   아까부터 이상했어요. 하나하나 다. 거기다 (김가온 앞으로 다가서며) 그 눈매, 내가 아주 잘 아는 눈매인데…… (갑자기 마스크를 확! 벗긴다)

김가온   (깜짝 놀라 움찔한다)

간호사   (씨익 웃는다) 역시. 김가온 판사님 맞죠? 제가 판사님 덕질깨나 했거든요. 팬클럽 회원이에요. 저.

김가온   (이렇게 어이없이 들키다니…… 표정 굳는다)

간호사   너무 긴장하지 마세요, 판사님. (혹시 바깥에 누가 있나 살피더니) 저, 사실, 바깥에서 누군가 오기만 기다렸어요. 저뿐만이 아니에요. 여기 직원들, 핸드폰도 다 뺏기고 감금 상태거든요.

김가온   (놀라서 간호사를 쳐다본다)

간호사   이 안에도 제정신 박힌 사람들은 있어요. 이게 말이 돼요? 어떻게 나라가, 국민들한테 이럴 수가 있어요? (눈물을 닦는다)

김가온   (눈빛 깊어진다)

간호사   (결심한 듯) 저희가 도와드릴게요. 두 분, 나가게 해드릴 테니 꼭 세상에 알려주세요. 여기서 무슨 일이 벌어지고 있는지. 네?

김가온   간호사님. (간호사의 손을 꼭 잡는다)

한소윤   (이동식 침대에 힘없이 누운 채로 눈물이 맺힌다)

S#31. 꿈터전 병원, 뒷문 밖 (낮)

여성 간호사와 (그와 뜻을 같이하는) 남성 간호사가 각각 이동식 침대 하나씩을 밀며 뒷문으로 나온다. 밖에는 작은 픽업트럭이 대기중이다. 침대 위에는 시신을 담는 사체포가 하나씩 놓여 있다. 군인이 힐끗 여성 간호사를 본다.

간호사   (태연하게) 사망잡니다. 장기 적출도 끝났고 소각장으로 갈 거예요.

군인   (끄덕한다)

두 간호사와 운전사, 짐칸에 사체포를 싣는다. 여성 간호사, 운전사에게 부탁한다는 표정으로 눈짓한다. 끄덕이는 운전사. 차 시동을 걸고 출발한다.

S#32. 트럭 짐칸 (밤)

사체포에서 나온 김가온, 짐칸 바닥에 누운 한소윤을 돌보며 고인국과 통화중이다.

고인국(F) 한소윤씨까지 구했다고요?!
김가온 운이 좋았습니다. 제가 말씀드린 건 구하셨습니까?
고인국(F) (흠칫한다) 진짜 그 방법밖에 없겠습니까? 보도해줄 용기 있는 기자를 찾아보는 것이……
김가온 (O.L.) 모험입니다. 그럴 여유 없어요. (단호한 표정이다)
고인국(F) …알겠습니다.
김가온 (전화를 끊고는 깊은 숨을 내쉰다)

트럭이 덜커덩거리며 산길을 달린다.

S#33. 꿈터전 병원, 병실 안 (밤)

'임상시험 3상 진행중' 'sector 120-27' 팻말이 붙은 비교적 작은 병실. 스카프를 머리에 둘러쓴 정선아가 조용히 문을 열고 들어선다. 방에는 십대 소녀들 몇 명이 누워 있다. 가까이 다가선 정선아, 소스라치게 놀란다!

플래시백 > 7부 7신.

정선아   (슬쩍 원장을 제치고 소녀1에게 다가서며) 어머, 너 참 이쁘게 생겼
         다. 몇 살이니? (머리칼을 슬쩍 넘겨보는데, 피멍든 상처가 보인다)
소녀1   열여덟 살이요.

플래시백 > 7부 8신.

정선아   (씩 웃더니) 미안해요. 여러분을 보니까 이상하게 옛날 생각이 나
         고 그러네. 주책없이.
소녀1   (우물쭈물하다가 겨우 용기를 내서 손을 들고는 기어들어가는 목소리로)
         저희 엄마도 그러셨어요.
정선아   (가만히 본다) 그래요?
소녀1   네…… 평소엔 천사 같으신데, 술만 드시면, 울다가 갑자기……

정선아의 시선에 소녀1의 모습이 겹친다. 힘든 환경에서도 순진한 미
소를 짓던 소녀의 팔에는 주사기가 꽂혀 있고, 코에는 콧줄이, 몸에는
전극이 연결된 채 시체처럼 창백한 모습으로 누워 있다. 옆 병상에 누워
있는 소녀들도 재단 복지원 소녀들이다.

플래시백 > 7부 7신.

정선아에게 고개 숙이며 인사하던 복지원 소녀들.

정선아, 몸이 벌벌 떨려온다. 하녀 시절의 어린 자신이 소녀의 얼굴에
겹쳐 보인다. 정선아, 떨리는 손으로 소녀1의 이마와 머리카락을 조심
스레 만지작거린다.

정선아   (넋이 나간 듯 혼잣말한다) 내가 무슨 짓을 한 거야…… (무너지듯
       바닥에 주저앉는다. 걷잡을 수 없는 눈물을 쏟으며) 미안해…… 미안
       해……

       처음으로 감정을 주체할 수 없는 정선아, 소녀의 손을 잡은 채 흐느낀다.

S#34. 배석판사실 (낮)

       김가온, 차분하게 가라앉은 표정으로 들어온다. 오진주, 얼른 자리에
       서 일어선다.

오진주   김판사! 방법은 찾았어?
김가온   오판사님, 한 가지 부탁드릴 게 있어요.
오진주   할게! 뭐든 할 테니 말만 해!
김가온   (굳은 표정으로) 내일이 민정호 대법원장 취임식이잖아요……

S#35. 중부구치소 (낮)

       재소자들 운동 공간 한쪽에 서서 생각에 잠긴 강요한. 누군가 갑자기 뒤
       에서 의자를 들어 강요한의 머리를 내리친다! 본능적으로 몸을 피하지
       만 어깨를 맞는 강요한. 찡그린다. 죽창이다. 환희로 눈을 희번덕거리
       는 죽창과 그의 두 부하가 달려든다. 강요한, 달려드는 죽창의 배에 강
       력한 혹을 먹인다. 죽창, 흡, 숨을 삼키며 앞으로 쓰러진다. 강요한, 재

빨리 죽창의 목을 팔로 강하게 휘감고 벽에 붙어선다. 팔에 힘을 주어 죽창의 목을 조르며 죽창 부하들을 노려보는 강요한.

죽창   (숨이 막혀서) 으으으으……
강요한   (죽창의 귓가에 속삭인다) 넌 이미 사형선고를 받은 몸이야. 언제든 집행할 수 있다. 소원이라면. (씨익 즐겁다는 듯 웃으며 팔에 힘을 준다. 광기어린 눈빛이다)

죽창의 부하들, 강요한의 기세에 눌려 겁먹은 채 주춤거린다.

죽창   (버둥거리며) 살, 려, 줘…… 살려줘……
강요한   (피식 웃더니) 에이, 태도가 그게 뭐야. 살려주세요~ 해봐.
죽창   (필사적으로) 살, 살…… 려…… 주세요, 제발……
강요한   (장난스레 웃으며) 글쎄, 어쩌나…… 싫은데?

그제야 호루라기를 불며 달려오는 교도관. 강요한, 픽 웃으며 팔을 휙 푼다. 컥컥대며 앞으로 넘어져 뒹구는 죽창. 천천히 일어서서 두 손을 드는 강요한. 압도당해 뒤로 물러서는 부하들.

S#36. 중부구치소, 소장실 (낮)

허중세가 보낸 날카로운 인상의 사내(암살자), 소장 앞에 무표정하게 앉아 있다. 소장, 음흉하게 히죽 웃더니, 일어나 사내에게 악수를 청한다. 사내, 손을 잡지 않은 채 빤히 쳐다보기만 한다.

S#37. 중부구치소 (낮)

교도관을 따라 어두운 복도를 걸어 독방으로 돌아가는 강요한. 강요한
이 들어가고 뒤에서 문이 닫히는데, 갑자기 방구석에서 사내가 번개같
이 튀어나오면서 흉기로 강요한의 배를 찌른다!

강요한   (충격으로 눈이 커진다)

구치소장, 독방 창문으로 소름 끼치게 웃으며 지켜본다.

S#38. 배석판사실 (밤)

오진주   (의아해하며) 정말 그것만 하면 돼?
김가온   네, 그거 하나만 부탁드릴게요.
오진주   근데 취임식 날 뭘 어떻게 하려고……

그때, 친구가 보낸 문자메시지 진동이 울려서 핸드폰을 힐끗 보는 오진
주. '빨리 TV 틀어봐.' TV를 켜는 오진주, 놀라 입을 틀어막는다. 화면
에 큼지막하게, '긴급 속보 강요한 구치소에서 피습, 사망'이라는 자막
이 뜬다.

김가온   ……!

S#39. 재단 이사장실 (밤)

꿈터전 병실에서 복지원 소녀들을 보고 돌아온 정선아, 완전히 무너져 내린 표정으로 서성이고 있다. 책상 위에는 와인병과 잔이 덩그러니 놓여 있다. 떨리는 손으로 힘겹게 와인을 따르는 정선아.

재희   (황급히 이사장실로 뛰어들어오며) 언니! 강요한이!

정선아가 놀라 재희를 쳐다보는데, 재희가 얼른 TV를 켠다.

아나운서(E) 긴급 속보입니다! 강요한 판사가 수감중이던 구치소에서 괴한의 칼에 찔려 사망했습니다. 경찰은 개인적 원한에 의한 범행인 것으로 추정하고 범인을 추적중입니다.

정선아, 표정 변화 없이 멍하니 서 있는데, 재희, 놀라 정선아를 바라본다. (정선아의 와인잔 클로즈업) 핏빛 레드 와인이 잔을 가득 채우고 넘쳐 바닥으로 흘러내린다.

재희   언니!
정선아   괜찮아. 괜찮아. 아무렇지도 않아. (와인병을 내려놓는다)
재희   언니, 그래도……
정선아   괜찮대두. 어차피 내 손으로 끝낸 사람이야. 잘됐어. (재희를 보며 날카롭게) 뭐해? 나가봐.
재희   아, 알았어, 언니. (걱정스레 힐끗 보고는 나간다)

정선아, 재희가 나가자 얼음장 같던 표정이 조금씩 조금씩 무너져내린다. 갑자기 다리에 힘이 풀려 휘청하며 무너지듯 옆으로 주저앉으며 겨우 벽을 짚고 버틴다.

S#40. 배석판사실 (밤)

오진주 (오열한다) 부장님…… 부장님……

김가온, 너무 큰 충격에 눈물조차 나지 않는다. 시간이 멈춘 듯, 이게 현실인지 비현실인지 주변 공기까지 이질적인 느낌이다. 넋 나간 듯 멍하니 서 있던 김가온, 고통스러운 표정으로 눈을 질끈 감았다가 뜨더니, 천천히 걸어 방밖으로 나간다.

S#41. 청와대 대통령 집무실 (밤)

허중세 이제 진짜 끝이네! 디 엔드! 자막 올라갔어. 불 켜지고.

박두만 박수 치고 일어날까요? 허허허허. 강요한 그 인간, 가끔 생각날 거 같습니다. 각하. 미운 정이 들었나봐요.

허중세 제사상이라도 차려줄까? 일 년에 한 번, 케이크에 촛불 켜놓고. (씨익 웃다가 심각한 표정인 민용식을 의아하게 보며) 근데 민회장, 뭐가 그리 심각해? 기분 안 좋아?

민용식 (얼른 웃으며) 네? 하하하하, 그럴 리가요. 전 그저, (분한 표정으로) 그동안 그놈 때문에 고생한 거 생각하고 있었습니다. 아주 지굿지굿했잖습니까.

허중세 에이, 이제 렛잇고 해. 보내줘야지.

민용식 (허중세 쪽으로 다가앉으며) 그래서 말입니다만, 조촐하게 의미 있
    는 자리를 가지면 어떨까요.

박두만 무슨 자리?

민용식 (씨익 웃으며) 강요한 추모 겸, 축하 자리랄까요. 내일 민정호 대
    법원장 취임식이잖습니까.

허중세 그렇지.

민용식 이제 영원히 대통령 각하의 시댑니다. 재단 핵심 인사들끼리 축
    배를 드시죠. 감히 각하께 도전했던 강요한, 그자의 법정에서.

박두만 (감탄하며) 히야…… 웬일이야? 민회장? 오랜만에 그럴듯한 소
    리를 하네?

허중세 거 나쁘지 않네. 나쁘지 않아. (뭔가 생각난 듯) 아, 정선아도 오라
    고 그래. 아예 같이 보내주지, 뭐. 지 애인이 재판하던 그곳에서.
    (소름 끼치게 히죽 웃는다)

S#42. 재단 이사장실 (밤)

정선아, 박두만의 전화를 받고 있다. 책상 앞에 재희가 서 있다.

박두만(F) 이왕 이렇게 된 거, 우리끼리 오붓하게 축배나 듭시다. 이제 정이
    사장의 시대가 온 거예요. 아예 여성 대통령으로 가자구!

정선아 (피식 웃으며) 그래요. 그럼 대법원에서. (전화를 끊고 가만히 생각
    하다가) 재희야?

재희	응. 언니.
정선아	권총 하나만 구해 와. 백 안에 들어가는 귀여운 걸로. (생긋 웃는다)
재희	(놀라며) 언니! 그건 왜?!
정선아	(미소 짓는다) 그게 니 마지막 일이야. 수고했어. 그동안.
재희	(뭔지 모르지만 불길한 느낌이다) 언니……

S#43. 대법원 앞 (낮)

기자회견중인 민정호. '민정호 대법원장 취임 기자회견' 플래카드가 붙어 있다.

민정호	광기의 시대는 갔습니다. 이제 무너진 정의를 다시 세우겠습니다. 저는 무너진 사법부를, 그 주춧돌부터 차근차근 다시 쌓아올리는, 그런 대법원장이 되겠습니다. 고맙습니다. (고개를 숙인다)

여기저기서 플래시가 터진다.

기자	대법원장님, 공식 취임식 행사 없이 기자회견으로 갈음하신 이유를 여쭤봐도 될까요?
민정호	국가 비상사태 아닙니까. 제 개인의 영광을 앞세울 시기가 아닌 것 같습니다. 부디 이해해주십시오. (미소 짓는다)

박수가 터져나온다. 인사하고 손을 흔들며 대법원 안으로 들어가는 민

정호.

S#44. 대법원 복도 (낮)

대법원장실로 걸어가고 있는 민정호. 오진주가 얼른 따라오더니 인사
한다.

오진주   (웃으며) 축하합니다, 대법원장님.

민정호   어, 오판사. 고마워.

오진주   근데 대법원장님, 방금 기자회견 하고 계실 때, (목소리를 낮추며)
         정선아 이사장님이 잠시 조용히 뵙자고, 말씀 좀 전해달라고 하
         셨습니다.

민정호   (의아해하며) 그래?

오진주   전에 쓰시던 대법관실에서 기다리고 있겠다시던데요. 거기가 비
         어 있어서.

민정호   흐음…… 알았네. (방향을 바꿔 걸어간다)

민정호가 사라지자, 웃음기 띤 얼굴이 굳으며 바로 전화를 거는 오진주.

오진주   김판사, 그렇게 전했어.

김가온(F) 고맙습니다, 오판사님. 이제, 건물 밖으로 나가주세요.

오진주   (놀라며) 건물 밖으로? 왜?

김가온(F) 나중에 말씀드릴게요. 우선 지금은, 제 말대로 해주십쇼. 꼭요.
         (전화를 끊는다)

오진주   (걱정스러운 표정이다)

S#45. 대법정 (낮)

법대 위에 서서 샴페인잔을 들고 있는 재단 인사들. 허중세, 도연정, 박두만, 피향미, 민용식, 김삼숙, 다들 웃는데 강요한의 의자에 앉은 정선아만 무표정이다.

허중세   (아래를 내려다보며) 야, 여기서 보니까 뷰가 좋네. 다 아랫것들로 보이겠어. 그래서 강요한이 그렇게 시건방졌던 건가?

웃음을 터뜨리는 사람들.

피향미   (정선아를 보며) 아유, 우리 정이사장이 거기 떡, 앉아 계시니까 막 후광이, 아우라가 비치는데?

김삼숙   맞아요, 맞아요. 앞으론 재단 중요 발표 같은 거 하실 때, 여기서 하시죠. 이사장님.

허중세   (씨익 웃으며) 어우, 여사님들이 무대 연출을 아시네.

정선아   (경멸하듯 이들의 행태를 보다가 샴페인을 한 모금 마신다)

S#46. 민정호 대법관실 (낮)

불이 꺼져 어둑한 대법관실, 민정호가 문을 열고 들어온다. 그 순간, 누군가 뒤에서 달려들어 민정호의 허리를 붙잡고 바닥에 쓰러뜨린다. 넘어지는 민정호, 놀라 고개를 돌리는데, 김가온이다!

민정호   가온아!

후드 집업 차림의 김가온, 얼음장같이 차가운 표정이다. 망설임 없이 민정호의 입에 재갈을 물리더니, 민정호의 팔을 비틀어 수갑을 채우고는 다른 한쪽은 책상 다리에 채운다. 민정호, 버둥거린다.

김가온   …교수님, 저와 함께 가시죠.
민정호   (무슨 의미인지 몰라 쳐다보다가 김가온이 후드 좌우를 열어 보이자 경악해 눈동자가 커진다)

몸에 폭탄을 감은 김가온, 천천히 버튼을 누른다. 5분에서 시작해 카운트다운되는 타이머.

민정호   으으으으……… (공포에 질린 표정으로 필사적으로 발버둥친다)
김가온   진실을 보도할 용기가 있는 언론사가, 하나도 없네요. 하지만 돈이 될 만한 자극적인 뉴스라면 다르겠죠. (차갑게 응시하며) …취임식 날, 제자와 함께 자폭한 신임 대법원장이라든지 말이죠.
민정호   (수갑을 빼보려고 발버둥치지만 어림도 없다)
김가온   (쓸쓸한 눈빛으로) 폭탄이 터지면, 주요 언론사에 제 이름으로 보내는 메일이 일제히 갈 겁니다. 꿈터전 사업의 실체가 담긴 메일이에요. 이번엔 무시 못할 겁니다. 누구든 제일 먼저 보도하는 쪽이 특종을 할 테니까. (민정호를 보며) 수현이한테 속죄한다 생각하시죠. 마지막 남은 양심이 있으시면.

민정호, 부릅뜬 눈으로 타이머를 본다. 2분, 1분 30초, 줄어만 가는 시간! 1분을 지나 59, 58, 57…… 더 빠르게 줄어드는 듯한 숫자의 공포에 질끈 눈을 감아버리는 민정호. 그런데, 그 순간 누군가 번개같이 나타나 김가온의 팔을 뒤로 돌려 꺾고는, 타이머 해제 버튼을 눌러 시한폭탄 작동을 멈춘다. 27초에서 멈춘 시간. 놀라 돌아보는 김가온. 검은 슈트 차림의 강요한이다!

김가온   부장님!
강요한   (씩 웃으며) 좀 늦었나? 지옥에서 돌아오느라고.

난 죽으려고 했는데 이딴 소리나…… 김가온, 순간 성난 표정으로 퍽! 강요한을 한 대 친다. 예상치 못한 한방에 찡그리는 강요한. 그런데, 김가온, 이번에는 감격한 표정으로 강요한을 격하게 끌어안는다.

김가온   살아 있었군요……! 다행입니다……
강요한   (픽 웃는다) 알았어, 알았으니 좀 놓지?
김가온   (떨어지며) 도대체 어떻게 된 겁니까?!
강요한   (싱긋 웃는다)

S#47. 강요한의 회상, 중부구치소 소장실 (낮)

16부 15신에 이어지는 상황이다.

구치소장	(무섭게 노려보며) 야 인마, 니가 아직도 판사인 줄 알아? 이제 내 손안에 든 쥐새끼야. 언제든 모가지를 눌러버릴 수 있다고! 알아? (섬뜩하게 씨익 웃는다)
강요한	(싱긋 웃으며) 근데 소장님, 바하마 날씨는 어떻던가요?
구치소장	(소스라치게 놀라며) 무…… 무슨 소리야, 지금.
강요한	(천천히 얼굴을 소장 쪽으로 가까이하며 속삭이듯) 당신이 30년 동안 온갖 비리, 범죄 저지르면서 억척같이 모은 돈, 120억. 그거 바하마 비밀계좌에 넣어뒀잖아. 지난 여름휴가 때. (씨익 웃는다)
구치소장	니, 니가 그걸 어떻게…… (정신이 혼미하다)
강요한	(피식) 잘리지도 않고, 여기로 온 게 우연이라고 생각했나? 넌 내 보험이야. 유사시에 대비한.
구치소장	(멘붕 상태. 입을 멍하니 벌리고 강요한을 쳐다본다)
강요한	(싱긋 웃으며) 확인해봐. 그 돈, 이제 거기 없을 거야.
구치소장	(충격받은 채 강요한을 노려보다가 순간 무너져내리며) 판사님! 살려주십쇼! 그 돈은 제 목숨입니다!
강요한	(차갑게 쳐다보기만 한다)
구치소장	뭘 원하십니까! 제가 뭘 어떻게 하면 되겠습니까!
강요한	…니 특기.
구치소장	네?
강요한	죄수 바꿔치기 있잖아. (씨익 웃는다)
구치소장	그, 근데 판사님은 너무 거물이시라 들키지 않을 방법이……
강요한	(픽 웃으며) 누가 영원히 들키지 말랬나? 딱 24시간. 24시간 동안만 버텨. 그러면 돌려줄게. 네 돈.
구치소장	정말입니까?!
강요한	그사이에 밀항을 하든, 뭘 하든 도망가. 어차피 여기 소장 자리,

별 미련 없지 않나?

구치소장 (흔들리는 눈빛으로) 바꿔치려면 우선 시신부터 구해야 됩니다.

강요한 (팔짱을 끼며) 그럼 빨리 움직여야겠네. (씨익 웃는다)

S#48. 강요한의 회상, 중부구치소 (낮)

16부 37신에 이어지는 상황이다. 강요한이 독방에 들어가고 뒤에서 문이 닫히는데, 갑자기 방구석에서 사내가 번개같이 튀어나오면서 흉기로 강요한의 배를 찌른다!

강요한 (충격으로 눈이 커진다)

구치소장이 독방 창문으로 소름 끼치게 웃으며 지켜본다. 하지만 강요한이 재빠르게 흉기 든 사내의 손을 붙잡는다. 서로 악착같이 한 명은 찌르려, 한 명은 막으려 필사적으로 공방한다. 빈틈을 노린 강요한의 발길질에 사내가 넘어지며 함께 바닥을 구른다. 잠시 후, 일어나는 강요한. 놀란 표정의 구치소장, 아래를 보니 사내의 가슴에 칼이 꽂혀 죽어 있다. 구치소장, 경악하며 강요한을 바라본다.

강요한 (무시무시한 차가운 표정으로 노려보며) 깜찍한 짓을 했네? 소장.

구치소장 (겁에 질려) 아닙니다! 제가 아니라 청와대에서 보낸……

강요한 (아무렇지도 않다는 듯 어깨를 으쓱하며 O.L.) 뭐, 계획에 없던 일이지만, 잘됐네. 이제 바꿔치기할 시신도 있고. (싱긋 웃는다)

구치소장 (소스라친다)

S#49. 민정호 대법관실 (낮)

김가온   (놀란 표정으로) 계획이 있었다는 겁니까? 혼자 힘으로 빠져나올?

강요한   (미소 지으며) 그럴 리가.

고인국(E)   죄송합니다. 판사님. (문가에서 걸어나온다)

김가온   (놀라 쳐다본다) 고변호사님?

고인국   말씀 못 드려서 죄송합니다. 판사님을 백 프로 믿을 수 있을지 확신이 안 서서 말이죠.

김가온   (어이없다는 듯 고인국과 강요한을 번갈아 보더니) 도영춘을 바꿔치기한 그놈 도움으로 빠져나온 거다…… 정말 돈도 돌려준 겁니까?

강요한   (싱긋 웃으며) 돌려줬지. 돈 대신 사랑으로.

김가온   예?

S#50. 도로 (낮)

구치소장, 강요한을 빼내준 후 급히 도피하기 위해 차를 몰고 한적한 시골길을 달린다. 핸드폰에서 딩동 알림 소리가 난다. 연이어 계속 딩동 딩동 메시지 알림이 들리자 당황하며 갓길에 차를 세운다. 얼른 휴대전화를 꺼내 보는 구치소장. '기부해주셔서 감사합니다._젬마의집' '귀하의 통 큰 후원에 감사드립니다._한국유기견협회' '후원해주셔서 고맙습니다._한일노인복지관' '큰 사랑에 감사드립니다._학대피해아동지원센터'……

구치소장   (분노에 차 처절하게 외친다) 강요한!

S#51. 민정호 대법관실 (낮)

고인국, 책상 다리에 채운 민정호의 한쪽 수갑을 풀어 두 손을 뒤로 해 수갑을 채우고, 재갈은 여전히 물린 채 끌고 나간다. 폭탄 조끼를 벗은 김가온, 끌려가는 민정호를 굳은 표정으로 바라본다.

김가온   (강요한에게) 민대법관, 어떻게 할 겁니까.
강요한   (차갑게) 죗값을 치러야지. 목숨값은 목숨으로.
김가온   (분노한 눈빛으로) 민정호, 저 사람만은 제가 직접 처단하게 해주 십쇼.
강요한   (김가온을 가만히 바라보다가) 그래. (김가온의 어깨에 손을 툭 올리더 니 방밖으로 나간다)

S#52. 대법정 (낮)

재단 인사들, 법대 위에서 축배를 들며 시시덕거리고 있는데, 법대 위 스크린에 일제히 불이 들어오더니 강요한의 상반신이 각 스크린마다 큼지막하게 뜬다.

강요한   (싱긋 웃으며) 안녕들 하십니까!

경악하며 비명을 지르는 인사들. 민용식, 얼른 출입문으로 가서 문을 열려고 하지만 굳게 잠겨 있다. 놀라 강요한 쪽을 쳐다보는 민용식. 이때, 방청석 쪽 창문들 위로 스크린이 위이잉~ 소리와 함께 내려온다(1부 재판 종반부처럼). 놀라는 사람들. 스크린들에 강요한의 얼굴이 차례로 팍팍팍 뜬다. 강요한의 얼굴이 법정을 원형으로 둘러싼다. 스크린에 비친 거대한 강요한의 얼굴에 비해 무대 위에 모여 있는 사람들은 왜소하고 위축되어 보인다. 차갑게 피식 웃으며 사람들을 보는 강요한. 시선의 감옥에 갇힌 재단 인사들, 공포감에 떤다. 오로지 강요한의 자리에 앉은 정선아만이 강요한을 가만히 바라본다.

정선아(N) (묘하게 뭉클한 눈빛으로) 도련님, 살아 있었구나.

정선아 도련님…… 이게 다 뭐하는 장난이지?

강요한 장난이라니, 신성한 재판인데. (씨익 웃는다)

허중세 (놀라며) 재판?

강요한 (허중세를 향해) 신문, 방송에 인터넷까지 다 막았지만, 당신이 하나 놓친 게 있어. 끝났다고 생각하고 방심한 거지.

허중세 (번뜩 생각이 떠오른다)

강요한 (씩 웃고는 정면을 향해) 국민 여러분! 이제, 여러분의, 마지막 법정이 시작됩니다.

S#53. 길거리 (낮)

딩동, 디케 앱 알림 소리에 놀라 디케 앱을 켜고 강요한의 얼굴을 보는 시민들.

S#54. 대법원 부조정실 (낮)

온통 스크린과 계기판이 있는 부조정실. 강요한, 스크린에 비친 재단 인사들을 보며 미소 지은 채 서 있고, 그런 강요한의 모습은 PD가 직접 카메라를 들고 열심히 찍고 있다.

S#54-1. 민정호 대법관실 (낮)

수갑을 차고 입에 재갈을 문 채 방바닥에 무릎 꿇고 있는 민정호. 눈에는 공포가 가득하다. 굳은 표정의 김가온, 두 손을 맞잡고 소파에 반쯤 걸터앉아 있다. 김가온 앞의 탁자 위에는 권총이 놓여 있다. 김가온, 디케 앱으로 대법정에서 벌어지는 상황을 지켜보고 있다.

S#55. 대법정 (낮)

강요한   국민 여러분, 지금 이 법정에 선 피고인들을 보십시오. (스크린에 재단 인사들 얼굴과 직함*이 차례로 클로즈업된다) 이 나라를 움직이는 사람들입니다.

허중세   (버럭 화를 내며) 이거, 국가원수에 대한 테러야! 범죄라고!

강요한   네, 맞습니다. 범죄. 전 범죄자니까요. (싱긋 웃는다) 재판 조작, 전부 인정했지 않습니까.

---

* 피향미는 '사람미디어그룹 감사', 김삼숙은 '민보그룹 등기이사다'.

허중세	(강요한을 노려본다)
강요한	그런데, 여러분은 어떻습니까. 여러분은 범죄자 아닙니까? 대통령 각하?

갑자기 스크린 영상이 팍, 바뀌면서 김가온이 찍어 온, 꿈터전 병원 병실에 누워 신음하는 무고한 실험 대상자들의 영상으로 가득찬다. 놀라 주저앉거나, 비명을 지르는 재단 인사들. 정선아만 차분하다.

정선아	(재단 인사들을 향해 차갑게) 내 등뒤에서 저런 더러운 짓을 하고 있었더라? 니네들.
박두만	(놀라며) 아, 알고 있었어?
강요한	국민 여러분, 이게 꿈터전 사업의 실체입니다!

스크린 한쪽은 13부 형산동 강제 이주 현장에서 노인, 여성 할 것 없이 집에서 질질 끌려오며, 두들겨 맞으면서 포로처럼 줄줄이 무릎 꿇고 있는 모습으로 채워진다.

강요한	있지도 않은 바이러스를 핑계로, 아무 죄 없는 시민들을 강제로 사냥하듯 끌어가서는, 돈벌이를 위해 인체 실험대상으로 사용한 것, 이것이 이들이 벌인 거대한 범죄입니다. 여러분!
허중세	아니야! 이거 다 조작이야! 친애하는 국민 여러분! 이거 다 조작이에요! 가짜 영상입니다! 이 허중세를 모략하려는 반국가적인 음모……

그 순간, 정면 스크린 가득 허중세의 히죽거리는 얼굴이 클로즈업된다!

허중세(E) 사람이 제일 귀한 거야. 알아? (병상들을 가리키며) 이거 이거, 이게 다 돈이거든. 임상시험, 두당 얼마씩 받는 줄 알어? 거기다, 사망하잖아? 쓸 수 있는 건 다 적출하고, 두발, 혈액에 뭐 온갖 부산물까지 다 수거해서 수출하거덩. (섬뜩하게 히죽 웃으며) 사람이 제~일 귀한 거야. 버릴 게 없다니까!

허중세, 스크린에 가득한 자기 모습을 마주보며 이를 악문다. 원한에 가득한 눈으로 강요한을 노려보는 허중세.

강요한 그뿐만이 아닙니다. 사회적책임재단 정선아 이사장은, 자기 야심 때문에, 그리고 저를 공격하기 위해 많은 사람들을 죽였습니다.

스크린에 윤수현과 K의 사진이 뜬다. 착잡한 표정으로 윤수현의 사진을 응시하는 정선아. 이번에는 스크린에 민정호의 사진이 뜬다.

강요한 (경멸하듯) 오늘 취임한 민정호 대법원장은, 자기 욕심 때문에 정선아 끄나풀 노릇을 해온 위선자고요. 놀랍지 않습니까? 민정호는, 딸 같은 윤수현 경위의 신뢰를 배신하고, 윤경위를 살해한 정선아와 손을 잡았습니다.

Cut to

민정호 대법관실에 있는 김가온, 디케 앱을 민정호 눈앞에 들이대 이 장면을 보여준다. 민정호, 참담한 표정으로 고개를 숙인다.

Cut to

강요한 (엄숙하게) 국민 여러분, 유죄입니까?

화면에서 '유죄' 그래프가 미친듯이 올라간다. 순식간에 99%에 이른다.

강요한 (차갑게 미소 지으며) 그렇다면, 적절한 형벌이 필요하겠군요.

법정을 둘러싼 기둥과 창문에 설치된, 깜빡깜빡 불이 들어오는 소형 폭탄이 화면에 등장한다. 비명을 지르는 재단 인사들. 겁에 질린 허중세!

강요한 국민 여러분이 직접 심판하십시오! 우리 대통령 각하가 대선에서 천만 표를 득표했었지요? 디케 앱 클릭 수가 그 수치에 도달하는 순간, (손에 든 폭파 리모컨 버튼을 흔들어 보여주며) 여러분은 성대한 불꽃놀이를 보실 수 있습니다. 민주주의의 승리를 축하하는 거죠.

순간 화면에 클릭 수가 무섭게 올라가기 시작한다. 120만, 200만, 370만…… 공포에 질려가는 재단 인사들.

S#55-1. 민정호 대법관실 (낮)

김가온, 핸드폰을 탁자에 내려놓고는 천천히 일어선다. 모든 것을 체념한 민정호, 죽음을 기다리며 눈을 질끈 감는다. 그런데 뜻밖에도 민정호의 수갑을 풀어주는 김가온! 민정호, 놀라 돌아보는데, 김가온, 재갈마저 풀어준다.

민정호　(멍하니 김가온을 보며) 가온아……

김가온　…가십쇼.

민정호　(놀라 김가온을 쳐다본다)

김가온　가서, 평생 지옥 속에 사십쇼. 역사에 영원히 이름이 남으실 겁니다. 그렇게 소원하셨던 대로.

민정호　(충격받은 표정으로 김가온을 보다가, 망연자실한 표정으로 일어나 비틀거리며 밖으로 걸어나간다)

S#56. 대법원 부조정실 (낮)

강요한　(PD에게) 자, 전 이제 가보겠습니다.

PD　네? 어딜 말입니까, 판사님.

강요한　(싱긋 웃으며) 무대로. (문을 열고 나간다)

S#57. 대법정 (낮)

벌써 700만을 넘어 800만에 육박해가는 숫자. 공포에 질려 아우성치는 재단 인사들. 정선아 혼자 침착하게 무표정한 얼굴이다. 그런데, 다시 출입문이 끼익, 열리더니 놀랍게도 강요한이 들어온다!

허중세   (분노가 치밀어오른다) 강요한 너 이 새끼!

         허중세, 강요한을 향해 달려가는데, 강요한, 말없이 오른손을 들어 보
         인다. 강요한의 손에 들려 있는 작은 리모컨.

강요한   한 발만 더 오면, (리모컨 버튼에 엄지를 올리며) 지금 당장 여길 날
         려버릴 겁니다.

         놀라 멈추는 허중세.

도연정   (겁에 질려) 여보! 빨리 뒤로 와! 빨리!

         겁먹은 채 주춤주춤 법대 앞까지 최대한 물러서는 사람들.

강요한   국민 여러분, 아까 보여드린 꿈터전 병원 영상, 김가온 판사가 목
         숨을 걸고 찍은 것입니다. 이 모든 일이 끝난 후에, 김판사가 모
         든 진실을 증언할 겁니다. 악인들은 저와 같이 지옥으로 갈 거고
         요. (차갑게 재단 인사들을 노려본다)

S#57-1. 민정호 대법관실 (낮)

         민정호를 놓아주고 허탈한 표정으로 의자에 앉아 있던 김가온, 디케 앱
         으로 대법정에 나타난 강요한을 보더니 소스라치게 놀란다.

강요한(E)　이 모든 일이 끝난 후에. 김판사가 모든 진실을 증언할 겁니다. 악인들은 저와 같이 지옥으로 갈 거고요.

김가온　안 돼! (충격받아 벌떡 일어나 밖으로 뛰쳐나간다)

S#57-2. 대법정 (낮)

어느새 숫자는 800만을 넘어간다!

민용식　(허겁지겁 나오며) 판사님! 전 살려주셔야 됩니다! 시키신 대로 했잖습니까! 이리로 다 데려오지 않았습니까!

놀라는 재단 인사들.

김삼숙　(자기까지 속인 남편에 절망한다) 여보!
허중세　(민용식의 멱살을 잡으며) 너 이 새끼! 니가 나를 배신해?!
민용식　(뿌리치며) 놔! 어딜, 미친 광대 새끼가! (경멸하듯 허중세를 본다)
강요한　(피식 차갑게 웃는다)

S#58. 취임식 하루 전, 민용식의 차 안 (낮)

차 뒷좌석에 거만하게 앉은 민용식, 전화를 받는다.

민용식　여보세요.

강요한(F)   오랜만입니다. 민회장님.

민용식   (놀라며) 너…… 니가 어떻게……

강요한(F)   시간이 없으니 잘 들어. 니가 해줘야 될 일이 있다. 민정호 취임
         식 날, 재단 놈들을 전부 시범재판 법정에 모이게 만들어.

민용식   뭐야! 이게 어디서 미친 소리를……

강요한(F)   안 그러면 넌 죽는다.

민용식   ……!

강요한(F)   민보그룹 부도 막으려고 니가 재단 비자금에 손을 댄 증거, 내 손
         에 있다. 넌 감히 그놈들 돈을 훔친 거야.

민용식   거…… 거짓말하지 마!

강요한(F)   못 믿겠으면 니 책상 서랍 안을 봐. 사본을 넣어뒀으니.

민용식   (공포에 질린 눈빛으로) 사…… 살려줘! 그게 터지면 난 죽어!

강요한(F)   살고 싶으면 내가 시키는 대로 해. 당장. (전화를 끊는다)

민용식   (눈빛이 흔들린다)

S#59. 대법정 (낮)

민용식   (필사적으로) 살려주신다고 했잖습니까! 제발!

강요한   (악마처럼 차갑게 웃으며) 그래. 나랑 거래했으니까, 기회를 줘야
         지. (천천히 출입문을 열고는 어서 오라는 듯 손짓하며 미소 짓는다)

민용식, 살 희망으로 눈빛이 빛난다! 환희에 찬 채 지팡이를 짚으며 한
걸음을 내딛는데, 괴성과 함께 좀비 떼처럼 민용식을 짓밟고 앞으로 달
려가는 사람들! 민정호도, 부인들도, 박두만도, 서로 머리채를 잡고 팔

꿈치로 가격하며 자기만 살겠다고 공포로 눈이 뒤집혀 앞사람을 끌어 내며 앞으로, 앞으로 가려 한다. 오직 정선아만 자기 자리에 처연하게 서 있다. 강요한, 물끄러미 이 지옥 같은 광경을 내려다본다.

플래시백 > 성당 화재 당시의 광경.

살겠다고 서로를 짓밟으며 아비규환이던 재단 인사들. 그리고 불길 속에 절규하는 강이삭, 쓰러진 엘리야. 무너지는 기둥……

강요한의 시선 속에 환상처럼 법정 안 모든 스크린에 성당 화재 당시의 불길과 그 안에 서 있는 강이삭이 비친다.

강요한   (강이삭을 보며 깊은 눈빛으로) 형……

눈이 뒤집힌 허중세, 자기 부인 도연정 머리채를 잡아 내동댕이치더니 미친놈처럼 소리를 지르며 닥치는 대로 사람들을 잡아채며 앞으로 치고 나간다.

허중세   비켜! 내가 이 나라 대통령이야! 다 비키라고! 난 잘못한 거 없어! 이 나라 살리려고 그런 거야! 내가 대한민국이라고!

드디어 맨 앞에 도달한 허중세, 환희에 찬 채 문으로 달려가는데, 탕! 법정을 울리는 총소리. 뒤에서 날아온 총알이 환희에 찬 허중세의 이마 한가운데를 관통한다. 허중세, 썩은 나무토막처럼 앞으로 넘어진다. 놀라 뒤를 돌아보는 사람들.

정선아   (클러치백에서 꺼낸 작은 권총의 총구를 천천히 내리며, 짜증스럽다는
        듯) 어우, 그 새끼, 더럽게 시끄럽네.

        재단 인사들, 겁에 질린 채 정선아를 보는데, 정선아, 강요한을 향해 천
        천히 총구를 올린다. 갑자기 정선아에게 매달리는 사람들.

박두만   그래! 정이사장, 쏴! 쏘라고!
민용식   (밟혀 쓰러졌는데도 필사적으로 몸을 일으키며) 쏴!

        피향미, 김삼숙, 얼른 정선아의 발치에 엎드려 애원한다.
        - 쏴, 제발. 제발……
        폭파 리모컨을 든 강요한과 총을 겨눈 정선아, 마치 결투하듯 마주본
        다.

강요한   (미소 지으며) 결국 우리 둘인가? (리모컨 버튼에 엄지를 올리며 묘하
        게 다정하게) 같이 가자. …선아야.
정선아   (강요한을 물끄러미 보더니, 자기 발치에서 울고불고 매달리는 재단 인
        사들의 추한 꼴을 둘러본다. 묘하게 허무한 표정으로 웃다가 혼잣말로)
        인생 참 덧없다. 겨우 이 꼴을 보겠다고 그렇게 열심히……

        재단 인사들, 정선아의 의외의 말에 놀라 웅성댄다.

강요한   (정선아를 가만히 응시한다)
정선아   (묘하게 슬픈 눈빛으로 강요한을 보며 미소 짓더니 총구를 자기 머리에
        갖다댄다) 안녕, 도련님.

강요한   ……!

탕! 소리와 함께 천천히 옆으로 쓰러지는 정선아. 정선아의 마지막 시
선에 강요한의 놀람과 안타까움이 담긴 눈빛이 비친다. 처절하게 불행
했던, 자신의 과거와 닮은 정선아의 과거를 알기에 최후의 순간에 자신
도 모르게 연민의 감정을 느끼고 마는 강요한. 정선아, 강요한을 본다.

정선아(N) 알아? 나, 도련님, 진짜 좋아했어.

안타깝게 정선아를 바라보는 강요한. 정선아가 그렇게 보고 싶던 그 눈
빛이다. 그 옛날, 맨 처음 어린 강요한 도련님에게 반했던 그 순간의 눈
빛이다.

인서트 >

장식장의 접시들을 황홀한 눈빛으로 보던 하녀 시절 어린 정선아. 발돋
움을 하며 위쪽에 있는 접시를 꺼내려다 그만 발을 삐끗하며 넘어지고
만다. 떨어져 조각조각 깨진 접시. 아픈 걸 느낄 겨를도 없이 비싼 접시
를 깬 것에 놀라 주저앉은 채 겁에 질린 정선아. 그때, 누군가 주저앉은
정선아에게 손을 내민다. 놀라 쳐다보는 정선아. 어린 강요한이 부드럽
게 미소 지으며 천천히 손을 내민다.

강요한   …괜찮아. 선아야. …괜찮아.

쿵, 바닥에 쓰러져 숨을 거두는 정선아. 눈에 눈물이 고여 있다. 하지만

입가에는 행복한 미소를 띠고 있다.

S#60. 대법정 바깥 (낮)

경찰 기동대, 대법정 쪽으로 진입하고 있다. 폭발의 범위가 어디까지일지 몰라 진입이 조심스러운 상황이다.

S#61. 대법원 복도, 다른 쪽 (낮)

재희　(넋이 나간 듯 달려오며) 언니! 언니!

늘 비즈니스 관계일 뿐이라고 튕겨내곤 했었지만 내심 외로운 정선아에 연민과 정을 느끼던 재희, 폭발로 위험한데도 앞뒤 가리지 않고 뛰어오고 있다. 재희, 달려가는데, 모퉁이에서 조민성이 갑자기 나와 전기충격기를 재희의 등에 갖다댄다. 감전되며 기절하는 재희. 늘 숨어서 남을 습격하던 재희, 결국 같은 꼴이 되고 만다. 죽은 K를 떠올리는 조민성, 수갑을 채우며 매섭게 노려본다.

조민성　…죗값을 받아야지. 이제.

S#62. 대법정 (낮)

쓰러진 허중세와 정선아. 하지만 숫자는 인간들의 지옥도와 상관없이 무심하게 시계 초침처럼 올라만 간다. 892만, 898만, 903만…… 이때 갑자기 김가온이 대법정 안으로 뛰어들어온다.

김가온   부장님!

강요한   (돌아보더니) 뭐하러 왔어.

김가온   (안타깝게) 안 됩니다! 엘리야를 두고 가실 겁니까?! 저런 자들하고 같이?!

강요한   (모든 걸 각오한 듯 고요한 눈빛으로) 어쩔 수 없다. 무대가 끝나면, 배우는 사라져야 되는 거야.

김가온   부장님!

그 틈을 타서 열린 문 쪽으로 슬금슬금 다시 다가가는 재단 인사들. 문 밖에서 조금씩 접근하고 있는 경찰 기동대가 시야에 들어온다. 강요한, 폭파 리모컨을 쥐고 있는 손을 번쩍 높이 들어올린다! 강요한이 누르는 순간 당장 터질 폭탄. 사람들, 어쩔 줄 모른다.

김가온   (각오한 듯 결연한 표정으로) 그럼 저도 같이 가겠습니다! (뜨거운 표정으로 강요한을 바라본다)

강요한, 김가온의 귓가에 속삭인다. 숫자는 986만, 995만……

강요한   …넌 영웅이 될 거야. 악마는 나로 족해.

순간 강요한, 김가온을 문밖으로 힘껏 밀면서 리모컨 버튼을 누른다. 김가온을 바라보며 미소 짓는 강요한. 숫자는 천만을 넘어선다! 쾅! 굉음과 함께 창문들부터 터져나가더니 기둥에 달린 폭탄들도 폭파된다. 순간 전부 꺼지는 대법정 안 조명들. 대법정 안에서 터져나오는 후폭풍으로 복도 멀리 나가떨어지는 김가온과 경찰들. 성당 화재 때처럼 기둥이 무너지면서 천장 구조물들도 무너져내린다. 가까스로 일어서서 대법정 쪽으로 달려가려는 김가온, 경찰들이 붙잡아 제지한다.

김가온   부장님!

울부짖는 김가온의 뇌리에, 문득 강요한의 집에서 함께 지내던 시절의 기억이 떠오른다.

플래시백 > 12부 25신.

카드 게임을 하며 토닥대는 김가온과 엘리야를 주방 입구에 기대 하염없이 보고 있는 강요한. 돌아보는 김가온과 엘리야.

엘리야   왔어?
김가온   (웃으며) 왔어요?
강요한   (따뜻한 표정으로 둘을 가만히 보다가 불쑥) 인류 따위 멸망해도 좋아.
김가온   예?
강요한   (김가온과 엘리야를 보며) 너희들만 있다면.

김가온을 법정 밖으로 힘껏 밀쳐내며 미소 짓던 강요한의 모습이 울부짖는 김가온 위로 오버랩된다.

S#63. 대법정 밖 대기실 (낮)

넋이 나간 듯 긴 의자에 앉아 있는 김가온. 폭파 당시 파편에 스친 상처, 찢어진 옷, 뒤집어쓴 먼지, 헝클어진 머리, 이마에 흐르는 피…… 비참한 모습이다. 대법정으로 향하는 복도에는 경찰들과 소방대원들이 분주히 움직이고 있다. 오진주, 김가온 앞에 무릎 꿇고 앉아 걱정스레 묻는다.

오진주   (안타깝게) 김판사, 괜찮아? 곧 앰뷸런스 온대. 조금만 참아. 응?
김가온   (강요한의 마지막 모습을 떠올리며 눈물 흘린다)
오진주   (김가온을 안타깝게 보다가 조심스레 끌어안아 등을 토닥여준다) 이제
           다 괜찮아…… 괜찮을 거야……

S#64. 강요한의 저택 (밤)

지친 표정으로 강요한의 저택에 들어오는 김가온. 다행히 심각한 부상은 없다. 병원에서 상처에 붕대를 감고 치료를 마친 김가온, 이제 강요한이 없는 저택을 멍하니 둘러본다. 엘리야도 그 끔찍한 순간을 디케 앱으로 지켜봤을까 두려운 김가온. 고통스러운 표정으로 계단을 오른다.

S#65. 강요한의 저택, 엘리야의 방 (밤)

방밖에서 노크를 하고 기다리는 김가온. 하지만 아무 답이 없다. 다시 노크를 하고 기다리다가 이상한 느낌에 문을 열고 들어가는 김가온. 엘리야가 없다! 게다가 옷장 문이 모두 열려 있고 급히 짐을 챙긴 듯 안이 비어 있다. 바닥에는 옷가지들이 떨어져 있다. 휠체어는 침대 옆에 그대로 있다. 놀라 주위를 살피는 김가온. 얼른 문밖에 나가 소리친다.

김가온 엘리야! 엘리야!

아무 답이 없다. 아래층으로 뛰어가는 김가온.

S#66. 강요한의 저택, 서재 (밤)

서재로 뛰어들어온 김가온, 놀란다. 강요한의 책상 위에 카드 탑이 쌓여 있다. 책상으로 달려가는 김가온. 카드 탑 옆에는 도면이 있다. 대법정 설계 도면이다! 전부터 연구했던 듯 도면 곳곳에 동그라미를 치거나 메모한 흔적이 있다. 동그라미 친 기둥 옆에 적힌 메모. 집중된 것은, 무너지기도 쉽다. 마지막 순간 강요한이 서 있던 출입문 앞 바닥에는 네모로 된 표시와 밑으로 통하는 작은 통로가 있고, '비상탈출로'라고 쓰여 있다. 메모. 무대가 끝나면, 마술사는 사라져야 한다. 강요한은 죽은 게 아닌가?! 이 모든 게 계획되어 있었나?! 충격으로 주먹을 불끈 쥐는 김가온의 눈에, 도면 맨 밑에 끄적인 글씨가 보인다. 청소는 끝났고, 이제 네가 할일이 있을 텐데? 강요한의 목소리가 들리는 것만 같다. 소스라치는 김가온. 이때, 뒤에서 지영옥의 목소리가 들린다.

지영옥(E) …요한 도련님이 오셨었습니다.

김가온 (황급히 돌아보며) 대체 어떻게 된 거죠? 엘리야는요!

지영옥 그게……

S#67. 지영옥의 회상, 강요한의 저택 (낮)

정문이 열리더니 강요한이 들어온다. 엘리야한테도 강요한의 상황을
알리지 못한 채 혼자 울고 있다가 귀신이라도 본 양 소스라치게 놀라는
지영옥!

지영옥 도련님! 살아 계셨군요!

강요한 (미소 짓는다) 걱정했어? 유모?

지영옥 그걸 말이라고 하세요! (눈물을 닦는다)

강요한 (미소 지으며) 유모, 오늘부로 해고야.

지영옥 네?!

강요한 이제 이 집을 떠나서 자유롭게 살아. 이 집엔 이제 아무도 없을 거
야.

지영옥 아니 그게 무슨 말씀인지……

강요한 엘리야, 방에 있지? (대답을 기다리지 않고 성큼성큼 계단을 오른다)

S#68. 지영옥의 회상, 엘리야의 방 (낮)

아무것도 모른 채 잠자는 숲속의 공주처럼 자고 있는 엘리야. 잠결에 들려오는 부드러운 목소리.

강요한(E)   엘리야?

눈을 뜨는 엘리야. 눈앞에 미소를 띤 강요한이 있다!

엘리야   요한! (벌떡 몸을 일으키며 강요한의 목에 매달린다)
강요한   (꼭 안아주며 머리칼을 쓰다듬는다)
엘리야   (울며) 감옥에서 나온 거야? 이제 다 괜찮아?
강요한   그래. 걱정 마, 엘리야…… 이제 안전한 곳으로 갈 거야.
엘리야   (놀라서) 안전한 곳?

강요한, 품에서 핸드폰을 꺼내 사진을 보여준다. 마치 동화처럼 예쁜 병원이 보인다.

강요한   스위스에 있는 재활 병원이야. 널 걷게 할 방법을 찾도록 계속 기부하고 있었어. 여기 가자. 우리 둘이서.
엘리야   (뭉클하며 또 눈물이 터진다) 요한……

강요한, 엘리야를 사뿐히 안아들고는 방을 나간다. 뒤에서 지켜보던 지영옥, 눈물을 훔친다.

S#69. 강요한의 저택, 서재 (밤)

김가온   (눈물을 흘리며) 살아 있었군요…… 다행이에요…… 부장님도……
                  엘리야도……

지영옥   (우는 김가온을 안타깝게 보다가, 일부러 마음을 가볍게 해주려고 투덜
                  댄다) 근데 저는 더 바쁘게 생겼어요.

김가온   예?

지영옥   도련님이 건강식품 쇼핑몰을 차려주셨습니다. 퇴직금이라면
                  서. (투덜대며) 몸에 좋고 맛없는 거 마음껏 팔라니, 악담이야 뭐
                  야……

김가온   (픽 웃는다. 미소가 잔잔히 번져간다)

S#70. 사법개혁 공청회 행사장 (낮)

한 달 후. '강요한 사건 극복을 위한 사법개혁 공청회' 팻말이 붙은 회
의실 밖. 김가온과 오진주가 서 있다.

김가온   정말 고향으로 가시게요?

오진주   (미소 짓는다) 응. (화사하게 웃으며) 이 매력, 서울에서만 보여주
                  는 건 불공정하잖아?

김가온   (픽 웃는다)

오진주   (미소 지으며) 소년 사건 전담부, 자원했어. 사고 친 애들 혼도 내고,
                  도와도 주고…… 내가 잘할 수 있을 것 같아.

김가온   (따뜻하게 보며) 잘하실 거예요. 언제나 그랬듯이.

오진주, 씩 웃으며 손을 내민다. 악수하는 김가온과 오진주.

S#71. 사법개혁 공청회 행사장 (낮)

증인석처럼 따로 마련된 자리에 앉은 김가온. 헤드테이블에는 새로 집권한 여당 법사위원장, 새로 구성된 대법원 법원행정처 차장, 법무부 차관이 권위적인 표정으로 앉아 있고, 좌우로 길게 놓은 테이블에는 변호사, 교수, 시민단체 대표, 상담 전문가 등 참석자들이 죽 앉아 있다.

법사위원장 (거드름을 피우며) 에, 우리 새 집권여당은 절대로! 허중세 정권의 잘못을 되풀이하지 않을 겁니다! 대중 인기에 영합하는 포퓰리즘 사법을 극복하고, 진정한 법치주의를 바로 세우기 위해, 오늘 이 자리를 마련했습니다. 자, 우선 우리의 국민적 영웅, 김가온 판사님께 박수부터 보냅시다!

당황하는 김가온. 우레 같은 박수에 일어나 인사하고는 자리에 앉는다.

법사위원장 김판사님, 강요한 사건 같은 불미스러운 일이 다시 없으려면, 무슨 묘안이 있겠습니까?

김가온 (불편한 표정으로) 불미스러운 일……입니까?

법사위원장 강요한 같은 범죄자가 휩쓸리기 쉬운 대중을 선동해서 신성한 법정을 모독하고…… 창피해서 원. (혀를 찬다) 후진국에서나 일어날 만한 일 아니겠습니까?

김가온 (법사위원장의 말에 환멸을 느끼지만 감정을 억제하며) 강요한은 영웅도 아니지만, (법사위원장을 응시하며) 단순한 범죄자도 아닙니다. 사람들이 그저 어리석어서, 휩쓸리기 쉬워서 강요한한테 열광했다고 생각하십니까?

법사위원장 (의외의 반응에 살짝 당황하며 얼버무린다) 어…… 허허허. 역시 젊은 분이라 혈기가 왕성하시네. 근본 원인을 찾자, 뭐 이런 말씀인 거 같은데, 그게 금방 되겠습니까? 그보단 우선, 뭔가 임팩트 있는 대책을 발표해서 민심부터 수습하는 게 순서지요. 허허허.

김가온(N) (환멸을 느끼며 표정이 굳는다) 똑같구나. 바뀌는 건 아무것도 없어……

차관 맞습니다, 의원님. 저희 검찰에서는 법관 선발 절차를 강화해서 강요한 같은 위험분자를 걸러낼 수 있도록 법관 선발 권한을 법무부로 이관하는 방안을……

차장 (O.L.) 그게 무슨 말도 안 되는 소립니까! 사법 독립 침햅니다! 의원님. 그보다는, 국민적 인기가 드높은 우리 김가온 판사를 재판장으로 올려서 새로운 시범재판부를 구성하는 것이……

김가온 (꼰대들을 힘있는 눈빛으로 바라보며 O.L.) 이럴 시간에!

차장 (어리둥절한 눈빛으로 김가온을 본다) 예?

좌중의 시선이 김가온에게 집중된다.

김가온 우리 할일부터 해야 되지 않습니까?

차장 ……?

김가온 (헤드테이블에 앉은 국회의원, 고위직 법관, 법무부 차관을 죽 보며) 죄송합니다. 대선배님들 앞에서 제가 감히 건방진 말씀 올리겠습니다. 용서하십시오. (정중히 목례한 후) 우리는 모두 주권자인 국민이 위임한 일을 하는 사람들입니다. 억울한 사람이 없도록, 피눈물 흘리는 사람들이 없도록, 남의 눈에 피눈물 흘리게 만든 자들이 정당한 죗값을 치르도록. 그게 우리 할일 아닙니까? 저는 그러려고 법복을 입었습니다.

뭔 소리냐는 표정으로 김가온을 쳐다보는 고위직들.

김가온 (헤드테이블 쪽을 보며) 우리가 할일을 안 하면, 누군가 고통받습니다. 그 고통이 괴물을 만들어내는 거고요. 사람들이 분노하는데는, 이유가 있는 겁니다.

헛기침하며 외면하는 헤드테이블의 꼰대들.

법사위원장 (못마땅한 표정으로 김가온을 힐끗 보며) 뭐, 좋은 말씀입니다. 허허허. 젊은이들은 그런 결기가 있어야죠. 존중합니다. 허허허.
차관 김판사님 말씀은 충분히 들었고, 이제 실무적인 대책들에 대해 논의하시는 게 어떻겠습니까, 위원장님.
법사위원장 그럽시다. 아까 법관 선발 절차 얘기를 하셨는데…… (F.O.)

김가온, 웃으며 떠들어대는 꼰대들을 동물원의 동물 보듯 바라본다. 씁쓸하게 피식 웃으며 한숨 쉬는 김가온.

S#72. 사법개혁 공청회 행사장 (낮)

파장이 되어버린 공청회. 헛기침을 하며 꼰대들이 떠나고 참석자들도 삼
삼오오 자리를 뜬다. 하지만 김가온은 자리에 앉은 채 생각에 잠겨 있다.

김가온(N) …나는 무얼 해야 할까. 요한도 수현도 없는 세상에서.*

꼬리에 꼬리를 무는 생각에 잠겨 자리를 지키던 김가온, 자리에서 일어
서는데, 누군가 귓가에 속삭인다.

강요한(E) 잘해라. 안 그러면 돌아올 거니까.

놀라 돌아보는 김가온! 모자를 눌러쓰고 마스크를 한 강요한이 재빨리
행사장을 나간다. 황급히 쫓아가는 김가온. 행사장에서 나가는 참석자
들을 피하며 강요한을 쫓는다. 재빨리 복도 모퉁이를 도는 강요한. 김
가온, 뛰면서 쫓아가는데, 모퉁이를 도니 눈앞에 유리로 된 엘리베이터
에 올라타는 강요한이 보인다! 닫히는 엘리베이터 문.

---

* 16부 초고에는 김가온의 내레이션이 이렇게 되어 있었다.

'…나는 무얼 해야 할까. 요한이 필요 없는 세상을 위해.'

악을 악으로 처단하는 히어로가 필요 없는 세상, 시스템이 제대로 작동하는 세상을 만들어야 한다는 소
망을 담은 것이었다. 그런데, 진영 배우가 '…나는 무얼 해야 할까. 요한도 수현도 없는 세상에서'로 바꾸
면 어떻겠느냐는 의견을 냈다. 훌륭한 의견이었다. 김가온이라는 인물에 작가 이상으로 깊이 들어가 있
는 진영 배우가 윤수현을 잃은 김가온의 아픔, 외로움이라는 '감정'에 동기화되어 있었던 것이다. 나는 반
면 마지막에 주제의식을 전달하려는 생각이 앞섰다. 결국 드라마란 인물의 감정을 전달하는 것이 먼저가
아닐까 하는 생각에 진영 배우의 의견대로 내레이션을 바꾸었다.

김가온   잠깐만요! (엘리베이터 앞에 도착해 버튼을 미친듯 누른다)

엘리베이터 안의 강요한, 마스크를 벗더니, 김가온을 보며 싱긋 웃는
다. 그러곤, 무대를 마친 마술사처럼, 커튼콜을 받은 뮤지컬 배우처럼,
멋지게 손을 돌리고 다리를 뒤로 빼며 고개를 숙여 인사를 보낸다. 아래
층로 내려가는 엘리베이터. 김가온, 다시 계단으로 뛰어가 강요한을 쫓
으러 내려가는데, 숨이 턱에 닿도록 뛰어 겨우 1층에 도착하니 강요한
은 이미 건물 밖으로 나가는 문을 향하고 있다.

김가온   (자기도 모르게 그만 버럭 소리지른다) 강요한!

강요한, 뒤돌아선 채 손을 들어 살짝 흔들고는, 밖으로 사라진다. 헉헉
숨을 내쉬던 김가온, 사라지는 강요한의 뒷모습을 보며 자기도 모르게
환하게 웃음 짓는다. 미소 지으면서도 어느새 눈물이 맺히는 김가온의
간절한 얼굴 위로 타이틀, **악. 마. 판. 사.**

악마판사 오리지널 대본집 2

ⓒ 문유석 2021

초판 인쇄 2021년 8월 12일
초판 발행 2021년 8월 25일

지은이 문유석
기획 김소영 | 책임편집 박영신 | 편집 황수진 신기철 임혜지
디자인 이효진 이주영 | 마케팅 정민호 양서연 박지영 안남영
홍보 김희숙 함유지 김현지 이소정 이미희 박지원
제작 강신은 김동욱 임현식 | 제작처 영신사

펴낸곳 (주)문학동네 | 펴낸이 염현숙
출판등록 1993년 10월 22일 제406-2003-000045호
주소 10881 경기도 파주시 회동길 210
전자우편 editor@munhak.com | 대표전화 031) 955-8888 | 팩스 031) 955-8855
문의전화 031) 955-2655(마케팅) 031) 955-2697(편집)
문학동네카페 http://cafe.naver.com/mhdn | 트위터 @munhakdongne
북클럽문학동네 http://bookclubmunhak.com

ISBN 978-89-546-8189-6 04810
    978-89-546-8187-2 (세트)

www.munhak.com